BIBLIOTECA DI CULTURA

— 442 —

ANGELICA FORTI-LEWIS

MASCHERE, LIBRETTI E LIBERTINI: IL MITO DI DON GIOVANNI NEL TEATRO EUROPEO

BULZONI EDITORE

ISBN 88-7119-380-6

© 1992 by Bulzoni Editore
00185 Roma, via dei Liburni, 14

G GRAF NOVA S.r.l. Tipolitografia · Febbraio 1992

Questo libro è dedicato alla memoria di mio padre, Aldo Forti, il quale con infinita pazienza, entusiasmo ed affetto, riuscì a comunicare a me bambina il suo istintivo amore per la musica.

Ringraziamento

Desidero esprimere la mia più sincera gratitudine per il Governatore dello Stato di New York, la "United University Professions" e l'Università di Stato di New York a Stony Brook, per il loro generosissimo contributo che mi ha permesso di dedicare la maggior parte dell'anno 1990, esclusivamente alla revisione di questo libro.

Alcune parti di questo volume sono già apparse in forma di articolo nelle seguenti riviste: *Critica Letteraria; Atti e Memorie dell'Istituto Veneto di Scienze, Lettere e Arti; Rivista di Studi Italiani; Studi Francesi e Italian Quarterly.*

INDICE

ne letteraria dei due sottomiti. - Don Juan Tenorio: eroe e proiezione storico-politica del periodo. - *El perro muerto* e la beffa mitica. - Un'interpretazione economico-finanziaria del Burlador. - *La brevedad engañosa* della vita e la morte tragica. - Penuria dei personaggi femminili. - Il ruolo del cibo).

(Decadenza del mito durante l'Illuminismo e Il *Dissoluto* di Goldoni. - Il teatro dei burattini. - Opera seria, Intermezzi musicali e Opera buffa. - Fioritura dei *Don Giovanni* per musica nel '700. - Il *Don Giovanni* di Bertati e Gazzaniga. - Mozart musicista operistico e il suo rapporto con Lorenzo Da Ponte. - Il *Don Giovanni* di Da Ponte/Mozart: l'eroe Don Giovanni; Leporello e gli altri personaggi maschili; burle e cene per musica; i personaggi femminili e l'om di sasso).

La redenzione di Don Giovanni

(Il racconto fantastico di Hoffmann e lo sfasamento del mito nella narrativa filosofica e nel poema. - L'eroe alienato e amante del *Don Juan und Faust* di Christian D. Grabbe, e la fusione romantica del protestantesimo e del cattolicesimo nell'abbinamento dei miti di Faust e Don Giovanni. - Il rinnovamento spirituale e la redenzione dell'eroe nel *Don Juan Tenorio* di José Zorrilla).

Il filosofo

(Il Don Giovanni ansioso ed antieroico del Novecento. - *Man and Superman* di George Bernard Shaw, nella corrente del Fabianism e delle teorie ginecentriche di Lester Ward. - Jack Tanner/Don Juan: filosofo e *Revolutionist*. - L'inversione dei ruoli tra Jack ed Ann, e la capitolazione di entrambi di fronte alla Forza Vitale. - La conquista della passione morale e la trappola del matrimonio).

Indice

CAPITOLO I

"DON GIOVANNI"... ANCORA?

"Don Juan est musical précisément parce qu'il n'a pas de Moi...
Don Juan, c'est l'harmonisation du multiple... Le donjuanisme est
un art, comme l'a été à une époque l'aristocratie ou le dandysme"[1].

Amleto, Faust, Carmen e Don Giovanni: queste le creazioni letterarie su cui continuano a convergere problemi e aspirazioni del pensiero
moderno[2].
Don Giovanni però, al contrario degli altri personaggi, presenta pro-
blematiche ben diverse. Qual è infatti il vero Don Giovanni, l'archetipo
originario? Sebbene il nome di Don Giovanni sia ormai parte del vocabolario comune di ogni giorno, notiamo subito che non è facile conno-
tarne la configurazione. Se ci rivolgiamo al mitico uomo comune, la risposta immediata è che Don Giovanni è un bel giovane "...che ci sa fare
con le donne"[3]. Sono ben pochi coloro che hanno sentito parlare, anche vagamente, del *Burlador de Sevilla* di Tirso de Molina, e critici e letterati offrono anche opinioni contrastanti su quale sia il testo definitivo
del dramma. In Spagna si avversano due partiti: quello che opta per il
Burlador di Tirso de Molina (1620) ed il secondo che favorisce il *Don*

---

[1] Julia Kristeva, "Don Juan ou aimer pouvoir", *Histoires d'amour* (Parigi: Denoël, 1983) 189.
[2] Vedi a questo proposito Leo Weinstein, *The Metamorphoses of Don Juan*
(Stanford: Stanford Univ. Press, 1959) 1.
[3] Frank Sedwick, "*El Burlador, Don Giovanni* and the Popular Concept of Don
Juan", *Hispania,* XXXVIII (1955): 173-177.

Juan Tenorio di Zorrilla (1844), ma altrove in Europa si preferisce ricordare il testo di Molière (1665) o l'opera di Mozart per il libretto di Da Ponte (1787), mentre nei paesi anglosassoni il nome di Don Juan viene generalmente abbinato a Byron (1819-1824) o Shaw (1903).

Ci sono diversi critici, tra cui Leo Weinstein, che hanno giustamente osservato come l'assenza di una versione letteraria dominante della storia di Don Giovanni abbia contribuito sia a promuovere che a debilitare la produzione dei testi [4]. Molti nuovi autori hanno infatti potuto coraggiosamente esplorare un *topos* ancor chiaramente aperto, perpetuandone così la rinascita letteraria. Se tale ripetuto rinnovamento genera sovente anarchie letterarie che permettono a qualsiasi scrittore di creare il *suo* Don Giovanni, suscitando problemi seri di storia delle fonti, esso produce anche stimolanti pretesti di rigenerazione, che continuano a sostenere il perenne vigore di questo mito.

Chi desideri riesaminare la fabula, nota facilmente che oltre all'immediata necessità di riordinare la già ricordata anarchia testuale, ne consegue anche l'obbligo sia di definire continuamente quale sia il Don Giovanni esaminato, che di mettere perpetuamente in questione gli strumenti stessi della propria analisi.

È indispensabile infatti cominciare col domandarsi se sia perfino possibile parlare di Don Giovanni come di un mito. L'incertezza stessa del termine mito e la fluidità di una determinata configurazione mitica la cui storia viene narrata soltanto da tre secoli, fa sì che l'impiego di tale termine comporti diversi pericoli [5]. Se noi accettiamo la ormai comune definizione di mito illustrata da Joseph Campbell [6], Mircea Eliade [7], o le varie categorie classificate da Lévi-Strauss [8], secondo i quali il mito è un

---

[4] Weinstein 2.

[5] Vedi, per proseguire su queste linee d'indagine, il primo capitolo di *Le mythe de Don Juan* di Jean Rousset (Parigi: Armand Colin, 1978).

[6] Joseph Campbell, *The Mythic Image* (Princeton: Princeton Univ. Press, 1974). Dello stesso autore vedi anche T*he Hero with a Thousand Faces* (New York: Meridian Books, 1949/1984).

[7] Mircea Eliade, *Mythes, rêves et mistères* (Parigi: Gallimard, 1957); *Aspects du mythe* (Parigi: Gallimard, 1963).

[8] Vedi in particolare Claude Lévi-Strauss, *Mythologiques I: The Raw and the*

prodotto archetipico attribuito coralmente a civiltà preistoriche, le cui origini si perdono in un passato arcaico, chiaramente il termine mito non può venir adottato per Don Giovanni, il quale, nato in piena era storica, anzi agli inizi di quella che noi consideriamo l'età moderna, ci appare inizialmente come creazione teatrale di un ben noto, particolare autore secentesco, Gabriel Téllez, detto Tirso de Molina.

Ulteriori difficoltà vengono inoltre offerte dalla validità della critica mitologico/letteraria e vi sono critici ben noti, tra cui anche Benedetto Croce, che rigettano decisamente ogni interpretazione mitologico/tematica della letteratura [9], separando nettamente la critica letteraria dalla tematologia o *stoffgeschichte* [10].

Sono però esempi isolati, perché lo studio della tematologia continua a prosperare; sono apparsi anche recentemente ottimi studi dedicati a questo argomento e rimandiamo il lettore alla bibliografia che, benché scelta, abbiamo cercato di mantenere più aggiornata possibile.

Jean Rousset afferma che ogni uomo sente la necessità sia di inventare che di studiare le proprie leggende ancestrali: l'analisi del tessuto strutturale di una leggenda, il chinarsi sui segreti delle sue infinite mutazioni, ci insegna infatti a comprendere la nostra propria odissea, in ciò che essa offre di più profondo e di più nobile [11]. In ogni spirito affamato di giustizia giace un Oreste, in ogni rivolta un Prometeo ed in ogni indagine mistica, un Orfeo. In ognuno di noi si nasconde un'Antigone, Faust, Saul o Don Giovanni, e la polivalenza umana si proietta nel mito perché esso simboleggia la forma ideale del destino umano, quella stes-

---

Cooked (Londra: Cape, 1969); *Mythologiques II: from Honey to Ashes* (Londra: Cape, 1973); *Mythologiques III: L'Origine des manières de table* (Parigi: Plon, 1968); *Mythologiques IV: L'Homme nu* (Parigi: Plon, 1971). Vedi anche, dello stesso autore, "Confrontation over Myths", *New Left Review* 62 (1970).

[9] Nel 1904 Benedetto Croce voleva "mettere in guardia contro i pericoli di questi lavori di confronto, prediletti dalla vecchia critica e che ora vengono decorati sovente col titolo, alquanto ambizioso, di studi di letteratura comparata". *La Critica*, II (1904): 486.

[10] Vedi a questo proposito l'ottimo *Thèmes et mythes (Questions de méthode)* di Raymond Trousson (Bruxelles: Edition de l'Université de Bruxelles, 1981) 7-8.

[11] Rousset 8.

sa forma che Montaigne aveva chiamato "l'humaine condition", quattro secoli fa [12].

La terminologia stessa della classificazione e dello studio dei miti si mantiene spesso estremamente ambigua, sfociando troppo agevolmente dall'antropologia [13], alla psicologia analitica di matrice Jungiana [14], fino ad arrivare al campo letterario. Mircea Eliade spiega che nel campo della storia delle religioni, per esempio, il mito evoca una storia sacra che serva da modello al comportamento umano [15], e per Lévi-Stauss, Joseph Campbell, e Carl Jung, una delle caratteristiche fondamentali del mito consiste proprio nell'essersi sviluppato in una lenta preistoria orale, senza autori specifici. Don Giovanni, concepito come *El Burlador* da Tirso de Molina nel *Siglo de Oro*, non può quindi appartenere alla definizione classica di mito, ma nonostante la ben identificata paternità della leggenda, la sua storia si è resa ben presto indipendente dall'invenzione originale del proprio autore, assumendo caratteristiche vitali autonome e seguendo in tale processo il movimento a spirale caratteristico dello sviluppo dei miti.

La già ricordata sovrabbondanza di testi, propria di Don Giovanni, evidenzia anche il secondo, fondamentale postulato di Lévi-Strauss, secondo il quale qualunque narrazione è in sé indipendentemente autonoma, e non esistono mai né la versione originale di un mito, né copie ricavate da tale versione [16]. Questo postulato si mantiene particolarmente saldo per Don Giovanni, in particolare se consideriamo l'originalità di ogni nuova espressione letteraria del mito, dal Seicento fino ai giorni nostri [17]. La fabula si è quindi sviluppata sempre assecondando temati-

[12] "Chaque homme porte la forme entière de l'humaine condition". Michel de Montaigne, *Essais* a cura di Maurice Rat (Parigi: Garnier, 1962) Vol. II, 222.

[13] Vedi le già citate opere di Mircea Eliade e di Claude Lévi-Strauss.

[14] Vedi le già ricordate opere di Joseph Campbell. Vedi anche molti degli studi di Carl G. Jung, in particolare *The Archetypes and the Collective Unconscious in Collected Works* (New York: Bollingen Foundation/Pantheon Books, 1959) Vol. IX, Parte 1.

[15] Mircea Eliade, *Mythes* 18.

[16] Claude Lévi-Strauss, *Le Regard éloigné* (Parigi: Plon, 1983) 147-160 e altrove.

[17] Ricordiamo come esempio recentissimo, l primo percorso progettuale attra-

camente le variazioni e vicissitudini della propria leggenda, con il movimento ondulato e a spirale, tipico del mito.

Ci sembra dunque che tali fattori possano permetterci di accomunare i tanti Don Giovanni della letteratura sotto l'appellativo comune di *mito*, anche se è forse preferibile adottare la sottodefinizione di *mito letterario*. Il mito letterario ipotizza sempre l'espressione narrativa, basandosi su una narrazione (*récit*) originaria orale del mito, fino ad abbracciarne la versione scritta o leggenda. Secondo Mircea Eliade i miti letterari sono più evoluti rispetto ai miti di origine prettamente antropologica, ed i miti greci classici rappresentano il trionfo assoluto dell'opera letteraria, conferendo dignità perenne alle versioni multiformi anteriori [18]. Il mito nella letteratura, o mito letterario, si snoda come un filo conduttore che si arricchisce lungo il cammino dei secoli, nutrendosi del patrimonio artistico e filosofico delle varie civiltà, mantenendo e restituendo, nonostante le innumerevoli trasmutazioni, delle costanti fondamentali della natura umana.

Il mito di Don Giovanni offre anche la caratteristica del cosmopolitismo. Ignorando le frontiere nazionali, esso mantiene anche l'altra caratteristica precipua dei miti, dimostrando la propria partecipazione ad un livello universale. Nato in Spagna, Don Giovanni emigra in Italia, e dall'Italia passa successivamente alla Francia, Germania ed Inghilterra, adattandosi letterariamente ai vari mutamenti geografico/culturali del suo percorso. Nell'esaminare il movimento, quindi, ne dobbiamo considerare non solo lo sviluppo storico, ma anche l'evoluzione geografica, in un comparatismo che si sviluppa in maniera contemporaneamente orizzontale e verticale.

Fin dall'Ottocento, si è ripetuto periodicamente che la struttura mitica di Don Giovanni si era evaporata con l'abbinamento di Don Giovan-

---

verso il mito del "Progetto triennale Fabula", il quale è stato dedicato a Don Giovanni (Teatro delle Voci di Roma: Stagione teatrale 1986-1987).

[18] Mircea Eliade, *Aspects du mythes* 15. Nota però che Roland Barthes lo contraddice completamente, affermando che l'importanza originale del mito non è letteraria ma nel progetto etiologico. (Nota citata in Trousson 19).

ni e Faust [19], e che l'identità originale del mito s'era annullata, a causa della separazione dell'eroe dal Convitato di pietra e della rimozione dell'elemento soprannaturale basico del testo originale. Ci sembra però che questo commento continui soprattutto a provare l'esistenza del mito di Don Giovanni. Come considerare la morte di un mito, senza ammetterne automaticamente l'esistenza? Se Don Giovanni però, come ogni altro mito, assume il ruolo di *exemplum* da imitare o contestare, il ruolo cioè proiettivo dell'identificazione positiva/negativa del narratario, allora è anche necessario individuare con chi s'identifichi sia l'autore che lo spettatore/lettore. Con l'eroe o con le sue vittime? Con il beffatore o con il seduttore? Con il delinquente da fiera della Commedia dell'Arte o con il filosofo/ribelle, glorificato dal Romanticismo? O forse con il mistificatore ormai deriso dei tempi moderni? Con quale proiezione del mito s'identifica il narratario e, soprattutto, con quale periodo di tale proiezione?

Si arriva quindi alla terza, fondamentale questione da esaminare in un lavoro critico su Don Giovanni. Come studiare questo mito? È permesso analizzarlo studiandone i perimetri costanti o le variazioni, in una prospettiva totalmente aliena da qualsiasi inserimento storico [20], o sono invece validi solamente quegli studi che inquadrano le varie versioni del mito nel loro panorama storico/geografico [21]? Sincronia o diacronia dunque, nello studio del mito di Don Giovanni?

L'esigenza di un'analisi più rigorosa delle opere letterarie è stata rinforzata, nei tempi più recenti, dai risultati di ricerche condotte nel dominio della linguistica e dell'etnologia. La tematologia ha così preso in prestito dallo strutturalismo metodi disciplinari tesi ad individuare con precisione più scientifica possibile la portata originale dei miti e ad af-

---

[19] Ci riferiamo in particolare a Christian D. Grabbe, *Don Juan und Faust* (Francoforte, 1829), ma ve ne sono anche altri (Vedi Cap. VII).

[20] Vedi in particolare il lavoro di Jean Rousset, già citato.

[21] Vedi, fra gli altri, Arturo Farinelli, *Don Giovanni* (Milano: Bocca, 1946); Georges Gendarme de Bévotte, *La légende de Don Juan (Des Origins au Romantisme)* (Ginevra: Slatkine, 1906/1970); *La légende de Don Juan (Du Romantisme à l'époque contemporaine)* (Parigi: Hachette, 1911) e il già citato Weinstein.

frontare l'esame delle opere individuali secondo linee astoriche. Questo è un cambiamento deciso dagli originali studi prevalentemente storici che erano stati dedicati al mito di Don Giovanni, come quelli già ricordati di Gendarme de Bévotte in Francia, Leo Weinstein in America, e, in Spagna, A. Baquero [22].

In Italia invece sono stati pubblicati piuttosto recentemente ottimi studi critici orientati su periodi particolari dello sfasamento francese [23] e italiano del mito, in particolare il libro di Macchia [24] e quello di Spaziani [25] che, tra l'altro, contengono anche opere scritte prima del *Burlador* di Tirso, ed i cui manoscritti sono stati disseppelliti con tenace perizia.

Strutturalisti come Rousset affermano che sono già stati prodotti molti studi storici su Don Giovanni, ormai definitivi, e che è quindi poco interessante e ancor meno necessario ripetere ciò che è già stato concepito ed eseguito con attenzione e serietà [26]. Si obbietta anche che l'ordine storico dell'esposto è un ordine imposto dall'esterno, che oltre ad essere talvolta illogico, non tiene sempre conto dei particolari flussi in cui si realizzano le opere letterarie, né fa attenzione agli sfasamenti da genere a genere, che non sono sempre concepibili e contenibili nel perimetro storico. È per questa ragione che Rousset favorisce le metamorfosi del mito che egli definisce come *laterali* [27], le quali invece di proseguire secondo una successione cronologica, s'interessano immediatamente del discorso letterario, esaminandone sia i passaggi da genere a genere o da sottogenere a sottogenere, che le trasposizioni che ne risultano nello stesso testo da dramma in scenario, racconto, poema. La

---

[22] Arcadio Baquero, *Don Juan y su evolución dramática* (Madrid: Espasa-Calpe, 1966).

[23] Vedi in particolare Enea Balmas, *Il mito di Don Giovanni nel Seicento francese* (Milano: Cisalpino-Goliardica, 1978) Vol. I & II. Vedi anche Cesare Garboli, "Prefazione" a *Molière. Saggi e Traduzione* (Torino: Einaudi, 1974-1976).

[24] Giovanni Macchia, *Vita, avventure e morte di Don Giovanni* (Torino: Einaudi, 1978).

[25] Marcello Spaziani, *Don Giovanni dagli scenari dell'arte alla "foire"* (Roma: Edizioni di Storia e Letteratura, 1978).

[26] Rousset 33.

[27] Rousset 15.

storia del mito viene così interpretata come un viaggio attraverso le forme, e non solo le forme letterarie, perché essa s'interessa anche della trasmigrazione in altre forme artistiche come l'opera, il poema sinfonico ed il balletto.

Conveniamo che gli studi basati unicamente sull'evoluzione cronologica del mito per sé e su un elenco di monografie si dimostrino ormai superati, ed un'analisi del mito non possa erigersi su studi unicamente diacronici. Sono infatti soltanto le enciclopedie ed i dizionari che rispettano l'ordine cronologico di date e nomi, mentre lo studio della tematologia vuole tracciare il proprio corso nella selva delle varie interpretazioni di un tema, nella storia delle idee e non della cronologia. Gli studi diacronici, inoltre, spesso non danno il dovuto valore alla tradizione orale, particolare di vera importanza soprattutto per Don Giovanni, la cui emigrazione dalla Spagna alla Francia si effettuò proprio tramite l'immenso successo italiano delle rappresentazioni improvvisate dei Comici dell'Arte, e non attraverso testi scritti, come si era originalmente ipotizzato[28].

Quantunque un'analisi strutturale ci sembri quindi più adatta e, forse, più interessante, non vogliamo però escludere la diacronia perché anche se gli studi sincronici del mito, con la loro analisi delle strutture permanenti e delle variazioni, si dimostrano criticamente più significativi, non possiamo fare a meno di notare che questi lavori possono anche presentare alcuni svantaggi. Innanzi tutto studi esclusivamente sincronici devono forzatamente limitarsi all'esame di testi piuttosto elaborati, ignorando sia versioni incomplete del mito, che allusioni o riferimenti. Inoltre, se questo tipo di analisi può essere particolarmente adatto per lo studio dei miti di situazione, lo è assai meno per i miti eroici (o antieroi-

---

[28] Vedi a questo proposito Macchia 119, dove si mette in rilievo l'improbabilità dell'ipotesi formulata da Gendarme de Bévotte che vede il *Dom Juan* di Molière come derivato da un dramma scritto, perduto, del napoletano Giliberto (dramma nominato soltanto da Goldoni, vedi Cap. VI), invece di prendere in considerazione le tante versioni orali del Convitato rappresentate dai Commedianti dell'Arte a Parigi, ed i ben noti legami professionali e d'amicizia tra Molière e gli attori.

ci), che tendono a rendersi estremamente indipendenti rispetto alla propria struttura narrativa. Dobbiamo poi considerare se l'insieme delle invarianti del mito originale possa essere il punto di partenza più logico per uno schema sincronico, perché in tal caso il critico deve scegliere arbitrariamente dei postulati e considerarli determinanti per l'ulteriore studio del mito. Tale orientamento può quindi dimostrarsi non meno esterno della vecchia impostazione storico/cronologica. L'analisi strutturale, estremamente ricca e fruttuosa quando esamina un mito originale o la sua prima cristallizzazione letteraria, si rivela assai meno pertinente quando si desidera seguirne il destino letterario e la diacronia riprende, a buon diritto, il sopravvento. I miti possono trovare la loro dimensione completa soltanto nella storia, dove si sono radicate le loro incarnazioni e quando la palingenesi del mito si fonde col mito stesso. Appena si oltrepassa l'analisi dell'organizzazione iniziale delle costituenti di un mito per cominciare ad esaminarne il *divenire*, la mitologia entra nel dominio storico perché lo studio delle ulteriori modificazioni non può fare a meno di considerare elementi sviluppati secondo linee storiche. L'evoluzione del mito è decisamente influenzata sia dal periodo storico nel quale esso viene riesaminato, che dalla configurazione geografica a cui appartiene lo scrittore che lo ricrea. Se parliamo di donchisciottismo, prometismo e, soprattutto, dongiovannismo, dobbiamo prima definire di quale eroe si parli: del beffatore punito di Tirso, del ribelle di Grabbe o dell'amante redento di Zorrilla? Lo studio di un mito presuppone un gioco comparativo perpetuo, ma si tratta di un comparatismo che va mantenuto entro i perimetri della storia, non al di fuori di essa, e che dovrebbe evitare paradigmi astratti, completamente sospesi nell'atemporalità.

Il critico *innamorato* di Don Giovanni deve quindi mantenere continuamente una duplice prospettiva, che tenga conto sia dei paralleli sincronici del mito che dei suoi sviluppi diacronici. È un compito difficile ma non impossibile, perché ci sono opere come l'ottimo lavoro già ricordato di Giovanni Macchia che pur rispettando l'evoluzione diacronica del mito, ne approfondisce l'analisi delle versioni, compreso il suo infiltrarsi nel mondo musicale.

Proporrei quindi una dicotomia metodologica che segua la storia letteraria del mito, mettendone contemporaneamente a fuoco particolari ottiche tematiche. Pur ammirando molto l'ottimo lavoro di Jean Rousset già ricordato, e la sua proposta analitica basata sulle unità costitutive varianti e stabili, secondo il trittico di *morte, gruppo femminile* ed *eroe*, temiamo che questo dispositivo triangolare del mito si sviluppi secondo linee troppo minimalistiche, e preferiamo ampliare la divisione, considerando tra l'altro anche la funzione referenziale della *burla* e il ruolo del *cibo*.

Maschere, Libretti e Libertini indirizzerà il proprio studio del mito seguendone quindi l'evoluzione storica, ma aderendo contemporaneamente al seguente schema:

1. Don Giovanni nel suo ruolo di eroe/antieroe e come proiezione politico/culturale del milieu storico-letterario che genera una determinata versione del mito.

2. La morte violenta che interrompe bruscamente il crescendo della *burla* del protagonista e introduce la *discesa* agli Inferi mediata da un messaggero divino. (Nel caso particolare di Don Giovanni tale funzione viene effettuata da una statua, ma questo elemento non presenta differenze fondamentali da altre versioni mitiche di questo episodio, che possono fare uso di mediatori dell'autorità divina altrettanto *inumani*, come Cerbero, Plutone, Caronte, Arcangeli ecc). Vedremo nel secondo capitolo, nell'esame delle versioni anteriori al *Burlador* di Tirso, quanto siano comuni nel folklore medioevale europeo gli incontri tra vita e morte, ma ciò che ci interessa particolamente nello studio del mito di Don Giovanni è l'esame dell'intermediario *inumano* tra vita e morte.

3. Lo studio dei personaggi cosiddetti secondari: le figure femminili e il servitore.

4. La funzione referenziale della *burla* che, a seconda dei tempi, può concretizzarsi sulla scena come mistificazione, magari grossolana e volgare, fino a diventare ribellione filosofico/poetica nei riguardi della società. In altre parole, *Beffatore = Alienato*.

5. Il ruolo del cibo e in particolare lo scambio alimentare tra vivi e morti.

I

(Don Giovanni nel suo ruolo di eroe/antieroe
e come proiezione politico culturale del proprio milieu letterario)

In quasi tutte le versioni letterarie della leggenda, Don Giovanni viene rappresentato come eroe o, nell'interpretazione opposta, antieroe, il
che è assolutamente identico nel contesto dell'economia letteraria del
mito. Le versioni opposte di uno stesso mito sono sempre, in effetti,
uguali perché il processo capovolge soltanto l'equilibrio della componente conscia o inconscia del mito, senza mutarne minimamente la
struttura [29].

Quando parliamo di antieroe, parliamo di un personaggio su cui si
fissa l'ammirata attenzione inconscia dell'energia psichica collettiva, anche se si tratta dell'ammirazione repressa di un *buon* pubblico che pur
godendo le avventure di Don Giovanni, e divertendosi quando egli seduce o uccide, si sente però ipocritamente sollevato quando la finale
condanna del peccatore può distanziarlo dal personaggio. Tale ammirazione può, al contrario, essere conscia, quando si tratta di un pubblico
che invece di essere *buono* si sente *ribelle,* e identificandosi conscia-
mente con l'eroe alienato, tralascia o addirittura elimina l'episodio della
punizione divina, come avvenne a partire dal Romanticismo ed è continuato, senza mutamenti fondamentali, fino ai nostri giorni.

Nel Seicento quindi, come giustamente nota G. Macchia, la crudeltà
di Don Giovanni legata all'erotismo, il suo andar dritto allo scopo, coraggiosamente, lo facevano una specie di antieroe che il pubblico dia-
bolicamente amava [30]. È indispensabile, però, esaminare anche la definizione di *eroe* e del suo opposto *antieroe,* termini espressi spesso con
molta facilità.

Secondo Jean Rousset, è il diciannovesimo secolo che ha creato il
"mito della situazione" e "il mito dell'eroe" [31], da cui egli deduce che è

[29] Vedi, per continuare su queste linee di ricerca, Campbell, *Hero* 44 e segg.
[30] Macchia 6.
[31] Rousset 12.

indispensabile evitare, nel caso di Don Giovanni, qualunque personalizzazione di *superamante,* dall'erotismo troppo intenso (o insufficiente).
Don Giovanni eroe va quindi apprezzato sia in chiave di creazione miti-
co/letteraria, che come energia psichica proiettata in una griglia letteraria, realizzata secondo azioni e reazioni, in un nodo di rapporti. I vari libertini settecenteschi, compreso un libertino famoso come Giacomo Casanova, assurto egli stesso a proporzioni mitiche, non possono essere
abbinati a Don Giovani perché anche se condividono con questo eroe il
topos della continua seduzione e della mistificazione, non realizzano
nel loro perimetro esistenziale la cena finale con il morto, il che separa
decisamente il mito di Don Giovanni e lo innalza ad una dimensione diversa. Né è solamente a causa del suo duello col morto che Don Giovanni non può essere accomunato ai tanti, comunissimi, libertini del diciottesimo secolo, perché un mito rifiuta sempre automaticamente lo
sfasamento umano e esistenziale. Miti, archetipi e topoi sono sempre al
di là della personalizzazione, e qualunque tentativo di frattura esistenziale, non ha altro risultato che di sfocare e temporaneamente diminuire
l'intensità del mito. Joseph Campbell, forse il più grande studioso di miti
ed in paricolare di miti eroici, spiega che nonostante la superficiale dif-
ferenza delle avventure narrate, l'eroe è sempre colui che riesce a libe-
rare un nucleo psichico di energia (sia collettiva che individuale) che
era stato represso e quindi imprigionato, e a ridirigere tale energia verso
l'universo umano [32]. Il percorso avventuroso dell'eroe mitico è sempre
caratterizzato dalle tre tappe fondamentali individuate anche da Campbell: a) L'emarginazione dalla realtà circoscrivente (malata/incompleta);
b) L'iniziazione che apre l'eroe al susseguirsi delle avventure, e c) Il ritorno finale al punto d'origine, ritorno caratterizzato dal fatto che l'eroe
può ora riportare all'unità primordiale che lo aveva generato (villaggio,
famiglia, palazzo reale, ecc.), la conquista ottenuta col coraggio dei suoi
avventurosi travagli (la principessa che lo sposerà, l'acqua miracolosa
che salverà il re ammalato, il cibo con cui potrà sfamare il villaggio o la

---

[32] Campbell, *Hero* 40.

famiglia, ecc.). La più complicata e difficile delle tre tappe è generalmente il ritorno (benché, in apparenza, possa sembrare la più facile), e le mitologie (come anche la psiche umana, perché tale processo può essere interpretato anche secondo il processo evolutivo della psiche individuale), sono piene di eroi abortiti che dopo aver sentito l'alienazione iniziale ed essersi lanciati nell'avventura, dopo esser cioè riusciti a superare le prime due tappe del mito eroico, non riescono a reintegrare la loro conquista, e ad effettuare il ritorno all'unità primordiale originatrice. Se eroi come Enea, Ulisse, Giasone o Cristo riescono, nonostante le immense difficoltà incontrate, a completare il ciclo, gli eroi abortiti che non riescono ad effettuare il ritorno (Prometeo, Icaro, Lucifero o Don Giovanni), invece di inserirsi di nuovo nell'unità iniziale, arricchendola del *bottino* della propria conquista, si perdono completamente e l'energia psichica generata dalla tensione dell'avventura, si traduce in energia disordinata e a vuoto, a causa del fallimento finale e conclusivo del ciclo mitico.

Don Giovanni è anch'egli un eroe abortito, che ha avuto la consapevolezza della propria alienazione (e questa prima tappa avviene in ogni secolo, sia nella burla grossolana dell'origine secentesca spagnola che nel tormento filosofico romantico e post-romantico), ed ha accettato la vocazione all'avventura offertagli, cioè la seconda tappa del percorso mitico/eroico. Il suo egocentrismo gli ha però chiuso la porta della risoluzione finale, negandogli il ritorno positivo e dannandolo. Tale insuccesso finale viene continuamente preannunciato dalle continue metamorfosi sia fisiche (di vestiario e nascondigli) che psicologiche e mistificatrici. Don Giovanni è un eroe che mente e si nasconde sempre, cambiando sia apparenza che abito: un eroe che si rende irriconoscibile allo spettatore esterno, seduto in platea, come allo spettatore interno alla narrazione teatrale. Lo scambio degli abiti con il servitore, un episodio costante, particolarmente sfruttato nelle versioni della Commedia dell'Arte e nel dramma moleriano, si mantiene sempre inalterato, nonostante le variazioni diacroniche del mito, fino alla mistificazione totale delle versioni del dopoguerra come il *Don Giovanni o l'amore per la geometria* di Max Frisch, dove lo spettatore non riesce più a capire cosa sia reale o irreale, nello sviluppo scenico stesso. Don Giovanni è quindi un personaggio mistificatore non solo nei confronti del suo pubblico (esterno ed interno), ma anche di fronte all'Eterno, nel suo rapporto con la statua del Commendatore [33].

Don Giovanni è anche un eroe che forse più di qualunque altro personaggio teatrale riesce ad afferrare la proiezione politico/culturale del milieu letterario che lo crea. Egli si mostra sempre, e ciò è indispensabile, come un *cattivo* nei riguardi della società: se l'autore s'identifica con tale società, come nel caso del monaco spagnolo del testo primario, allora Don Giovanni si dimostra in effetti malvagio e mistificatore anche nel suo ruolo teatrale; quando l'autore vuole invece criticare la società che gli è contemporanea, in tal caso Don Giovanni viene interpretato come eroe alienato ed incompreso, e tale processo, iniziato col Romanticismo, si è mantenuto più o meno inalterato fino a Frisch, via Shaw [34]. La *ribellione* dell'eroe cambia, anzi si alterna tra poli opposti, a seconda sia del periodo in cui il mito viene ricreato, che degli autori, ma l'elemento costante è che Don Giovanni viene sempre rappresentato come il profanatore dell'autorità stabilita. Tale equazione è però valida anche in senso inverso perché la società è anche specchio del nostro eroe il quale, essendo giudice della società, ne è anche contemporaneamente vittima in quanto prodotto e rimando speculare continuo di una norma sociale deviante [35].

---

[33] Max Frisch, *Don Juan, oder Die Liebe zur Geometrie* pubblicato a Francoforte nel 1953 (Vedi Cap. IX).

[34] "Don Juan in Hell" di George Bernard Shaw, parte di *Man and Superman*, pubblicato per la prima volta a Londra nel 1903 (Vedi Cap. VIII).

[35] Vedi per proseguire su queste linee di ricerca Silvana De Vincentiis, "Metamorfosi di Don Giovanni: da Tirso a Shaw", *Lingua e Stile* XVII. 2 (1982): 305.

II

(La morte violenta, mediata dal contatto *inumano* con l'oltretomba)

Se Don Giovanni è un eroe che, secondo Rousset, diventa sempre più eroico [36], è comunque un eroe la cui fase del ritorno mitico si è completamente atrofizzata, annullata dalla componente supremamente egocentrica della cristallizzazione del personaggio. È la morte spettacolare e violenta di Don Giovanni che contraddistingue l'essenza di questo mito, ed è tale morte che gli ha anche assicurato il suo successo teatrale da fiera, fin dal tempo dei Comici dell'Arte, quando questi commedianti potevano sfruttare tutti i loro complicatissimi macchinari scenici, durante il finale apocalittico del dramma.

Don Giovanni eroe non può essere isolato, perché egli è strettamente collegato all'ultima tappa delle sue vicende; la morte crudele e violenta che egli incontra. Il dongiovannismo nasce proprio dal gusto della morte e Don Giovanni stesso appare come un un araldo (non vittorioso) della ribellione contro la morte, tanto amata e corteggiata in tutte le forme artistiche del Seicento, comprese le arti plastiche e figurative. Si ama la morte nel '600, e si ama forse ancor più quel trapasso morbosamente sensuale che è l'agonia, e Don Giovanni riunisce in sé erotismo e agonia.

Il Don Giovanni secentesco è colpevole non solo per gli omicidi e le seduzioni, ma soprattutto perché ha profanato chi non dovrebbe esser più profanabile, perché al di là di ogni contatto umano, cioè il morto. Oltraggiando un morto egli ha oltraggiato la morte stessa e, di conseguenza, l'autorità divina. Don Giovanni è un vero personaggio da dramma popolare, che fa un amalgama della terra e del cielo, godendo l'una, benché non ne rispetti le leggi, e profanando l'altro. Il mito stesso di Don Giovanni è fondato tanto sulla vita quanto sulla morte, anzi sul morto e sulla sua presenza attiva: la statua animata che media, in modo violento, il passaggio tra vita e morte e che fa da *liaison* tra il sacro ed il

---

[36] Rousset 12.

profano. È chiaro che l'episodio conclusivo del duello col morto cambierà enormemente attraverso i secoli e non soltanto per i fattori piuttosto esterni come il colpo di fulmine goldoniano, in piena tensione illuministica o l'attacco di cuore di Anouilh nel dopoguerra, ma anche in maniera molto più sfumata e nascosta. La morte ha un percorso geografico tutto suo che si muove da palazzi a strade, a spiagge, mausolei, cimiteri per poi insinuarsi, nel ventesimo secolo, in luoghi sempre meno dignitosi come salotti, uffici e bar. È una discesa agli Inferi mediata da un emissario immoto e immovibile come la pietra stessa che gli dà forma e che ci ricorda la porta dell'inferno dantesco.

È la tappa classica della discesa agli Inferi che parallela il momento più pericoloso dell'iniziazione quando la psiche affronta il proprio inconscio. È il passo che Orfeo, Enea, San Paolo e Cristo sono riusciti a compiere e sul quale hanno trionfato, ma nel caso di Don Giovanni abbiamo, di nuovo, un'esplorazione abortita perché egli ne resta inghiottito, senza poter effettuare il ritorno finale eroico. Tappa obbligata delle avventure mitiche è sempre la discesa agli Inferi, sfasamento introverso che riequilibra l'orientamento prevalentemente estroverso delle avventure, ma Don Giovanni si mantiene, anche nelle interpretazioni romantiche più idealizzate del mito, un eroe abortito, che discende agli Inferi, anzi vi è trascinato, ... e ci resta. Questa morte drammatica che permetteva il finale esultante e moralistico da *Opera Buffa* dei devoti, col suo anacronismo da fiera, venne tanto amata dai Comici dell'Arte e dal loro pubblico che si è mantenuta inalterata fino al libretto di Da Ponte, dove la musica solenne e spaventosa mozartiana del momento conclusivo, eliminando il finale esultante e moralistico, ha cambiato completamente la conclusione della storia, e tale mutamento si è poi mantenuto in tutte le versioni successive.

Il punto di contatto, il momento di ricognizione tra vita e morte è generalmente segnalato, vedremo, dal saluto e dal darsi la mano; è il gesto simbolico dell'amicizia, in questo caso invertito dalla componente blasfema che ha generato tale incontro. Dal "Dame esa mano" di Tirso al "Donnez-moi la main" di Molière al "Dammi la mano in pegno" di Da Ponte/Mozart, (eco del "Là ci darem la mano" con cui Don Giovanni aveva poco prima sedotto Zerlina), si arriva fino al famoso episodio della doppia mano romantica del *Don Juan Tenorio* di Zorrilla, con Inés, nuova versione della Margherita goethiana, la quale, opponendo il pa-

dre dannatore, esce dalla tomba e afferrando con tutte le sue forze l'altra mano di Don Giovanni, sconfigge il padre e riesce a condurre con sé
Don Giovanni in paradiso.

III

(I personaggi cosiddetti secondari:
le figure femminili e il servitore)

Eros e Thanatos sono quindi strettamente associati nel mito di Don
Giovanni, e il separarli annullerebbe il significato stesso del mito. Tra i
personaggi femminili "sedotti e abbandonati" da Don Giovanni, quello
fondamentale e in posizione privilegiata è, come aveva notato anche
Rousset [37], Anna la quale, essendo la figlia del morto, rappresenta il
punto di unione tra Eros e Thanatos. Anna, sviluppo italiano di un personaggio che nel *Burlador* di Tirso non appariva mai sulla scena, è da
vedersi come il microcosmo di tutto il dramma, ed è comprensibile che
la soluzione romantica sia stata di mitizzarla, anche se sotto altri nomi e
identità (Inés, Elvira ecc.), eliminando talvolta perfino le altre figure
femminili. Questa evoluzione contribuisce naturalmente a dare forma
unitaria a tutta la leggenda, perché un seduttore mitico rappresentato
come innamorato di un'unica donna, diventa amante, e questa trasposizione ha certamente contribuito alla simpatia romantica del pubblico
per Don Giovanni.

Trousson nota che la musica, fin da Mozart, libera le donne dal loro
anonimato [38]: una necessità esteriore come l'aver bisogno di un numero
sufficiente di voci maschili e femminili di timbro diverso, fa sì che le figure femminili, e non soltanto Anna, assumano una loro personalità in-

[37] Rousset 41 e segg.
[38] Trousson 83.

dividuale, non più definibile esclusivamente a seconda del loro strato sociale. Se Zerlina fa la contadina, essa è anche furba, civettuola e graziosissima. Il mutamento del Don Giovanni da parlato a musicato è, vedremo, di estrema importanza perché è proprio la musica che riesce ad aprire il mito agli altri generi (e non soltanto teatrali), come il poema, il racconto, la fantasia.

I personaggi femminili, composti di un numero piuttosto piccolo in Tirso, erano aumentati sempre di più (per Da Ponte/Mozart sono 1003 soltanto in Spagna) ma finiscono per diminuire di nuovo fin dal fondamentale testo romantico *Don Juan und Faust* di Grabbe. Erano stati i Comici dell'Arte in Italia che avevano inventato la famosa lista, quel catalogo di nomi di donne, che Molière aveva poi sprezzato e che Da Ponte/Mozart sfruttano con tutto il genio del loro umorismo, in una delle arie più dinamiche e spiritose di tutta l'opera. È un catalogo che Don Giovanni ha abbandonato al suo servitore, discorso retrospettivo e anonimo di un'esistenza dimenticata che non sussiste che in qualità di numero.

E il servitore stesso, Zanni, Arlecchino o Brighella che sia, diventa, sempre nella mediazione italiana della Commedia dell'Arte, uno dei personaggi principali, talvolta ancor più attivo e avventuroso di Don Giovanni stesso. Vedremo come il Catalinón del *Burlador,* portavoce del messaggio morale di Tirso, diventi sempre più grottesco e stilizzato con gli Italiani, tingendosi poi di una complicità impaurita in Molière, quando Sganarelle è sia confidente/complice di Don Giovanni, che vittima. Il personaggio del servitore raggiungerà l'apice dell'importanza con Da Ponte/Mozart, per poi svanire completamente nel Romanticismo quando è il trionfo della solitudine e dell'alienazione affettiva che caratterizza il nostro eroe e i servitori non servono più, neanche come rimprovero socio-economico del popolo nei riguardi di un'aristocrazia immorale e prepotente, ormai umiliata dalla Rivoluzione dell'89.

IV

(L'evoluzione della burla nelle sue varianti semiologico/storiche)

Se nel *Burlador* di Tirso le donne conquistate erano sempre burlate/beffate, e la beffa di per sé assai più che la seduzione attraeva un Don Giovanni in fondo assai rozzo e approssimato, lo scopo stesso della *burla* continua ad alterarsi nelle varie versioni del mito. L'aspetto ermetico/mercuriale di Don Giovanni vien messo a fuoco in tutta l'evoluzione della burla, la quale rappresenta l'arma dell'uomo che si oppone all'autorità: burla significa trasgressione/ribellione. Se l'importanza della beffa per sé sembra quindi scemare (ricordiamo che Tirso l'aveva addirittura messa nel titolo, il che non avviene più perché abbiamo lo sfasamento immediato in colpabilità)[39], in realtà tale diminuzione della burla è solo apparente. La burla che, come abbiamo già indicato, significa trasgressione/ribellione, dopo il Seicento va semplicemente trasposta, meglio tradotta, in alienazione/ribellione. Per quanto riguarda l'evoluzione diacronica del mito di Don Giovanni, dobbiamo sempre considerare beffa e alienazione come sinonimi: mentre la beffa è l'alienazione/ribellione dell'antieroe secentesco, l'alienazione è la beffa/ribellione dell'eroe romantico.

---

[39] Vedi *l'Ateista fulminato* (Quarto scenario della raccolta manoscritta 4186 della Biblioteca Casanatense) in Macchia 119-135. Vedi anche *Le festin de Pierre ou le fils criminel* di Dorimond (1659) e di Villiers (1660), in G. Gendarme de Bévotte, *Le Festin de Pierre avant Molière* (Ginevra: Slatkine, 1907/1978) 151-273. Vedi anche, come ultimo esempio di tale tendenza, *Don Giovanni Tenorio o sia il Dissoluto* di Carlo Goldoni, in *Opere* a cura di Giuseppe Ortolani (Milano: Mondadori, 1950) Vol. IX, 209-281.

V

(Il ruolo del cibo e lo scambio alimentare tra vivi e morti).

È soltanto la voce dell'oltretomba che riesce ad interrompere, temporaneamente, gli scherzi di pessimo gusto di Don Giovanni/Beffatore. Diciamo temporaneamente perché la beffa si sfasa immediatamente in insulto al morto, meglio all'ucciso, ed alla morte in genere, insulto che viene intensificato dall'invito a cena.

Si arriva così all'ultima unità del nostro schema che è in realtà strettamente connessa a quella precedente (la beffa), e ci riferiamo al ruolo del cibo nel mito. Cosa vuol dire mangiare con un morto? Perché si mangia tanto in Don Giovanni? Se il termine *Burla* si trovava nel titolo dell'opera originale di Tirso de Molina *(El Burlador de Sevilla)*, vi si trovava anche il cibo *(y Convidado de Piedra)*, ma se il beffatore viene subito abbandonato dal titolo, l'invitato a cena, il convitato di pietra, ha maggior successo e continua a dominare nelle parallele versioni francesi, con i ben noti errori d'interpretazione [40]. Il convitato stesso, in realtà, mangia sempre pochissimo, ma tutti gli altri personaggi mangiano e bevono in quantità, in un ricordo picaresco di comica sopravvivenza che tradisce l'origine spagnola della storia. È un orientamento che, valorizzato dagli Italiani con le famose spaghettate d'Arlecchino, non deriva soltanto dal tono picaresco e atletico/spettacolare del teatro da fiera, ma rispecchia anche esigenze ben più profonde che, benché assorbite inconsciamente, hanno assicurato il continuato successo delle varie versioni di questo mito. I pasti sono un fattore importantissimo nella composizione dei miti, e sono anche una delle componenti fondamentali alla base della maggior parte dei riti religiosi. Sono generalmente da vedersi come una sublimazione di riti più cruenti e primitivi, basati su sa-

---

[40] Vedremo come il termine pietra venne spesso confuso con il nome Pietro (da Don Pedro Tenorio), da cui i vari "Festins de Pierre" in Gendarme de Bévotte, *Festin*.

crifici umani e, in seguito, evoluti in sacrifici di animali. Ci troviamo di fronte ad un cannibalismo sublimato nell'ultima cena dell'eroe Cristo, che offre ai suoi seguaci il proprio corpo spiritualmente smembrato e trasformato in pane e vino, poco prima della sua morte, anche violenta, e della discesa agli Inferi. Nell'episodio dell'ultima cena del Vangelo, si evidenzia l'aspetto più evoluto del ruolo divino/mercuriale della figura dell'eroe/profeta, ma, di nuovo, al livello mancato/abortito del mito di Don Giovanni, abbiamo lo smembramento non spirituale ma fisico, anch'esso durante un'ultima cena e poco prima di una discesa agli Inferi, senza resurrezione. La cena col morto di Don Giovanni, mi riferisco alla seconda cena, quando ve ne sono due (la prima è al palazzo di Don Giovanni, ma la seconda sempre dal morto) rappresenta per moltissimi aspetti una parodia dell'ultima cena del Vangelo, non solo per il fatto di essere un'*ultima cena*, ma anche per gli alimenti, e le bevande. In diverse versioni (tra cui quella di Tirso) il Commendatore serve da bere aceto e fiele, che nel Vangelo di San Marco furono le bevande date a Cristo sulla croce.

Nello scambio di pasti e vivande con il morto si ripetono antichi culti dei morti a cui viene offerto del cibo. Ma di nuovo, con Don Giovanni ci troviamo di fonte all'inversione del culto, perché se vi sono moltissime civiltà primitive che hanno sempre sepolto i loro morti con provviste speciali per facilitare il loro viaggio, da indumenti a cibi, amuleti, gioielli, in questo caso il cibo del morto è orrendo: si mangiano scorpioni, serpenti e unghie nel *Burlador* di Tirso, e il menu migliora di poco col trascorrere dei secoli. Fin dall'inizio del dramma lo spettatore è sempre consapevole del fatto che tutte le scene trionfali di cibo scambiato allegramente e usato da Don Giovanni per sedurre le amanti o distrarre i rivali, culmineranno in questo mostruoso pasto finale che simboleggia non solo l'inversione di tutte le leggi alimentari, ma anche il capovolgimento completo della teologia rituale del cibo.

CAPITOLO II

BEFFE E BANCHETTI

"Quando sia nata l'idea del Don Giovanni, non si sa; solo questo è certo: è un'idea che appartiene al Cristianesimo e, attraverso il Cristianesimo, al Medioevo... che è un periodo pregno dell'idea stessa della rappresentazione, sia conscia che inconscia". Sono queste parole di Soren Kierkegaard, uno dei tanti letterati che cercarono di spiegarsi perché Don Giovanni non sia conosciuto nell'antichità [1].

Infinite sono le opinioni sull'origine di Don Giovanni, dalla Roma precristiana (l'*Ars Amandi* di Ovidio), alla Francia del Seicento, ma, secondo Giovanni Macchia, gli storici che cercano di precisare l'origine del mito spesso "non s'accorgono che stanno scrivendo la biografia di un fantasma." [2] L'opinione del Kierkegaard sembra però puntualizzare con particolare precisione le caratteristiche più precipue di questo mito, che se ebbe antenati nell'era precristiana, da Ermes a Ovidio, in effetti riflette in modo particolare gli aspetti propri della teologia cristiana medioevale. Le origini della leggenda di Don Giovanni restano ancora, in ogni caso, un problema irrisolto, sul quale si è scritto molto, ma si è provato ben poco [3]. Le testimonianze a nostra disposizione sono infatti così

---

[1] Soren Kierkegaard, *Either-Or* trad. di David F. Swenson e Lillian M. Swenson (Princeton: Princeton Univ. Press, 1971) 86. (Traduzione italiana dell'autrice).

[2] Giovanni Macchia, *Vita, avventure e morte di Don Giovanni* (Torino: Einaudi, 1978) 19.

[3] Alcuni lavori critici dedicati in particolare allo studio della genesi della leggenda sono: A. Farinelli, "Don Giovanni: note critiche" in *Giornale Storico della Letteratura italiana* XXVII (1896): 1-77 e 254-326; Victor Said Armesto, *La Lejenda de Don Juan* (Madrid: Sucesores de Hernando, 1908); Gustave Reynier, "Les Origines de la légende de Don Juan, *Revue de Paris* XIII. 3 (1906): 314-338; Ramón

incomplete, che solo la scoperta di nuovi documenti potrebbe dissipare i dubbi che giustamente accompagnano ogni nuova speculazione su questo argomento.

Il mito è chiaramente diviso in due sotto-miti: la vita gaudente, piena di conquiste amorose del protagonista, e il suo funebre banchetto con la statua dell'uomo da lui ucciso. Ramiro de Maeztu afferma che Don Giovanni è un mito "e che non è mai esistito, non esiste né esisterà mai che come un mito... che la figura di Don Giovanni è più popolare che letteraria, e che essa fu creata dalla fusione di due leggende: quella del mistificatore punito e quella del convitato di pietra. Entrambe queste due leggende hanno trovato in Don Giovanni una soluzione piena di immaginazione"[4]. Il primo abbinamento dei due sottomiti (del Beffatore e del Convitato) viene attribuito comunemente al *Burlador de Sevilla y Convidado de Piedra* del monaco spagnolo Gabriel Téllez, detto Tirso de Molina (1620). Tale unione ha però molti antecedenti mitologici, sia europei che mediorientali, in particolare la figura di Ermes/Mercurio, anch'egli ideato sia come un famoso Beffatore (Trickster) che come messaggero divino e intermediario tra il mondo dei viventi e l'oltretomba[5].

Ermes, benché rispettato ed invocato come messaggero degli Dei, era anche considerato un astutissimo ladro e mistificatore, che riuscì a derubare Apollo dei suoi armenti, il giorno stesso della propria nascita[6]. Stranamente in contrasto con l'immagine del superladro, è invece l'intermediario con gli Inferi, il quale spesso, oltre a guidare le anime dei

---

Menéndez Pidal, "Sobre los orígines de *El convidado de piedra, Estudios literarios* (Madrid: Atenea, 1920) 89-113; G. Gendarme de Bévotte, *La Légende de Don Juan (Des Origines au Romantisme)* (Ginevra: Slatkine, 1906/1970).

[4] Ramiro Maeztu, *Don Quijote, Don Juan y la Celestina: ensayos de simpatía* (Madrid: Espasa Calpe, 1926) 151.

[5] Carl G. Jung, "On the Psychology of the Trickster Figure", *The Archetypes and the Collective Unconscious* in *Collected Works* (New York: Bollingen Foundation/ Pantheon Books, 1959) Vol. IX, Parte 1 252-272. Vedi anche Paul Radin, *The Trickster: A Study in American-Indian Mythology* (Londra: Routledge and Kegan, 1956).

[6] Edith Hamilton, *Mythology* (Boston: Little, Brown and Co., 1942) 34.

morti, scende anche nel mondo dell'aldilà, per liberarle e ricondurle in vita [7]. Da segnalare è anche che in molti miti Ermes viene considerato quasi un precursore di Eros, perché aiuta volentieri gli amanti, sia con la propria astuzia, che con la sua abilità di intermediario con l'aldilà. In questa divinità si effettua quindi la triplice fusione di Eros e Thanatos, con la demonica divinià medioevale del *Simia Dei* (la rispecchiata e invertita immagine animale di Dio), o Beffatore (Trickster) [8], i tre elementi che sono anche strettamente uniti in tutte le versioni letterarie del mito di Don Giovanni.

Mentre l'Ermes della mitologia classica si evolve sempre più fino a diventare l'illuminato duce caduceo di anime trapassate, nelle prime proiezioni mitiche si evidenzia invece una divinità estremamente primitiva, con molte componenti demoniche, che col passare del tempo sono state tralasciate o represse, e venendo rimossi dalla coscienza collettiva, tali elementi sono stati relegati allo strato del subconscio. L'energia psichica, sia individuale che collettiva (e le proiezioni divine di ogni religione o mitologia ne sono un chiaro esempio), non può infatti mai sparire ma unicamente cambiar forma, e se tale energia abbandona lo strato cosciente di un individuo o di un'intera civiltà, essa si trasferisce automaticamene al subconscio.

Sappiamo da Joseph Campbell che nel più tardo periodo ellenistico la configurazione divina di Ermes si nobilitò sempre più, amalgamando in sé anche la figura di Thoth, l'egiziano Dio-Ibis (o Dio-Scimmia) il quale, benché divinità importantissima nei riti egiziani, venne invece interpretato in maniera demonica a causa della fusione umano/animale della sua configurazione, quando più tardi s'interpolò col

---

[7] Uno degli inni omerici più antichi, datato all'ottavo secolo A.C., narra, in una poesia drammaticamente ricca e potente, della disperazione di Demetra dopo il rapimento della figlia Persefone, e dell'aiuto che Zeus finalmente le procurò, mandando Ermes da Plutone, per riportarle la figlia, almeno nei sei mesi estivi. La stessa versione del mito viene narrata molto brevemente anche nell'*Iliade* (Canto V, v. 500).

[8] Jung, "Trickster" 255.

Cristianesimo [9]. L'abbinamento Ermes/Thoth si era cristallizzato anche nella figura archetipica di Hermes Trimegistus, detto il grande dei grandi e maestro dei maestri, il quale, essendo anche patrono di tutte le arti, e in particolare l'alchimia, venne interpretato come dio di occulti riti di iniziazione che non potevano essere rivelati e dovevano restare *ermeticamente* segreti. Secondo Carl G. Jung, l'alchimia che, come la chimica, unisce e muta elementi naturali, può anche rappresentare simbolicamente il processo evolutivo della psiche individuale umana [10]. Hermes Trimegistus è anche considerato come uno degli archetipi del mito del Salvatore, visto come pioggia di saggezza e amore divino sull'uomo e proiettato anche nell'incarnazione dei grandi profeti/redentori comuni a tutte le religioni. Nella tradizione teologica cristiana, questa proiezione viene raccolta dal simbolo dello Spirito Santo, più che dal Cristo.

Nel Seicento, dunque, il mito cominciò ad evolversi da mito antropologico in mito letterario, ma Don Giovanni, anche se *inventato* da Tirso de Molina, continua a mantenere in sé la triplice configurazione ermetica dello Simia Dei (Beffatore), del compagno ed aiuto degli amanti (Eros) e del legame con gli Inferi (Thanatos). Don Giovanni rappresenta però un'interpretazione abortita di Ermes, che invece di mediare il contatto con l'aldilà, viene egli stesso inghiottito dal regno della morte, soccombendo anche a causa della preponderante componente mistificatrice del suo archetipo, che oblitera l'altra componente, ancora potenziale, di legame tra vita e morte, ed è interessante notare come l'unione di Don Giovanni con tale leggenda sia stata accolta con tanto entusiasmo da vari autori [11].

Nella leggenda di Faust, gli attributi mercuriali dell'intermediario con l'oltretomba sono ben incarnati in Mefistofele, la cui figura evidenzia chiaramente i lati estremamente pericolosi sia del contatto tra vita e morte, che del personaggio stesso sul quale questo contatto *proibito*

---

[9] Joseph Campbell, *The Hero with a Thousand Faces* (New York: Meridian, 1949/1984) 31.

[10] Jung, *Psychology and Alchemy* in Collected Works Vol. XII.

[11] Ci riferiamo in particolare al *Don Juan und Faust* di Christian D. Grabbe (Francoforte: 1827), ma ve ne sono anche altri. (Vedi Cap. VII).

viene proiettato. La rinascita del culto dell'eroismo ha fatto sì che nel Romanticismo, il periodo che ha dato l'avvio all'abbinamento tematico Don Giovanni/Faust, Don Giovanni sia stato però accomunato a Faust e non più a Mefistofele. Chiaramente, l'aspetto secentesco beffatore/mercuriale di Don Giovanni era stato sopraffatto nell'Ottocento dalla componente romantico/eroica, che aveva preso il sopravvento. Ermes perse quindi le sue caratteristiche demoniche dello *Simia Dei* e divenne sempre più prometeico, in un clima psicologico e letterario che esaltava gli eroi tormentati.

Il mito è, ripetiamo, chiaramente diviso in due sottomiti: la vita gaudente, piena di conquiste amorose del protagonista, ed il suo funebre banchetto con la statua dell'uomo da lui ucciso. Anche se dubitiamo che Tirso de Molina abbia coscientemente e volutamente derivato il suo *El Burlador de Sevilla y Convidado de Piedra* dai tanti incontri blasfemi tra vivi e morti del folklore medioevale, o che abbia ideato il suo Tenorio seguendo l'esempio storico di qualche libertino, ciò nonostante dobbiamo ricordare che queste fonti appartengono alla preistoria del mito. Si tratta di una fabula che comprende elementi estremamente disparati, religiosi e profani, i quali, pur non essendo necessariamente autoctoni, sono stati uniti letterariamente proprio in Spagna, agli albori dell'espansione imperialistica e del colonialismo.

La seconda parte del mito, cioè il rapporto tra il morto e il vivo, si dimostra decisamente più originale, e pensiamo sia proprio questo sottomito che abbia assicurato alla storia di Don Giovanni la continuità del suo successo. Nel Medioevo abbondano gli esempi di vita ultraterrena intervenienti nella vita reale, spesso come sacra e solenne ammonizione, ingenerata facilmente dalla credenza agli spettri e alle statue animate parlanti. Poeti e scrittori, religiosi e asceti, non si stancano di presentare il mondo come figura di donna che alletta e soggioga a distanza ma che, vista da vicino, appare smunta e scarna come uno scheletro. Schernire un morto o un'immagine della morte, pietra, ombra o scheletro che fosse, appariva nell'immaginazione del volgo come vero delitto e fonte certa d'immani sciagure che in molti casi traevano seco la morte.

Leggende analoghe a quella del Convitato, nelle quali alla statua del defunto è quasi sempre sostituito un teschio di morto o un intero cadavere, si trovano tanto nei poeti del Nord Europa che in quelli meridionali [12]. Se il Beffatore stesso sembra esser nato dalla viva immaginazione di Tirso de Molina, il Convitato di pietra rappresenta un elemento eminentemente etnografo, e storie di scambi di inviti tra un vivo e un morto sono state tracciate per tutta l'Europa, fino all'Islanda, e sono sopravvissute addirittura fino a questo secolo, nella tadizione orale di ballate folkloristiche [13].

In queste leggende un giovane di solito invita un morto (scheletro o teschio) a cena; il morto accetta e, durante la cena, invita a sua volta il suo ospite. Le soluzioni variano; a volte il giovane fugge ancor vivo, con l'aiuto dell'acqua santa, di reliquie o di qualche altro talismano, avendo comunque imparato a dimostrare maggior rispetto per i morti; a volte muore dalla paura, e spesso, se sopravvive, finisce per abbracciare gli ordini religiosi.

Negli studi interessati, in particolare quello della McKay che ha realizzato un'immensa raccolta del duplice invito a cena, si nota che l'intervento della statua, distinta dallo scheletro o dal teschio, sembra essere caratteristica peculiare delle versioni delle leggende scoperte in Spagna. Esistono comunque più di 250 versioni orali del sottomito del convitato, alcune estremamente interessanti come una leggenda bretone in cui, durante la seconda cena, il giovane viene trascinato tra una folla di fantasmi in un sotterraneo, dove il morto gli fa servire un gran banchetto e lo costringe a ballare tutta la notte con uno scheletro di donna [14]. Al primo canto del gallo s'aprono le tombe e tutti i morti spariscono. Il giovane ritorna al villaggio e abbraccia gli ordini religiosi. Varianti di questa leggenda sono molto comuni sia in Spagna che in Portogallo, con il morto che spesso, durante la cena, mostra al giovane due tombe, ripetendogli: "Questa è la mia fossa, l'altra è pronta per te"; e il giovane, na-

[12] Arturo Farinelli, *Don Giovanni* (Milano: Bocca, 1946) 42-51.
[13] Per proseguire su queste linee di ricerca vedi in particolare i seguenti studi: Dorothy McKay, *The Double Invitation in the Legend of Don Juan* (Stanford: Stanford Univ. Press, 1943); il già citato R. Menéndez Pidal 113-115; L. Petzoldt, *Der Tote als Gast. Volkssage und Exempel* (Helsinki: 1968).
[14] Jean Rousset, *Le Mythe de Don Juan* (Parigi: Armand Colin, 1978) 112.

turalmente, si ravvede [15]. La duplice, o triplice, apparizione del morto è
già presente nella maggioranza delle versioni anteriori al *Burlador*, e resta molto comprensibile che tutti i drammaturghi, a partire da Tirso, ab-
biano mantenuto e rinforzato questa disposizione ternaria che oltre a
conferire equilibrio ripetitivo alla sceneggiatura, presenta anche un elemento di effettiva e potente teatralità. L'invito e il contro-invito, in quest'aura funebre e sacra, hanno un valore drammatico che si maniene in
tutte le versioni teatrali del mito. Il cosmopolitismo della letteratura medioevale spiega anche la diffusione di un racconto che appartiene, in
essenza, a quel sottofondo inestinguibile di fiabe e superstizioni del
tempo, che accomunano vivi e morti. È interessante notare che la tradizione orale offre numerose varianti, con il colpevole che, pentendosi,
riesce spesso a evitare il gastigo, o magari si trova ad aver a che fare con
un morto simpaticone che si contenta semplicemente di rimproverarlo.
Tirso ha chiaramente scelto la soluzione più dura, con il morto che uccide il vivo, ma nella maggioranza delle versioni anteriori (91 addirittura,
secondo Petzold), il vivo è introdotto dal morto in un mondo misterioso
e affascinante di defunti, nel quale soggiorna soltanto temporaneamente. In tal modo il giovane riesce ad effettuare il ritorno mitico, la terza
tappa delle avventure eroiche proposte da Joseph Campbell [16], che Tirso ha invece negato al suo eroe, introducendo un episodio altamente
drammatico e di maggior effetto scenico, che ha probabilmente iniziato
e assicurato al mito il suo successo teatrale.

Mentre, come abbiamo già visto, il morto è generalmente rappresentato da uno scheltro o anche da un teschio, Tirso ha introdotto
una statua parlante, un'innovazione capitale, reperibile in alcune, ma rare, leggende spagnole e certamente espressione di una tradizione letteraria più colta, evidentemente preferita dal drammaturgo spagnolo. Un
ben noto esempio di statua che si vendica del suo uccisore era apparso
anche in Aristotele [17], ma anche in un dramma di Lope de Vega, *Dineros*

---

[15] Farinelli, *Don Giovanni* 42-51.
[16] Campbell 40 e segg.
[17] Aristotele, *Poetica* IX: 6.

son calidad, si racconta l'episodio di una statua rubata al famoso atleta Teogeno di Taso, la quale venne insultata e frustata da un invidioso, e si vendicò schiacciando l'offensore. Si noti però che, al contrario degli scheletri, le statue non parlano mai, ma puniscono i loro offensori cadendo semplicemente dal piedistallo e schiacciandoli. Né, tra l'altro, le statue animate mancano nella teologia cristiano-cattolica o anche precristiana, benché siano di solito relegate alle figure femminili, soprattutto Venere o la vergine Maria.

Qualunque ne sia la fonte, fondamentale è la potenza drammatica di quel morto, che appare sulla scena come un convitato di pietra, e che ha contribuito, con quella che Rousset chiama " inquiétante étrangeté [18]", alla fortuna dello scenario, accrescendone la carica mitica. È inconcepibile che qualunque versione del mito possa tralasciare quell'*om di sasso*, spaventoso non solo per l'immaginazione di tutti i servitori di Don Giovanni, da Catalinón a Leporello, ma anche per il pubblico stesso.

È l'elemento del seduttore/burlatore che apre invece la leggenda alle donne, mentre esse erano generalmente assenti dal sottomito dell'incontro tra il vivo e il morto. Nell'esame dell'altra componente del mito, ci riferiamo al burlatore/seduttore, notiamo subito che i tentativi di individuare le fonti del personaggio di Don Juan Tenorio sono assai meno facili, benché giovani aristocratici dissoluti e libertini abbondassero nella Spagna del diciassettesimo secolo, sia sulla scena che in realtà. Mentre nelle leggende già citate, dell'incontro tra il giovane scapestrato e il morto, l'eroe era generalmente di umili origini sociali, il seduttore è quasi sempre aristocratico. Giovani aristocratici, gaudenti e irresponsabili, abbondavano anche nel teatro di Lope, Cueva, Cervantes e Calderón: uomini senza rispetto per nessuno, che offrivano con grande facilità la promessa scritta di matrimonio, per poi abbandonare le donne dopo averle sedotte, forse anche uccidendo qualche rivale. In particolare possiamo ricordare la *Fianza Satisfecha* di Lope de Vega e l'*Infamador* di Cueva, che hanno come protagonisti Leonido, la prima, e Lucino,

[18] Rousset 116.

la seconda. Leonido, più iracondo e insubordinato che ipersessuato, anche se tenta di violentare la propria sorella, finisce patricida e si dimostra decisamente più perverso e certamente meno spiritoso del Don Juan di Tirso. Il Lucino di Cueva è invece soprattutto un gaudente senza scrupoli, che passa di conquista in conquista, tradisce le donne promettendo loro il matrimonio e riesce sempre a soddisfare i propri desideri usando, a seconda delle situazioni, dolcezza, corruzione o violenza. È importante ricordare che anche Lucino viene punito in maniera soprannaturale, ma la scelta del vendicatore cade su una dea pagana vergine, Diana cacciatrice. Una scelta piuttosto logica, coerente alla caratterizzazione scenica del personaggio.

Anche senza limitarci ai libertini del teatro spagnolo del *Siglo de oro*, è noto che i dissoluti sfrenati, impavidi e temerari, sono di tutti i tempi e di tutti i paesi, e altri esempi di seduttori addirittura magici sono elencati anche nel testo del Farinelli [19]. Oltre al suo studio sulle ballate del quattordicesimo secolo che tramandano le gesta di Ignaurès di Brettagna, che seduceva le donne col suo canto ("Femmes l'apielent lousignol"), Farinelli ha scoperto anche una quantità di leggende, divulgatissime nel Nord Europa, che narrano le avventure di maghi i quali, col loro canto o i loro incantesimi, affascinavano e seducevano un infinito numero di fanciulle, l'ultima delle quali, generalmente, vendicava le compagne uccidendo il mago seduttore [20].

Si tratta comunque di archetipi a suo tempo assimilati dalla coscienza (e dalla subcoscienza) collettiva, riapparsi sulla scena nella fusione dei due sottomiti del Beffatore e del Convitato, effettuata da Tirso de Molina nel '600. Tale fatto può attrarre sia letterati che psicologi, e le possibilità di critica psicologica si sono alternate alle interpretazioni letterarie della leggenda.

Volendo esaminare il mito di Don Giovanni da un punto di vista

---

[19] Farinelli, *Don Giovanni* 47-57.

[20] Non siamo molto lontani dal personaggio di Barbablù (che sembra abbia però fonte storica), il quale, nella versione ripresa da Perrault, mantiene sempre la settima donna (qui moglie) vendicatrice.

unicamente psicologico, notiamo che sia un orientamento classico Freudiano che un'impostazione piuttosto diversa, tendenzialmene Jungiana, possono offrire ampia varietà interpretativa. Robert Steele ci ricorda che sia Sigmund Frud che Carl G. Jung interpretano la psiche umana contemporaneamente come soggetto ed oggetto, e che ogni osservazione scientifica viene effettuata quindi attraverso il medium del nostro "apparato psichico" [21]. Vedremo quindi se sia possibile arrivare ad un esame del mito di Don Giovanni in un connotato sia interno che esterno alla psiche umana, partendo da due poli psicologici originariamente opposti.

È interessante notare che dei due sottomiti già esaminati in questo capitolo, mentre il lato *Seduttore* di Don Giovanni si presta più facilmente ad un approccio Freudiano, il *Burlatore* che arriva fino a beffare il mondo della morte, appartiene meglio al gruppo degli archetipi postulati da Jung.

Sigmund Freud non dedica molte parole al mito di Don Giovanni (Amleto, Faust ed Edipo sono i personaggi letterari che lo hanno interessato più particolarmente), ma hanno dedicato al nostro eroe estesi studi psicologici, diversi ben noti Freudiani, tra cui Otto Rank nel 1924 [22] e Hans Heckel nel 1915 [23]. Una delle poche volte in cui Freud stesso usa

[21] Robert S. Steele, Freud and Jung; *Conflicts of Intepretation* (Londra: Routledge and Kegan, 1982) 344.

[22] Otto Rank, *The Don Juan Legend* (1924), tr. & a cura di David G. Winter (Princeton: Princeton Univ. Press, 1975). È questo un importante studio in cui l'arrestato sviluppo emotivo di Don Giovanni viene attribuito ad un complesso edipico irrisolto che motiva sia l'uccisione del padre che il frustrato e ossessivo desiderio della conquista materna. La statua e lo sprofondamento conclusivo infernale sono da vedersi come simboli della madre, ora negativa e divoratrice, che viene a riprendersi il figlio (96). Rank fa anche precisi riferimenti alle "componenti omosessuali così spesso reperibili nel tipico Don Giovanni" (89), identificabili in particolare nel rapporto complice/vittima fra Don Giovanni e il servitore.

[23] Hans Heckel, *Das Don Juan-Problem in der Dichtung* (Il problema di Don Giovanni nella poesia moderna) (Stoccarda: J.B. Metzlersche Buchandlung, 1915). Heckel analizza in particolare la dignitosa maestà che le figure femminili vengono via via acquistando a partire dal personaggio moliriano di Elvire, regalità che agevolerà anche l'evoluzione psicologica dei vari Don Giovanni letterari attraverso i secoli.

il nome del nostro eroe come esempio di un tipo psicologico, è quando egli afferma che "tutti i collezionisti non sono altro che repliche di Don Juan Tenorio." [24] Egli stesso racconta, con fierezza stranamente dongiovannesca, come "abbia interpretato ormai più di 1000 sogni" [25], eco del "ed in Spagna son già 1003" dell'opera di Da Ponte/Mozart. Pedinare e arrestare il seduttore, il complesso che interrompe il flusso spontaneo della libido, è in ogni caso uno dei cardini della psicanalisi frudiana, espresso anche letteralmente dalle parole:"Sono adesso sulle tracce del seduttore del mio malato" [26].

L'esposizione forse più chiara delle teorie sessuali Freudiane, anche se esse vennero in seguito ampiamente corrette e riviste, si trova nei saggi *Sexuality and the Psychology of Love*, ed il trattato "Contributions to the Psychology of Love", è di particolare interesse per il nostro esame del mito di Don Govanni [27]. In questo lavoro si spiega che i fattori che impediscono al nevrotico di abbandonare padre e madre per unirsi veramente alla moglie, in modo da poter accomunare biblicamente tenerezza e sensualità, si basano sulle attrazioni provate nella propria sessualità infantile che, nel matrimonio, andrebbero abbandonate. Se questi fattori si mantengono preponderanti, la libido (energia psichica) rigetta la realtà, ed essendo assorbita da creazioni di fantasia, rinforza le immagini del primo oggetto sessuale, fissandosi in nevrosi. L'uomo ancorato nella sessualità infantile separa il sesso dall'amore, e se la fissazione nelle fantasie incestuose può, nei casi più gravi, determinare anche un completo stato d'impotenza sessuale, condizioni meno severe saranno sufficienti a produrre quella che viene comunemente chiamata impotenza psichica: abbiamo quindi un erotismo disassociato, privo di

---

[24] Sigmund Freud, *La Naissance de la psychanalyse* 289. Lettera del 14 ottobre 1900. (Nota citata in Monique Schneider, "Le Spectre de Don Juan dans l'écriture de Freud", *Le Récit amoureux*, a cura di Didier Coste e Michel Zéraffa (Champ Vallon: Centre Culturel International de Cerisy-la-Salle, 1984) 213.

[25] Schneider 214.

[26] Citato in Schneider 208.

[27] Sigmund Freud "Contributions to the Psychology of Love", *Sexuality and the Psychology of Love* (New York: Collier Books, 1972) 49-86.

Angelica Forti-Lewis

qualunque sentimento o tenerezza. Freud spiega come la nevrosi si difenda fissandosi sia sulla necessità di diminuire ed umiliare l'oggetto della propria attrazione sessuale che, soprattutto, nel forzare continuamente situazioni piene di ostacoli, cambiamento e varietà, per stimolare e quindi sopperire alla propria impotenza psichica.

È questo il percorso che ogni Don Giovanni letterario continua a ripetere, dalla seduzione derogatoria della donna che egli *deve* avere nonostante immani difficoltà, all'abbandono cinico ed immediato del giorno dopo, abbandono spesso previsto e preparato prima ancora dell'atto sessuale. Perfino nel primo testo, *El Burlador* di Tirso, Don Juan dice al servo Catalinón di sellare le due cavalle (rubate alla pescatrice Tisbea) per preparare la loro fuga, proprio mentre si sta dirigendo verso la capanna in riva al mare della povera fanciulla, per la loro prima (e ultima) notte d'amore.

Secondo Monique Schneider, Freud s'identifica assai più con le vittime di Don Govanni che con l'eroe [28], insistendo, come abbiamo anche visto nel saggio "Contributions to the Psychology of Love" appena ricordato, che la necessità di sedurre non è altro che un travestimento per nascondere la propria impotenza psichica, ed è quindi da considerarsi una caratteristica non tanto maschile quanto, semmai, pseudo-femminile [29]. La seduzione è quindi una maschera dietro la quale si nasconde un impulso inconscio, femminizzato. In un'interpretazione prettamente Freudiana del mito di Don Giovanni, ne risulta quindi un personaggio la cui costante, frenetica energia sessuale è basata sul bisogno di nascondere la carenza inconscia opposta: Don Giovanni è un impotente che maschera la propria impotenza variando continuamente l'oggetto del proprio desiderio sessuale, pur disprezzandolo e progettando di abbandonarlo spesso ancor prima di averlo ottenuto.

Al polo opposto possiamo invece considerare l'intepretazione Jungiana, a cui abbiamo già accennato nel capitolo introduttivo, che ci

---

[28] Schneier 208.

[29] Vedi a questo proposito "Séduire dit-elle..." in *La Séduction, Colloque de Bruxelles* (Parigi: Aubier- Montaigne, 1981) 153.

44

sembra forse più interessante (anche perché meno ripetuta) e più adatta a spiegare la perseveranza di questo mito. Ci resta inoltre difficile interpretare il continuato successo del mito di Don Giovanni come basato unicamente su una nevrosi risultante da infantilismo sessuale e Freud stesso, del resto, reintepretò e abbandonò più tardi molte di queste prime teorie sulla sessualità infantile.

Carl G. Jung dedica diversi saggi, ed in particolare quello già citato "On the Psychology of the Trickster Figure", all'esame dell'archetipo del Burlatore, pur senza abbinarlo al *Burlador* di Tirso che probabilmente lo psicologo svizzero non conosceva[30]. Si comincia con lo spiegare come gli archetipi appaiano sia nei sogni (nel subconscio individuale), che nel subconscio collettivo (nei miti e nelle fiabe). Il medium in cui essi affondano le proprie radici può apparire irrazionale e caotico nel caso dei sogni, come manifestazioni involontarie di un processo inconscio, mentre nei miti e nelle fiabe gli archetipi si presentano in un contesto più ordinato e, generalmente, di più facile comprensione[31]. È importante ricordare che la mentalità primitiva non inventa mai il mito, ma lo sente e lo vive. Rivelazione originale e subconscia della psiche collettiva, i miti non rappresentano ma *sono* (corsivo di C.G. Jung) la vita psichica delle varie tribù o comunità primitive, le quali perdono la loro identità e cadono in decadenza non appena abbandonano la loro eredità mitologica, proprio come un individuo che sia in preda alla nevrosi "perde la propria anima"[32].

L'archetipo del Burlatore è assai vicino a quello del Dio Infante che appare in moltissime religioni e la cui espressione più evoluta s'identifica nel Mercurio ermafrodita (Ermes/Mercurio nella sua unione con Afrodite) che, come il metallo che rappresenta, può rinascere secondo la forma alchemica perfetta del "filius sapientiae" o "infans noster"[33].

[30] Nota che il dramma di Tirso de Molina è l'unica versione teatrale del mito in cui appaia la parola *Burlador* (Beffatore) anche nel titolo.
[31] Jung, "The Psychology of the Child Archetype", *The Archetypes and the Collective Unconscious in Collected Works* Vol. IX, Parte 1 153.
[32] Jung, "Child Archetype" 154.
[33] Citato in Jung, "Child Archetype" 158. ("Allegoria super librum turbae", *Artis auriferae* I; 1572).

Completamente all'opposto dell'intepretazione Freudiana appena esaminata, dove il mito si basava sull' interruzione del flusso spontaneo dell'energia psichico/sessuale identificandosi in un occultamento nevrotico, con Jung Don Giovanni s'identifica invece con un archetipo che nella sua essenza simbolizza l'eternità della continua rinascita psichica. L'achetipo del Dio Infante/Burladore, "renatus in novam infantiam", simboleggia sia il pincipio che la fine, essendo creatura contemporaneamente iniziale e finale. Questo significa che il "puer aeternus" raffigura l'essenza umana sia preconscia che post-conscia, l'idea stessa della totalità psichica, in una rinascita perpetua, individuale o collettiva [34].

Per quanto riguarda l'archetipo del Burlatore in particolare, ricordiamo come Jung abbia identificato come esempio particolarmente esplicativo, la figura alchemica (mutevole) di Ermes/Mercurio, con la sua duplice natura di ladro malizioso/beffatore e di utilissimo intermediario con l'oltretomba, liberatore di anime di trapassati [35]. Anche il Geova dell'antico testamento aveva, del resto, molte caratteristiche sia divine che demoniche parallele all'archetipo del Burlatore [36].

Jung spiega che durante il Carnevale gli studenti (goliardi) capovolgevano la gerarchia dell'ordine ecclesiastico nelle chiese medioevali, e questa inversione gli ricorda la corrispondente definizione medioevale del diavolo come *Simia Dei*, l'opposto cioè di Dio (la rispecchiata immagine animale di Dio). Ci troviamo di fronte a divinità antichissime, in cui non si era ancora proiettato il timore umano per la loro componente parzialmente animale; sono divinità che riescono quindi a mantenere contemporaneamente il lato divino e quello animale della propria essenza, proprio come l'archetipo del Burlatore.

Durante il Medioevo le varie cerimonie e danze goliardiche, che erano cominciate abbastanza innocentemente come canti e danze (*tripudia*) di preti, basso clero e diaconi, diventarono sempre più lascive e disordinate. Nel 1198 a Notre Dame di Parigi il *festum stultorum* fu così

---

[34] Jung, "Child Archetype" 178.
[35] Jung, "Trickster" 255.
[36] Jung, "Trickster" 256.

caotico che invano papa Innocenzo III cercò di eliminare tali cerimonie blasfeme, e fu soltanto duecentocinquant'anni dopo, nel marzo del 1444, che una lettera della facoltà teologica di Parigi, inviata a tutti i vescovi francesi, riuscì finalmente ad abolire tali feste[37]. Queste cerimonie, in cui l'archetipo del Burlatore veniva venerato nell'adorazione comico/lasciva dello *Simia Dei*, vennero quindi eliminate soltanto al principio del '500, ma Jung ci ricorda come la rimozione di questi tripudi blasfemi dalla coscienza collettiva non abbia naturalmente obliterato il mito, ma lo abbia semplicemente ridiretto in altre direzioni, in particolare nel teatro improvvisato della Commedia dell'Arte[38].

L'uomo civile dei nostri giorni, afferma lo psicologo svizzero, fa di tutto per rimuovere dalla propria coscienza la proiezione mitica del Burlatore, il cui connotato animale e demonico gli causa troppa ansietà. Tale rimozione può, come tutte le repressioni, essere pericolosissima, soprattutto quando l'inciviltà repressa dell'archetipo del Burlatore invece di essere componente della psiche individuale, si trasferisce alla massa, generando non beffe o scherzi, ma tragedie, carneficine o genocidi. Particolarmente interessante ci sembra l'ipotesi proposta da Jung, che l'archetipo del Burlatore, una volta eliminato dalle cerimonie ecclesiastiche/goliardiche del Carnevale medioevale, si sia trasferito nelle maschere del teatro popolare da fiera. È quindi la forza psichica stessa di questo archetipo che ne garantisce la sopravvivenza, essendo esso contemporaneamente subumano e superumano, bestiale e divino e, soprattutto, indifferenziato[39].

L'aspetto terapeutico dell'archetipo del Burlatore (ricordiamo come la nascita di ogni archetipo dipenda dalla tendenza riequilibratrice e autoterapeutica della psiche stessa), si evidenzia soprattutto nella fusione dell'alta e bassa moralità, atta a coadiuvare l'integrazione totale della psiche. A causa del suo connotato demonico/divino, l'archetipo del Burlatore, come del resto qualsiasi archetipo, influenza direttamente il

---

[37] Jung, "Trickster" 257.
[38] Jung, "Trickster" 264.
[39] Jung, "Trickster" 268.

subconscio individuale e collettivo, il che gli conferisce una vitalità autonoma, permettendogli di comunicare direttamente con la psiche, sia che esso venga compreso coscientemente, che assimilato semplicemente dall'inconscio. I miti hanno potere proprio perché possono evolversi in maniera autonoma, e questo è reso possibile dalla diretta, immediata ricezione inconscia, individuale e collettiva.

Il Burlatore tende ad essere una figura mitica più collettiva che individuale [40] che, come tutti i miti, continua a svilupparsi in maniera autonoma, e tale genesi archetipica persisterà anche nell'evoluzione letteraria del mito, dall'originario dramma del *Burlador de Sevilla* di Tirso de Molina fino ai nostri giorni.

---

[40] Jung, "Trickster" 270.

CAPITOLO III

LA PRIMA FUSIONE LETTERARIA DEL MITO: EL BURLADOR DI TIRSO DE MOLINA

Quando il monaco spagnolo Gabriel Téllez, meglio conosciuto con lo pseudonimo di Tirso de Molina *inventò* il personaggio di Don Juan, unificando i due nuclei tematici preesistenti del burlatore e del banchetto col morto, anche se il titolo da lui scelto sembra evidenziare l'opposizione dinamica sottesa al principio strutturale del dramma, l'autore costruì il suo personaggio in funzione di un presunto assunto religioso, per cui *El Burlador* significativamente si connette all'altro dramma di Tirso, *El condenado por desconfiado*. Nel *Condenado* un protagonista, Paulo, si danna per non aver avuto fiducia nella misericordia divina ed aver dubitato della Grazia, e l'altro, il brigante Enrico, si salva, essendosi pentito all'ultimo momento. Nel *Burlador*, Don Juan resta ostinatamente sordo agli avvertimenti reiterati e, pur non essendo ateo o indifferente (scissione fondamentale con i Don Giovanni moderni da Molière in avanti), cinicamente rimanda il problema a una scadenza che ritiene a lungo termine: "¡ Tan largo me lo fiais!"[1].

Del manoscritto autografo, anche se copiato da altri prima di esser venduto alla compagnia teatrale, non restano più tracce da secoli. Ciò che rimane ancora sono due versioni stampate. Una, intitolata *El Burlador de Sevilla y convidado de piedra*, pubblicata in una raccolta di *Doce comedias nuevas de Lope de Vega y otros autores*, venne pubblicata a Barcellona da Gerónimo Margarit, in data 1630. Il titolo la descrive co-

---

[1] Per proseguire su questa linea di ricerche vedi Maria Teresa Cattaneo, "Don Giovanni nel teatro spagnolo", *Studi di letteratura francese* (Firenze: Olschki, 1980) Vol VI, 85-104.

me una "Comedia famosa del Maestro Tirso de Molina" e nota anche che fu rappresentata da Roque de Figueroa. L'altra versione rimastaci è intitolata invece *Tan largo me lo fiáis*, dal motto pluriripetuto di Don Juan, e venne pubblicata da sola, senza né data né editore, come una "Comedia famosa de Don Pedro Calderón"[2].

Queste due versioni hanno reso molto perplessi i critici, fin dalla scoperta dell'unica copia del *Tan largo*, nel 1878. Non si sa ancora con certezza quale delle due edizioni sia stata stampata o tantomeno scritta per prima, ma sono degne di nota alcune differenze tra i due testi. Si pensa, ma è soltanto un'ipotesi, che il *Tan largo* possa essere più vicino e più fedele al manoscritto originale di Tirso, soprattutto perché alcuni dialoghi sono in ottava rima, mentre nel *Burlador* essi sono in versi sciolti, ed un mutamento da verso rimato a verso sciolto sembrerebbe più logico dell' incontrario. Nel *Burlador* inoltre, vi sono due scene importanti che coinvolgono Aminta, assenti nel *Tan largo*, e di nuovo sembra più logica la possibilità che esse fossero aggiunte in un periodo posteriore, piuttosto che eliminate.

Qualunque sia la versione anteriore, non vi sono ormai più dubbi sull'autenticità dell'autore, anche perché il suo nome appare nella raccolta pubblicata nel 1630, il che ha molto più valore dell'attribuzione a Calderón del *Tan largo*, senza né data né editore. La data della composizione dei due originali, ormai perduti, è anche sconosciuta. Tirso potrebbe averli scritti a Siviglia nel 1616, o forse anche dopo il ritorno da Santo Domingo, nel 1618. Si pensa che il lungo monologo in lode di Lisbona, verso la fine della Giornata Prima, possa esser stato motivato dalla permanenza di Filippo III in quella città, e la conclusione del *Burlador*, coll'annunzio che la tomba di Don Gonzalo sarebbe stata trasportata nella chiesa di San Francisco a Madrid, può alludere ad un grosso scandalo del 1617, quando si spostarono i loculi di alcune tombe di tale chiesa (da cui il probabile umorismo della chiusa)[3].

---

[2] Per la genesi del *Burlador* di Tirso de Molina vedi Daniel Rogers, *Tirso de Molina: El Burlador de Sevilla* (Londra: Grant and Cutler, 1977) 11 e segg.

[3] Di grande aiuto per un'analisi storica del *Burlador* sono Gerald E. Wade e Robert Y. Mayberry, "Tan largo me lo fiáis and *El Burlador de Sevilla y Convidado*

Il dramma, o meglio tragicommedia, perché furono proprio i grandi drammaturghi spagnoli del *Siglo de oro* che fusero i due sottogeneri teatrali, venne composto dal monaco spagnolo, come abbiamo visto, intorno al 1620, ma per riuscire ad immaginarlo nella scenografia del periodo è indispensabile avere qualche cognizione dell'architettura dei grandiosi teatri spagnoli del periodo. Innanzi tutto il palcoscenico secentesco si protendeva nel mezzo della platea, mentre i personaggi entravano ed uscivano da due porte sul retro, al di sopra delle quali si apriva una galleria, sostenuta da pilastri, dove venivano rappresentate le scene al balcone, e che poteva anche fungere da mura della città, ponte di una nave e perfino rupi alpestri. Sotto la galleria, nascosto da una tenda, si trovava un secondo palcoscenico, più piccolo, dove gli attori si cambiavano d'abito. Non c'era sipario, e un gran numero di spettatori poteva vedere il dramma interamente di lato. Mancavano inoltre le luci artificiali (gli spettacoli erano sempre di pomeriggio), e non esistevano veri e propri scenari, eccezion fatta per pochi materiali scenici. I costumi erano generalmente contemporanei, del diciassettesimo secolo, e si pensa che le rappresentazioni dovessero essere assai simili a quelle inglesi del teatro elisabettiano, anche se in Spagna le parti femminili non erano recitate da ragazzi, perché era pratica comune che anche le attrici potessero calcare le scene[4].

È chiaro che la disposizione del palcoscenico e soprattutto la sua grande vicinanza alla platea influenzavano enormemente lo stile teatrale dei commediografi del tempo. Quando un autore scrive per un teatro senza né scenario né luci, bisogna che egli comunichi al pubblico, al principio di ogni scena, dove si svolge l'azione e che ora del giorno, o della notte, sia. Questo ci aiuta a capire tanti versi del *Burlador,* che potrebbero sembrare ripetitivi o addirittura inutili per uno spettatore moderno. Perfino il bell'intermezzo lirico di Tisbea sulla spiaggia di Tarra-

---

de Piedra", *Bulletin of the Comediantes* XIV. 1 (1962): 1-16; María Rosa Lida de Malkiel, "Sobre la prioridad de ¿Tan largo me lo fiais? Notas al *Isidro* y a *El Burlador de Sevilla*", *Hispanic Review* XXX (1962): 275-295.

[4] Per approfondire questi studi, vedi N.D. Shergold, A *History of the Spanish Stage from Medieval Times until the End of the Seventeenth Century* (Oxford: 1967).

gona [5], o la descrizione di Lisbona già ricordata, derivavano da precise necessità sceniche di rappresentazione. I personaggi di Shaw o di Frisch non hanno bisogno di raffigurare il mobilio di un salotto, ma un drammaturgo spagnolo del '600 era obbligato a farlo, per aiutare gli spettatori a visualizzare la scena. All'inizio del *Burlador*, per esempio, il fatto che Isabela dica "Quiero sacar una luz", avvisava il pubblico che era notte, mentre Ripio apre la sua scena con Octavio con una descrizione sia lirica che necessaria dell'alba [6].

Altri aspetti della sceneggiatura, ormai spariti dal teatro in prosa, sono i commenti a parte, i monologhi e le canzoni. I commenti a parte ed i monologhi erano convenzioni teatrali che se adesso possono addirittura dar noia perché rallentano enormemente l'azione, a quel tempo, mentre gli attori recitavano a pochi centimeti dalla platea senza la separazione delle luci della ribalta o dell'orchestra, potevano servire come pause di grande aiuto per la *captatio benevolentiae* degli spettatori. Ricordiamo che l'urgenza di Don Juan non permette a questo personaggio di cimentarsi in molti monologhi, ma le istanze in cui egli seduce il pubblico con i propri commenti a parte sono numerose, ed importanti per la caratterizzazione del personaggio. Le canzoni infine, un'appendice estremamente comune del teatro del *Siglo de oro*, forse ancor più per Lope che per Tirso, servivano, come il coro delle tragedie greche, per commentare la situazione e soprattutto, per collegare i cambiamenti di azione. Ricordiamo in modo particolare la serenata che interpreta ironicamente l'ansiosa aspettativa del marchese de la Mota, la cui amante, in realtà, era già stata goduta da Don Juan [7], o quella più drammatica che accompagna dall'interno la funebre cena finale del protagonista con la statua di Don Gonzalo [8].

Al tempo in cui *El Burlador* venne concepito, Lope de Vega aveva già formulato e messo in pratica le sue teorie sul teatro, e la maggior

---

[5] Gabriel Téllez (Tirso de Molina), *El Burlador de Sevilla y convidado de piedra*, edizione critica a cura di Xavier A. Fernández (Madrid: Alhambra, 1982) 39.
[6] Tirso 84.
[7] Tirso 126.
[8] Tirso 175.

parte delle *comedias*, dalle più frivole alle più tragiche, rispettano tali regole:

"En el acto primero ponga el caso.
En el segundo enlace los sucesos de
suerte que hasta medio del tercero
apenas juzgue nadie en lo que para." [9]

El Burlador presenta però una variante fondamentale alla formula di Lope, perché le complicazioni si presentano prima che il *caso* venga esposto chiaramente al pubblico. Ricordiamo infatti che il dramma si apre mentre il beffatore viene chiamato Duque Octavio da una dama di corte che lo crede il suo amante segreto. Gli spettatori scoprono ben presto che non si tratta affatto del duca Ottavio ma di Don Juan, e questa è una rivelazione più adatta alla scena conclusiva di un dramma che ad una introduzione iniziale. Il pubblico, come Isabela, è sorpreso e confuso, ed anche in seguito, ogni volta che i personaggi cercheranno di chiarire la situazione, Don Juan li avrà già abbandonati, il che conferisce alla *comedia* il ritmo e la suspense di un continuo inseguimento.

L'azione stessa del dramma si apre in un particolare momento della vita di Don Juan, addirittura nel mezzo di una delle sue beffe, così che il pubblico, senza nessuna preparazione, si trova non solo nel mezzo di una scena, ma addirittura nel mezzo di una tipica burla. La consueta preparazione degli spettatori, la lenta presentazione del protagonista da parte dei personaggi minori, è totalmente assente nel *Burlador* di Tirso, il che non solo conferisce al dramma quel senso di urgenza impaziente che caratterizza anche il personaggio stesso di Don Juan, ma presenta un inizio pieno di incognite, tipico colpo di scena da teatro d'intrigo.

Nel teatro spagnolo del '600 la caratterizzazione dei personaggi era assai meno importante dell'azione. La trama rappresentava il nucleo principale del dramma, ma in questa commedia di Tirso, l'azione è sempre determinata dal carattere stesso del protagonista; le situazioni in-

[9] Lope de Vega, *Arte nuevo de acer comedias* Cap. I, n. 3 (Nota citata in Rogers 27).

ventate dall'autore per intrattenere gli spettatori, sono presentate come escogitate dall'eroe stesso per il proprio divertimento. Abbiamo sempre un'azione all'interno di un'altra azione, senza alcuna analisi introspettiva del personaggio, e questo fatto può forse spiegare perché ci siano voluti tanti secoli perché l'arte del *Burlador* fosse compresa e rivalutata. Il dramma di Tirso comincia ad essere apprezzato di nuovo soltanto da pochi decenni, dai lettori più che dal pubblico perché *El Burlador* viene rappresentato molto raramente, perfino in Spagna, dove è stato ormai completamente dimenticato in favore dell'ottocentesco *Don Juan Tenorio* di Zorrilla.

Secondo Weinstein, colpevoli di tale oblio sono stati i critici francesi che hanno disprezzato il *Burlador* di Tirso per poter meglio applaudire il *Dom Juan* di Molière, come avevano ignorato *Las mocedades del Cid* di Guillen de Castro per lodare più compiutamente *Le Cid* di Corneille[10]. Anche senza interpretare queste preferenze in chiave di sciovinismo letterario, è chiaro però che la sottile analisi e l'introspezione del personaggio, caratteristiche del contemporaneo teatro francese, mancano nel *Burlador* che in tutta la sua urgenza vitale e prepotente, può esser sembrato rozzo e forse superficiale a letterati interessati soprattutto nell'analisi dei sentimenti.

Che tipo di eroe è il Don Juan del *Burlador*? È certamente un *dongiovanni* assai rozzo, dai metodi primitivi e grossolani, basati su improvvisazioni limitate e ripetute. Paragonato alle sofisticate manovre dei seduttori del '700, il suo *modus operandi* sembra semplice ed inelegante. Sono metodi però piuttosto comprensibili se ricordiamo che si tratta di un giovane seduttore che vive in una società dove le donne sono sempre severamente sorvegliate da genitori, *duennas* o mariti. Don Juan potrebbe forse scrivere sonetti, affettare la consueta amicizia con i mariti ed escogitare schemi elaborati per ottenere la conquista dell'amore femminile. Ma egli non può aspettare: "Esta noche he de gozalla", dice, con la consueta urgenza, della "hermosa percadora"[11]: deve averla

---

[10] Leo Weinstein, *The Metamorphoses of Don Juan* (Stanford: Stanford Univ. Press, 1959) 22.
[11] Tirso 98.

stanotte e non un attimo più tardi. Il nostro eroe acquista quindi la dimensione di un beffatore, un irrisore di donne che, attraverso le gesta amorose, si dilata in irrisore della propria società, delle sue leggi e dei suoi idoli. Proprio in questa prospettiva si è segnalata da parte di qualche critico un'eventuale affinità dell'atteggiamento di Don Juan con quello del picaro [12], il che, assai dubbioso per molti versi, sottolinea però un'analogia di problemi e spinge suggestivamente a domandarsi quale sia il vero giudizio di Tirso su questa società le cui norme sono sottoposte a tale catena di infrazioni. Don Juan si rivela sempre come un eroe mistificatore per eccellenza ed il verso sibillino col quale egli si presenta inizialmente:

"¿Quién soy? Un hombre sin nombre." [13]

dà allo spettatore (come alla duchessa) un senso inquietante di dubbio, che accompagna ed estende la caratterizzazione più ristretta di semplice beffatore.

È chiaro che Don Juan non è un ordinario *galán de comedia*, né uno dei tanti insopportabili libertini del teatro spagnolo secentesco, soprattutto perché egli è un eroe che continua a travestirsi, fingendo sempre di essere altro da sé. Le continue mistificazioni si susseguono non tanto per la soddisfazione dei suoi desideri di conquista quanto per il piacere malizioso dell'inganno. Luce e ombra si presentano come metafore che continuano ad accompagnarsi alle apparizioni di Don Juan sulla scena. Rifiuta la luce ed opta per le tenebre, in un ripetuto simbolismo dell'inganno e della mistificazione.

Come personaggio drammatico Don Juan è insuperabile, perfettamente adatto alle scene di quel periodo ed agli spettatori per i quali erano state create. Non che si dilunghi in estesi monologhi ed in delicati florilegi poetici. Fatta eccezione per i momenti in cui sta corteggiando

---

[12] Vedi A.C. Isasi Angulo, "Estudio preliminar", *Don Juan, Evolución dramática del mito* (Barcellona: Bruguera, 1972).
13. Tirso 77.

qualche fanciulla, Don Juan è un uomo di poche parole: brusco, rapido, con botte e risposte immediate, interrotte da brevi conversazioni a parte con il pubblico, nelle quali mistifica tutto e tutti. Ha sempre fretta, sia che si prepari ad abbandonare una donna appena sedotta che, perfino, quando invita a pranzo la statua del morto. Don Juan è sempre un improvvisatore di commedie istantanee di cappa e spada, all'interno del dramma stesso. Perfino nei suoi momenti più lirici, come quando seduce la pescatrice Tisbea, egli informa contemporaneamente il pubblico dei suoi inganni, con brevi accenni maliziosi a parte. I personaggi beffati si alternano in continuazione: sono mistificati gli spettatori, gli altri attori o ambedue, contemporaneamente. Chiara proiezione della confusa e avida politica della Spagna imperialistica e preindustriale, egli distribuisce le sue conquiste equamente secondo gli strati della società del tempo: due donne aristocratiche e due popolane, in un'alternanza simmetrica. Le aristocratiche sono una spagnola (sivigliana) e una straniera (napoletana), secondo la simmetria della contemporanea espansione coloniale, mentre le popolane sono una pescatrice ed una contadina, i viveri più comuni della Spagna anche odierna. Un esame quindi anche approssimato delle donne sedotte e beffate dal nostro eroe dimostra che Don Juan seduce e beffa contemporaneamente anche tutta la Spagna del tempo di Tirso. Si pone molta enfasi sulla separazione tra le classi sociali:

> "(Bien dije que es mal agüero
> en bodas un poderoso)...
> (¡En mis bodas caballero!
> ¡mal agüero!)" [14]

si lamenta, a ragione, Beatricio, perfettamente consapevole che un aristocratico è di cattivo augurio al matrimonio di un contadino.

Altro elemento dicotomico fondamentale della configurazione del personaggio di Don Juan è la continua alternanza tra il burlatore ed il *caballero*. Nel giro di poche frasi egli può passare dal trionfante:

---

[14] Tirso 138-139.

> "Sevilla a voces me llama
> el *Burlador,* y el mayor
> gusto que en mí puede haber
> es burlar una mujer,
> y dejalla sin honor." [15]

all'orgoglioso:

> "Honor tengo, y las palabras cumplo,
> porque caballero soy." [16]

Il beffatore vuole comportarsi da uomo d'onore soprattutto nel suo rapporto col morto. È una contraddizione pregna di *justicia* perché essa dà al pubblico l'illusione che il personaggio di Don Juan sia assai più complesso di quanto non fosse sembrato inizialmente. La dicotomia *Burlador/Caballero* conferisce all'eroe la sua potenza mitica, generando dubbi inquietanti negli spettatori, dubbi che, affondandosi nel subconscio, risvegliano la percezione dell'archetipo. Don Juan è quindi un eroe rozzo, ingannatore e misterioso allo stesso tempo, che trova la sua dimensione più compiuta quando viene esaminato nella prospettiva mistificatoria delle proprie beffe.

I tradimenti e gli inganni sono uno dei temi più comuni di tutta la letteratura spagnola del *Siglo de oro*, dalla prosa narrativa, alla poesia ed al teatro. Varie forme di beffe, scherzi e inganni formano il nucleo centrale del romanzo picaresco. Nelle pastorali abbondano le situazioni in cui un personaggio si finge innamorato per provocare gelosia e amore, ed inganni e illusioni sono temi costanti anche di tutta l'opera di Cervantes. Il dramma spagnolo si snoda come la commedia d'intrigo, non tanto per il trionfo amoroso quanto per il gusto della beffa o, meglio, *engaño*. Le continue avventure amorose dei protagonisti sono infatti dettate più dal desiderio di architettare burle spietate che non da pulsioni erotiche.

---

[15] Tirso 120.
[16] Tirso 163.

La *burla* è una costante del discorso di Don Juan che si connette e si combina con la ripetizione di *engaño*; di qui quel carattere di giuoco e finzione, di espediente furbesco e di mascherata, che assumono i suoi fuggevoli amori, basati sempre sulla sostituzione di persona, sul travestimento e sulla recita di un ruolo. Burla corrisponde anche a metamorfosi. Cosa voleva dire, nella Spagna del '600, burlare una donna? Per noi moderni, per il lettore post-psicanalisi, l'eroe di Tirso può sembrare meno enigmatico che infantile, ma se ricordiamo che Don Juan viene identificato non come seduttore ma come burlatore, colui per il quale i rapporti con le donne sono unicamente in funzione di una beffa, ne deriva anche che la burla stessa evidenzia tale necessità scenica. Sembra che nel Seicento fosse particolarmente di moda beffare le donne, e ai giovani libertini piaceva soprattutto derubare le prostitute del denaro dovuto: *El perro muerto*[17]. Possiamo facilmente accettare che El Burlador rifletta nel suo aspetto mistificatorio le abitudini della Spagna del tempo di Tirso: Don Juan seduce e beffa le sue donne con l'entusiasmo con cui gli avari settecenteschi ammasseranno il proprio denaro, e vedremo infatti più avanti i tanti motivi finanziario/economici, reperibili anche in questo dramma.

La *Comedia* di Tirso si snoda unicamente sulla traiettoria costante della burla: all'inizio viene ingannato il pubblico, quando Isabela chiama Don Juan col nome del duca Ottavio, in seguito vengono beffati dal protagonista consecutivamente tutti gli altri personaggi, ed infine, nella conclusione, l'eroe stesso viene mistificato dalla statua del commendatore:

"Dame esa mano.
No temas, la mano dame."[18]

mente Gonzalo, prima di trascinare il nostro eroe con sé nel sepolcro.

---

[17] *El perro muerto* - il cane morto, (frase che venne poi non capita e tradotta come "Il pero morto" nelle versioni della Commedia dell'Arte), significa scherzo sessuale. Alla prostituta veniva mandato, il giorno dopo, un bellissimo paniere di fiori o frutta dentro il quale, nascosto sotto la frutta, c'era o un sacco pieno di spazzatura, o, addirittura, un animale morto.

[18] Tirso 175.

La continua mistificazione viene metaforizzata in luce e ombra, nel desiderio dell'una e nella supremazia dell'altra, soprattutto nei dialoghi con il morto. Dopo il primo incontro con Don Giovanni, per esempio, la statua di Gonzalo obbietta:

"No alumbres, que en gracia estoy" [19].

ricordando il proprio stato di grazia divina, mentre Don Juan continua a tramare nelle tenebre e nel travestimento.

L'invito a cena del Convitato amplia il connotato della burla, dimostrando il disprezzo che il nostro eroe ha anche per il mondo dell'aldilà. È il momento in cui la beffa si eleva ad un livello soprannaturale e diventa bestemmia. Se il *Burlador/Caballero* aveva creato il Don Juan mitico, la burla ai viventi ed ai morti si esalta ora in burla mitica. Solo adesso il burlatore potrà essere beffato egli stesso dall'emissario divino, che gli rifiuterà il perdono in extremis:

"Deja que llame
quien me confiese y absuelva" [20]

implora Don Juan, ma la statua risponde, contro ogni precetto teologico cristiano, che è troppo tardi per l'assoluzione, e trascina il beffatore con sé nel sepolcro. È la beffa più geniale, "la burla más escogida de todas" [21] che prepara psicologicamente il pubblico stesso per la conclusione drammatica del dramma: Aminta aveva fatto giurare a Don Juan che egli l'avrebbe sposata, ed il burlatore si era affrettato a giurare che, se avesse mentito, avrebbe incontrato una mala morte. Subito dopo però, si era anche affrettato ad augurarsi, a parte, che l'uccisore potesse essere un uomo già morto:

[19] Tirso 164.
[20] Tirso 176.
[21] Tirso 145.

> "me dé muerte un hombre...(muerto
> que, vivo, ¡Dios no permita!)" [22]

È la prima beffa blasfema del dramma, ed il crescendo delle *burlas* si annuncia già vagamente per il pubblico. Gli spettatori cominciano subliminalmente a intuire che forse quell'*hombre muerto* vendicatore si materializzerà davvero, e che l'autorità divina non solo permetterà tale fatto, ma lo decreterà addirittura. Si tratta ormai di una beffa/vendetta divina, un contrappasso quasi monetario che riaffermerà e confermerà tutto il dispositivo economico-finanziario del dramma, simbolo anch'esso dell'espansione imperialistica secentesca. Il rapporto tra l'emissario pietrificato di Dio e Don Juan è governato continuamente da leggi finanziarie. Il nostro eroe che vive sempre a credito, anche se si tratta di credito morale, continua a ripetere:"¡Tan largo me lo fiáis!", un motto che riunisce in sé la brevità della vita con il pagamento fiduciario o, in altri termini, il credito. Ogni burla di Don Juan è il frutto di ladrocini economici. Il protagonista concede liberamente promesse false di matrimonio come fossero assegni a vuoto; offre la sua mano a Tisbea, mentre progetta di abbandonarla; inganna Ana rubandole una lettera indirizzata ad un altro e ottiene credito affettivo con Aminta sfoggiando la propria eleganza aristocratica. Tutte le burle di Don Juan rappresentano varianti del *perro muerto*[23].

Il pagare e l'esser rimborsato è una metafora subliminale e continua che si ripete lungo tutto il dramma. Perfino la provocazione di Dio da parte di Don Juan viene espressa in termini finanziari. I cantanti nella cappella rispondono infatti al consueto "¡Tan largo me lo fiáis!" dell'eroe con:

> "que no hay plazo que no llegue
> ni deuda que no se pague" [24]

mentre la statua conclude con l'inciso:

---

[22] Tirso 149.
[23] Per proseguire su queste linee di ricerca, vedere il già citato di Daniel Rogers, 68 e altrove.
[24] Tirso 175.

"Quien tal hace, que tal pague." [25]

Le immagini finanziarie non sono particolarmente sofistificate, ma Tirso, con la continua ripetizione di tali ritornelli monetari, intensifica il suo messaggio autocratico e religioso. Notiamo che tutti i personaggi maschili del dramma sono emotivamente avari, sia popolani che aristocratici, eccezion fatta per i due padri profanati, Don Gonzalo Ulloa e Don Diego Tenorio, che fungono da legame tra l'incostanza mutevole di Don Juan e la stabilità perenne dell'autorità codificata e della morte. Tale funzione è particolarmente evidenziata dall'iniziale dialogo tra Don Diego e il figlio:

> Diego:
> "Mira que, aunque al parecer
> Dios te consiente y aguarda,
> su castigo no se tarda,
> y que castigo ha de haber
> para los que profanáis
> su nombre, que os jüez fuerte
> Dios en la muerte."
>
> Juan:
> "¿En la muerte?
> ¿Tan largo me lo fiáis?" [26]

Questo primo dialogo tragicomico tra padre e figlio preannunzia il dialogo finale tra il padre di Ana e Don Juan. Sono i padri, simbolo dell'autorità e portavoce dell'autore, che vogliono eliminare il ribelle/beffatore, uccidendolo. L'ammonimento di Don Diego rappresenta un desiderio inespresso che verrà attualizzato dall'altro padre, l'emissario pietrificato di Dio.

I ripetuti ammonimenti della morte con cui il credito di Don Juan

---

[25] Tirso 176.
[26] Tirso 125.

sarà ripagato da Dio vengono continuamente puntualizzati ed intensificati dall'urgenza del passar del tempo, che accompagna sempre l'urgenza sessuale del protagonista. Don Juan è giovane ed impetuoso, ma tale impazienza continua conferisce alla tragicommedia anche quel senso di urgenza morale riflessa nell'eroe che sta precipitando verso la propria distruzione. Strettamente legato al tono generale dell'*engaño* è quindi l'altro tema pervasivo dell'arte e della letteratura del *Siglo de oro*, quello che Góngora chiamava "la brevedad engañosa de la vida." [27]

La teologia del tempo vuole scoraggiare la speranza in un pentimento in extremis, come coronamento di una vita corrotta e libertina, e la dannazione eterna si adatta al burlatore mitico del nostro monaco spagnolo, presentando al pubblico un autentico *exemplum* di dannazione sacrilega. Nonostante la conclusione funesta del dramma, il movimento turbinoso di Don Juan, questa componente frivolmente ludica e rapida che guida le sue azioni, induceva lo spettatore secentesco a seguire il nostro eroe in tutte le sue avventure, con una simpatia complice, forse inconscia ma non per questo meno reale. Le avventure non sono molte perché nel *Burlador* di Tirso, come abbiamo già ricordato, le donne sedotte e beffate sono soltanto quattro. Mentre negli altri suoi drammi, i personaggi femminili si dimostrano generalmente importanti e dignitosi, pur nella loro legnosa moralità, nel *Burlador* essi sono appena schematizzati e stilizzati, secondo il loro strato sociale. Don Juan usa le donne meno per il proprio impulso erotico che per beffare ed insultare gli altri uomini e, di conseguenza, ribellarsi alla società costituita. Dietro ogni donna beffata c'è sempre un uomo beffato, padre, marito o amante che sia. L'episodio di Ana e il marchese de la Mota può sembrare il più ovvio, perché Don Juan vuole possedere Ana solo perché il marchese ne è innamorato e gliela descrive. È un desiderio di conquista interamente basato sulla fantasia e la concorrenza maschilista. Sono caratteristiche che ben illustrano la patriarcalità iberica del periodo, e nel dramma di Tirso si alternano agilmente frasi come:

---

[27] È questo il titolo di un notissimo sonetto di Luis de Góngora, scritto nel 1623.

"Ya no hay cosa que me espante,
que la mujer más constante
es, en efecto, mujer" [28]

con episodi in cui le donne agiscono da pedine intercambiabili nei complicati rapporti di competizione maschile. Don Gonzalo, ad esempio, viene premiato dal re con la carica di maggiordomo maggiore, per consolarlo del mancato matrimonio della figlia Ana, quello stesso Don Gonzalo che aveva definito l'onore (l'imene) della figlia come "la barbacana caída de la torre de mi honor" [29], con una metafora comicamente pre-Freudiana.

Unica Ana, cospicua per la sua assenza, si dimostra come personaggio femminile di una certa originalità, anche a causa della stranezza di questa presenza/non presenza scenica. Ana, figlia del morto vendicatore, legame tra Eros e Thanatos, appare continuamente sulla scena, ma soltanto tramite le parole degli altri personaggi. Nelle susseguenti versioni del mito, soprattutto gli scenari impovvisati della Commedia dell'Arte, la partecipazione scenica di Ana si espanderà, ma è questa prima presenza per omissione, oltre alla situazione privilegiata di figlia del morto vendicatore, che separa dalle altre questa figura femminile che nell'evoluzione romantica del mito, arriverà fino a rappresentare l'unica donna amata da Don Juan.

Non sono però le parole dei personaggi quanto le azioni stesse che preannunziano il dramma scenico della conclusione, in particolare la rappresentazione tetra e solenne delle due cene finali. Tirso si abbandona ad un crescendo che scivola dal terrore all'orrore, pur essendo disseminato dei vari tentativi di conversazione compita e costumata con cui Catalinón intrattiene comicamente il morto:

"¿Está bueno? ? Es buena tierra
la otra vida? ¿Es llano o sierra?
¿Prémiase allá la poesía?

---

[28] Tirso 88-89.
[29] Tirso 130.

....
Señor muerto, ¿allá se bebe
con nieve?"[30]

Con la cena finale al mausoleo, si introduce la prima rappresentazione scenica dell'inversione del ruolo del cibo, né tale ultima cena blasfema terminerà col dramma di Tirso, perché anche i Don Giovanni atei
e filosofici del futuro manterranno sempre l'inversione tematica dell'ultima cena evangelica.

Se Don Juan aveva sempre approfittato del buio per i propri inganni, nell'ultima cena/burla, quella in cui egli stesso risulterà beffato,
l'oscurità si amplia ed intensifica:

"Mesa de Guinea es ésta
Pues, ¿no hay por allá quien lave?
...Con sillas
vienen ya dos negros pajes"[31]

esclama Catalinón, mentre l'om di sasso offre ai due convitati una cena
di scorpioni, vipere ed unghie di sarti[32]. Si beve fiele ed aceto, la pozio-
ne data a Cristo sulla croce per umiliarlo e drogarlo. Don Juan è, ricordiamo, un eroe abortito, e la cena ideata da Tirso, momento culminante
di tale inversione eroica, introduce una tradizione teatrale di funebri
banchetti, eminentemente drammatica nella sua potenza scenica, che
subirà ben poche varianti nell'evoluzione teatrale del mito.

Come concludere la nostra lettura del *Burlador*? In una revisione finale di questa prima espressione letteraria del mito, vogliamo soprattutto notare che *El Burlador de Sevilla* non è, e pobabilmente non lo era
neanche nel '600, un lavoro delicato, sensibile e particolarmente curato.
La sua forza è la forza dei due protagonisti: il beffatore e la statua, l'uno

[30] Tirso 160-161.
[31] Tirso 174.
[32] Altra pecca degli eleganti libertini spagnoli del tempo era di far di tutto per
non pagare i loro sarti, da cui la vendetta divina finale anche per i sarti.

audace e ribelle, l'altro imponente ed autorevole. Le varie beffe sono sempre distribuite e sviluppate con intelligenza e simmetria, ed è la simmetria stessa che contraddistingue questo dramma e ne ordina l'equilibrio, preparando lo spettatore alla catarsi morale conclusiva.

L'umorismo di Tirso appare spesso grossolano, ma la distribuzione degli spunti umoristici nei momenti più drammatici ed intensi del dramma conferisce una teatralità abilmente efficace al susseguirsi dell'azione. Alcune scene, come il monologo descrittivo della città di Lisbona o la canzone di Tisbea, che potrebbero forse annoiare gli spettatori contemporanei ed interrompere la rapida azione del dramma, ci sembrano liricamente piacevoli e funzionali nella sceneggiatura del tempo.

È un teatro estremamente movimentato, i cui personaggi sono sempre illustrati dall'azione e non dalle parole. L'ammirazione che proviamo per il teatro francese dello stesso periodo può farci scordare che anche l'azione teatrale può ben caratterizzare un personaggio. La rapida frase del burlatore "¡Esta noche he de gozalla!" (questa notte essa deve esser mia) chiarisce il personaggio di Don Juan quanto il lungo monologo sulla volubilità e incostanza, del Dom Juan di Molière. Il motto "¡Tan largo me lo fiáis!" (ma fra quanto tempo mi dovrebbe arrivare questa punizione!) definisce un'attitudine nei riguardi della religione non meno efficace del lungo dialogo tra Dom Juan e Sganarelle, sullo stesso argomento.

El Burlador è un dramma ancor rozzo, ma vitale, comico, drammaticamente veloce, ed estremamente efficace da un punto di vista scenico e teatrale. Giustamente è stato definito una predica da quaresima, ed anche se biecamente pessimista nei riguardi della natura umana, si mantiene sempre su un filone di ottimismo teologico pre-Inquisizione: lo spaventare gli uomini per far sì che si comportino meglio implica speranza e fiducia nella loro salvezza. Il drammaturgo spagnolo commuove le emozioni del pubblico con l'urgente e verbosa abilità di un vigoroso predicatore. Tirso, come altri quaresimalisti, si comporta sadicamente per salvare l'anima degli spettatori.

Nei versi finali egli annuncia che la tomba di Don Gonzalo sarà trasferita nella chiesa di San Francisco a Madrid "para memoria más grande", sottolineando il proprio intento di voler creare un chiaro *exemplum* di ammonizione. *El Burlador*, conclude Tirso, va apprezzato (e

temuto) come esempio di possibile dannazione, ma il trionfo di Don
Juan va ben oltre l'originale scopo reprensivo del suo autore. La sete di
dominio del protagonista ha trovato il suo veicolo espressivo nell'erotismo, ma l'invenzione del personaggio nasce soprattutto dalla necessità,
sia letteraria che psicologica, di riequilibrare uno scompenso morale,
evitando la repressione del lato avventuoso e ribelle della natura umana. La creazione del Don Juan di Tirso, nonostante il suo connotato
esemplificatore e predicatorio, riposa fermamente sul bisogno del pubblico, oberato dal rigorismo teologico, di poter comunicare con la propria *Ombra*[33], vederla recitare sul palcoscenico con le sue volubili ribellioni, per poi poterla sprofondare di nuovo nell'inconscio del sepolcro
infernale, continuando ad aderire (dopo una serata eccitante e catartica), al rigore ed al dogmatismo della teologia spagnola del Seicento.

---

[33] Carl G. Jung, *Aion: Researches into the Phenomenology of the Self, Collected
Works* (New York: Bollingen Foundation/Pantheon Books, 1959) Vol. IX, Parte 2.

CAPITOLO IV

DA FIRENZE A PARIGI

"Chose curieuse, en effet, le peuple qui a le moins mis de son âme dans le personnage de Don Juan, qui l'a laissé passer sans le marquer profondémentde l'empreinte de son génie, est celui-là même qui l'a fait connaître et qui a exercé l'influence la plus durable sur les destinées de la légende"[1]

Furono proprio gli Italiani, infatti, coloro che per primi accolsero, apprezzarono e, di conseguenza, divulgarono la leggenda spagnola. L'interpretazione della fabula nelle rappresentazioni improvvisate della Commedia dell'Arte dette l'avvio alla diffusione e allo sviluppo del personaggio e della sua vicenda, e col dinamismo più spettacolare che ideologico del teatro dell'Improvvisa, contribuì a influenzare e favorire l'evoluzione di questa multiforme tradizione nelle successive manifestazioni di tutta l'esperienza drammatica franco-italiana[2].

Che il "Convitato" sia venuto in Italia dalla Spagna è cosa sicura, ma come e quando esso ci sia pervenuto è questione ancora non risolta. Sulla diffusione che ebbero soggetti di commedie italiane in Spagna e soggetti di commedie spagnole in Italia abbiamo ancora un'idea assai elementare e confusa, anche se sappiamo di vari commedianti dell'Arte italiani che alla fine del '500 erravano per la Spagna, mentre già nei primi decenni del '600 v'erano a Napoli come a Roma compagnie stabili di

---

[1] Georges Gendarme de Bévotte, *La Légende de Don Juan (Des Origines au Romantisme)* (Ginevra: Slatkine, 1906/1970) 95.

[2] Giovanni Macchia, *Vita avventure e morte di Don Giovanni*, Introduzione (Torino: Einaudi, 1978) 3-14. Vedi anche Marcello Spaziani, *Don Giovanni dagli scenari dell'arte alla "Foire"* (Roma: Edizioni di Storia e Letteratura, 1978) 10-11.

attori spagnoli. Non abbiamo però notizie di una rappresentazione in Italia del *Burlador de Sevilla y convidado de piedra* del monaco spagnolo Gabriel Téllez detto Tirso de Molina, e pare proprio che gli adattamenti italiani del dramma fossero i soli che si rappresentassero nei nostri teatri.

Ci troviamo quindi di fronte a un vero paradosso storico e letterario. Perché il mito si propagasse e continuasse a vivere fu necessario che esso, traducendosi da una forma teatrale ad un'altra, da dramma in commedia, si deformasse diventando addirittura parodia di se stesso. Senza le maschere e i lazzi dell'Improvvisa, il Don Giovanni non si sarebbe mai trasmesso a Molière, Mozart o Shaw. Ma questo viaggio attraverso i generi e le distorsioni che ne risultano è anche un viaggio diacronico della storia del mito nel tempo. Si tratta quindi di una vera e propria traduzione non solo da una lingua ad un'altra, ma da un sistema teatrale a un altro.

La materia degli spettacoli della Commedia dell'Arte derivava generalmente dal teatro colto e spesso da drammi spagnoli, ma questi prestiti contribuivano unicamente al canovaccio e consistevano quindi di elementi esteriori e non sostanziali alla rappresentazione. Lo spettacolo dell'Improvvisa si basava sempre e soprattutto sulla mimica, i gesti, l'importanza essenziale della maschera, le acrobazie e, in essenza, tutti quegli elementi che venivano allora definiti *lazzi* e che noi adesso chiameremmo azione. Il contributo essenziale dei commedianti fu nel trasporre il centro di gravità del teatro dalla parola alla mimica ed all'azione. La frase parlata divenne semplicemente una tra le tante componenti, spesso improvvisate, che venivano create, riadattate e certamente condizionate da ogni specifica situazione teatrale. Lo stile recitativo dell'Improvvisa trasgrediva quindi palesemente le norme teatrali dominanti, favorendo il movimento rispetto alla narrativa lineare e promuovendo lo sviluppo spaziale rispetto allo sviluppo temporale [3].

---

[3] Per proseguire su queste linee di ricerca, vedi Franco Tonelli, "Molière's *Don Juan* and the space of the Commedia dell'Arte", *Theatre Journal* XXXVII. 1 (Marzo 1985): 440-464.

Caratteristica fondamentale della struttura scenica delle rappresentazioni improvvisate era sempre un sistema basato sul parallelismo e l'opposizione: padri-figli, fratelli-sorelle, servitori-padroni e via di seguito, sempre in gruppi di due o quattro, in un gemellaggio alternato, pieno di coalizoni e permutazioni binarie, il cui gioco permetteva al capocomico di ideare gli innumerevoli schemi di azione scenica, architettandone i conflitti e inventandone le risoluzioni. La scenografia stessa rinforzava, avvalorandolo, il medesimo processo binario, rappresentando due case o talvolta tre, l'una di fronte all'altra [4]. Ogni scenario mostra il proprio schematico svolgimento che mette a nudo questo continuo meccanismo di simmetria e ripetizione, compensato però dall'alternarsi di quelle sequenze libere e giochi di scena che rappresentano la caratteristica più vera della tecnica recitativa dei commedianti.

Si notano immediatamente, nella nuova interpretazione *improvvisata* del mito di Don Giovanni, importanti cambiamenti nella lista dei personaggi: si aggiungono i vecchi, Dottore, Pantalone o Tartaglia, ai quali viene attribuita la parte del padre o amante tradito dalle graziose popolane (il cui ruolo coincide con quello della Zegna, la tipica servetta dell'Improvvisa). Questi personaggi popolareschi parlano sempre in dialetto e le loro sporadiche interruzioni hanno la funzione sia di rompere che di imborghesire lo svolgimento della trama drammatica che, ricordiamo, rimandava sempre ad un argomento considerato nobile.

Questo sussequirsi di interruzioni e il doppio livello delle comunicazioni verbali produce spesso un effetto disarmonico, intensificato da una seconda e ancor più importante componente, cioè il trattamento dei servitori. Passarino, Pulcinella o Arlecchino amplificano infatti quel germe di comicità appena accennato nel personaggio tirsiano di Catalinón, diventando presenza scenica quasi permanente, ricca di facezie, acrobazie e lazzi. Aumenta anche il numero stesso dei personaggi di ogni scenario, caratteristica comune delle compagnie dei comici, composte sempre di nuclei familiari dove ogni parente fungeva sia da tecnico che da attore.

---

[4] Vedi in particolare Jean Rousset, *Le Mythe de Don Juan* (Parigi: Colin, 1978) 132.

Il personaggio del servitore (che nell'interpretazione dei commedianti italiani assimila in sé le caratteristiche del primo e del secondo
Zanni) diventa adesso più importante di Don Giovanni stesso. Se nel
primo testo scritto italiano trasposto dallo spagnolo, l'opera regia di Giacinto Andrea Cicognini (che esamineremo più oltre) i vari servitori, da
Passarino a Fighetto, erano ancora piuttosto insignificanti e fungevano
soprattutto da parodia dei sentimenti dei loro padroni, il personaggio
dello Zanni della Commedia dell'Arte è invece diverso: oltre ad essere
pigro e goloso, egli è infatti anche avido, disonesto e vigliacco. Abbiamo adesso la caratterizzazione di un servitore che sarebbe ben felice di
abbandonare il proprio padrone, se non avesse più paura di lui che di
qualunque altra cosa al mondo, compreso l'oltretomba.

Sparito è il buon senso popolano e il sentimento morale e religioso
del Catalinón di Tirso, così che la terribil fine di Don Giovanni ispira
nello Zanni, Pulcinella o Arlecchino che sia, soltanto un grido di avarizia
interessata, grido empio che non sarebbe mai stato tollerato nel contesto autocratico e teologicamente rigoristico della Spagna secentesca.
L'assenza di sentimenti morali e religiosi, propria della caratterizzazione
di tutti gli Zanni della Commedia dell'Arte del sedicesimo e del diciassettesimo secolo, verrà poi trasposta pari pari in Francia, contribuendo
ad una nuova realizzazione della struttura del mito.

La commedia riprende quindi il sopravvento e il servitore, pur avendo perduto la sua funzione di portavoce del senso morale dell'autore, si
arricchisce però di tutte le caratteristiche comiche attribuite soprattutto
al secondo Zanni: la paura del soprannaturale, la continua fame e sete
smisurate, e, principalmente, quel desiderio di ridere e di far ridere e
quell'istintiva confusione tra bene e male che sono caratteristiche proprie di tutti gli Arlecchini e per mezzo delle quali Molière riuscirà a creare nel suo Sganerelle un filosofo semplice e spontaneo, capace però di
tener testa, bene o male, al suo padrone libertino.

Si muta quindi con la Commedia dell'Arte l'equilibrio strutturale e
psicologico del mito stesso. Per i commedianti il personaggio di Don
Giovanni aveva perduto molte delle caratteristiche mistificatrici ma eroiche del *Burlador* di Tirso, per sfasarsi soprattutto in una generica concezione del malvagio, marionetta quasi meccanica, del tutto sprovvista
di quell' allegria beffeggiatrice e spavalda che viene relegata invece, in

chiave minore, alla maschera del servitore. Negli scenari del *Convitato Don Giovanni* non è dunque che un cattivaccio da fiera, un personaggio monocorde la cui unica caratteristica eroica rimane la morte spettacolare per mano della giustizia divina. Egli diventa un personaggio così secondario che nelle descrizioni sceniche che lo riguardano non viene più neanche rispettata la distinzione tra veri e propri *lazzi,* riservati alle maschere, e *scene,* riservate invece ai loro padroni, cioè ai personaggi aristocratici e, come ben spiega Mario Costanzo, abbiamo un Don Giovanni che nonostante la sua ben nota estrazione aristocratica, fa lazzi sguaiati con Zaccagnino e perfino con l'uomo di pietra[5].

Tale impostazione rende estremamente superficiali tutti gli scambi verbali tra i personaggi, perfino quelli tradizionalmente drammatici come il dialogo tra Don Giovanni e il Commendatore o il compianto della pescatrice sedotta e abbandonata, alla quale viene ora gettata la *lista* dei nomi delle precedenti conquiste dal servitore incurante e sguaiato.

Degli scenari del *Convitato,* Spaziani pubblica due manoscritti: quello della Biblioteca Casanatense, ed un altro napoletano, probabilmente anteriore al casanatense[6]. Ci resta anche l'*Ateista fulminato,* nel medesimo manoscritto casanatense, che rappresenta certo lo stadio più contaminato del mito in Italia, sia come contenuto che come struttura[7]. Elemento particolarmente interessante dell'*Ateista* è che, unico fra gli scenari, esso contiene un incontro assai sviluppato tra Don Giovanni (Aurelio) e un eremita (Romito), episodio che ritroveremo nelle versio-

[5] Mario Costanzo, *I Segni del silenzio* (Roma: Bulzoni, 1983) 53.

[6] *Il Convitato di pietra* (Napoli: Bibl. Nazionale, Ms. AA. 40, ff 155-159 - scenario n. 14, Vol. I) in Spaziani 99-111 e *Il Convitato di pietra* (Roma: Bibl. Casanatense, Ms. 4186, ff 127-130 - scenario n. 24) in Spaziani 113-122. *Il Convitato di pietra* (Roma: Bibl. Casanatense) è stato riprodotto anche in Macchia 137- 150. Il manoscritto casanatense sembra far riferimento ad un modello già largamente noto non solo all'autore-interprete ma anche al pubblico. Contiene inoltre alcune brevi annotazioni pro-memoria con l'uso costante dell'aggettivo *solito,* il che suggerisce che esso fosse posteriore al napoletano.

[7] *L'Ateista fulminato* (Roma: Bibl. Casanatense, Ms. 4186, ff 19-24 - scenario n. 4) in Spaziani 123-134 e in Macchia 133-147.

ni francesi del mito di Dorimond e Villiers, e che verrà approfondito nel *Dom Juan* di Molière, come già aveva acutamente notato Giovanni Macchia[8].

Utile in modo particolare per individuare le evoluzioni stilistiche e strutturali del mito operate dalla Commedia dell'Arte è lo scenario del Biancolelli[9], rappresentato per la prima volta a Parigi nel 1658 al teatro Petit Bourbon: spettacolo di immenso successo, che con grande probabilità fu la più autentica ispirazione per le susseguenti versioni, assai più serie, di Dorimond e Villiers, come pure per la commedia di Molière[10]. Il testo dello scenario si è smarrito e non resta che una traduzione francese delle note lasciateci dal famosissimo Arlecchino Biancolelli, fatta nel diciottesimo secolo dall'avvocato, letterato e autore drammatico, Thomas Simon Gueullette.

Il protagonista di questo scenario non è quindi più Don Giovanni, ma Arlecchino e non si tratta soltanto di una deformazione strutturale/professionale per mezzo della quale lo Zanni che scrive per sé il canovaccio della commedia dà importanza dominante al proprio ruolo, ricacciando nell'ombra gli altri personaggi, perché si effettua anche uno spostamento totale dell'asse centrale dello spettacolo, avvertibile fin dalla formulazione del titolo che accentua il *dato* meraviglioso, l'evento spettacolare del morto che parla e che si muove, mettendo invece in ombra l'aspetto mistificatore del dramma spagnolo.

Gli appunti del Biancolelli non si svolgono consecutivamente secondo lo sviluppo lineare della trama, né sono disposti nell'ordine logico voluto dallo svolgimento dell'azione, ma sono una serie di proposte, di possibilità o idee che si riferiscono a momenti particolarmente signifi-

[8] Macchia 12-14.

[9] Domenico Biancolelli, *Le Festin de Pierre* (Convitato di Pietra), tr. da Thomas S. Gueullette (Parigi: Bibl. dell'Opéra, ff 192/303-208/311) in Spaziani 135-149. Il testo appare anche in G. Gendarme de Bévotte, *Le Festin de Pierre avant Molière* (Ginevra: Slatkine, 1907/1978) 339-353, e in Macchia 151-165.

[10] Spaziani presenta invece l'ipotesi che lo scenario di Biancolelli sia posteriore al 1665, anno della prima rappresentazione del *Dom Juan* di Molière (Spaziani 27-29 e altrove).

cativi della storia, presupponendo anche, tra una scena e l'altra, della pause narrative che l'autore di queste note suppone il narratario conosca a perfezione. Si spiegano dettagliatamente, ad esempio, tutte le acrobazie progettate da Arlecchino durante la scena del naufragio, compreso il barile sfondato che lo porterà a riva, permettendogli di fare una capriola con cui egli si ritroverà in piedi. Si notano anche le sue prime parole dopo il naufragio: "Plus d'eau! Plus d'eau! Du vin, tant que l'on voudra!", mentre si ignorano completamente le parole e azioni degli altri personaggi.

Il canovaccio si apre con Arlecchino che prega il re di scusare Don Giovanni per i suoi misfatti. È la prima volta che si presenta Don Giovanni prima che il personaggio entri in scena, una novità incoraggiata dai lazzi scenici d'introduzione in cui eccellevano le maschere, che verrà particolarmente sfruttata nel *Dom Juan* di Molière. La nuova importanza dello Zanni mostra anche un altro elemento, di matrice sociopsicologica, che separa nettamente la versione improvvisata del *Convitato* dall'anteriore dramma spagnolo. Arlecchino che reinterpreta la storia di Don Giovanni, come già aveva notato Enea Balmas, vi incorpora un elemento inedito, un livore antinobiliare, un fermento contestatore e anarchico che altera la storia, enucleandola dal contesto primitivo [11]. L'atteggiamento di Tirso era invece diametralmente opposto perchè egli rimproverava e condannava Don Giovanni per il motivo contrario; per il fatto di essere nobile e di comportarsi in maniera non confacente alla dignità del suo rango, gettando discredito sulla sua casta e, di riflesso, nell'ordine sociale. Per l'Arlecchino del Biancolelli invece, comportandosi come si comporta Don Giovanni agisce *bene,* perchè conferma che questa è la norma consueta dell'agire dei nobili.

Don Giovanni quindi, involgarito e privato di qualunque spessore non solo mitico ma persino psicologico, si trova imprigionato in una condizione rigida che ne fa l'oggetto di una contestazione automatica da parte di tutti, servo, personaggi e pubblico, in quanto incarnazione

---

[11] Enea Balmas, "Don Giovanni nel Seicento francese", *Studi di letteratura francese* (Firenze: Olschki, 1980) VI, 15.

---

di un principio oppressivo governante. È chiaro che nello scenario del Biancolelli, più che servo e padrone Don Giovanni e Arlecchino sono compari, non compari in amicizia quanto in ostilità e desiderio di controllo, sentimenti che sembrano comici nel vivace scambio dell'azione scenica, ma che in realtà si appoggiano su un sottofondo ambiguo e spiacevole. L'enorme enfasi data in questo scenario agli appetiti smisurati, non tanto sensuali quanto semplicemente alimentari, ai trucchi per rubare qualche bocconcino prelibato al padrone, alle capriole fatte col bicchiere di vino in mano (riuscendo a non rovesciarlo), evidenziano particolarmente l'importanza del ruolo del cibo che nell'interpretazione italiana dei comici dell'Arte pone soprattutto enfasi sulle tendenze oppressive dell'aristocrazia imperante. Non a caso in una lunga parentesi che solo in apparenza riguarda il cibo, si paragona Don Giovanni a un maiale:

"A l'application, ce père de famille, c'est
Jupiter; ce cochon, c'est vous, mon cher
maître; ce jardinier, cette cuisinière, ce
sont ceux auxquels vous avez fait toutte sorte
d'insultes...vous en ferés tant que ce Dieu,
prenant le cousteau de son foudre, fondra sur
le cochon bien aimé (qui est vous, mon cher
maistre), le tuera et en fera des saucisses et
des costelettes pour tous les diables." [12]

Notiamo dunque una chiara trasformazione in chiave non solo comica ma anche sociale e critica della drammatica

"... justicia de Dios:
Quien tal hace, que tal pague" [13]

---

[12] Biancolelli (in Spaziani) 144-145.
[13] Gabriel Téllez, detto Tirso de Molina, *El Burlador de Sevilla y convidado de piedra*, Edizione critica a cura di Xavier A. Fernández (Madrid: Alhambra, 1982) 176.

con cui Don Gonzalo aveva seppellito Don Juan nella risoluzione del dramma spagnolo.

Per un'analisi del mito nel suo sfasamento dalla Spagna in Italia, ci sembra però sia ancora più adatto della frammentaria traduzione dello scenario del Biancolelli, il testo scritto del *Convitato di Pietra: Opera regia e esemplare* di Giacinto Andrea Cicognini. Si tratta di una commedia rappresentata per la prima volta a Firenze al principio del 1632, prima trasmigrazione del mito di Don Giovanni in Italia e alla cui trama che come il dramma di Tirso si svolge prima a Napoli ed in seguito in Castiglia, si rifecero i vari capocomici dell'Improvvisa nell'ideare i loro canovacci[14].

Giacinto Andrea Cicognini ed Onofrio Giliberto furono gli autori delle prime due traduzioni italiane, o meglio adattamenti, del *Burlador*, ma solo Goldoni sembra conoscere la versione del Giliberto, che del resto rimane ancora irreperibile nelle nostre biblioteche[15]. Sappiamo dal Farinelli "che il Cicognini faceva molto sovente del grano spagnuolo farina per suo uso e consumo,"[16] e nel caso del suo *Convitato* in modo particolare, Cicognini si attenne assai scrupolosamente al suo modello. Sono però i cambiamenti che gli parvero necessari per assicurare continuato successo alla sua versione del dramma spagnolo che ci interessano in modo particolare.

Il personaggio Don Giovanni, pur aderendo strettamente all'azione già delineata nel *Burlador*, si mostra ancor più affrettato e superficiale, mentre si accelera freneticamente il ritmo dell'azione e lo scambio ver-

---

[14] Questo *Convitato* che da parecchi decenni non è stato più attribuito al Cicognini (Pseudo-Cicognini), dopo l'intervento di B. Croce, "Intorno a Giacinto Andrea Cicognini e al 'Convitato di Pietra'", *Aneddoti di varia letteratura* (Bari: Laterza, 1953) 116-133, nei più recenti studi di A.M. Crinò nell'Archivio di Stato ed in alcune biblioteche fiorentine (A.M. Crinò "Documenti inediti sulla vita di Jacopo e di Giacinto Andrea Cicognini", *Studi secenteschi* II (1961): 281-283) sembra invece sia lavoro probabilmente autentico. (Spaziani 15-17).

[15] Carlo Goldoni, "L'Autore a chi legge", *Don Giovanni Tenorio o sia il Dissoluto*, in *Opere* a cura di Giuseppe Ortolani (Milano: Mondadori, 1950) Vol. IX, 215.

[16] Arturo Farinelli, *Don Giovanni* (Milano: Bocca, 1946) 80.

bale con gli altri personaggi. Don Giovanni è un eroe piatto, una marionetta che sintetizza superficialmente l'ampio respiro gioiosamente mistificatore del suo modello spagnolo. Sparita è la *joie de vivre* e la vanagloria tirsiana del *Burlador/Caballero;* questo Don Giovanni è adesso poco
più di un monodimensionale cattivaccio da fiera, come si può vedere
facilmente fin dalla scena introduttiva:

> Isabella
> "Non ti lascierò, se credessi di perdere la vita!"
>
> Don Giovanni
> "Lasciami, dico, perfida femmina!"
> ....
>
> Isabella
> "Darò le voci al Cielo!"
>
> Don Giovanni
> "Volesti dir all'Inferno."
>
> Isabella
> "Scopriti, traditore!"
>
> Don Giovanni
> "Taci, femmina imbelle...Lasciami, in malora...
> Invan chiedi soccorso." [17]

Si tratta di un personaggio scolorito, un malvagio monocorde, privo
sia di entusiasmo che di umorismo, le cui azioni sbrigativamente automatiche rasentano la volgarità dei lazzi delle maschere, non disdegnando neanche il funambolismo acrobatico [18].

---

[17] Giacinto Andrea Cicognini, *Il Convitato di pietra - Opera regia ed esemplare,* (in Macchia 167-206) 171.
[18] Alla fine della terza scena del I atto, quando Don Giovanni fugge dal palaz-

La componente religiosa del dramma tirsiano viene eliminata nel *Convitato* del Cicognini, eccezion fatta per quegli spunti spettacolari che possono assistere la teatralità dello spettacolo:

> Don Giovanni
> "...io feci voto in mare, se io mi salvava,
> di sposar una poverella... Se io non gli
> do la mano di sposo, poss'io essere ammazzato
> da un uomo: ma che sia di pietra, sai,
> Passarino" [19]

Gli elementi religiosi rappresentano quindi soltanto accenni, proposte irrealizzate nella rapidità d'azione che aveva caratterizzato anche il Don Juan tirsiano, ma che adesso rasenta il frenetico. Perfino il momento moralmente più solenne del dramma, il duello col Commendatore, viene iniziato e concluso con la superficiale velocità di un canovaccio, il che può forse avvalorare l'ipotesi che il *Convitato* del Cicognini fosse, in realtà, la stesura di un canovaccio [20]:

> Scena quinta
> (Don Giovanni facendo costione col Commendatore)
>
> Commendatore
> "Ah, traditore, così tratti?"
>
> Don Giovanni
> "Che traditore? Ti privarò di vita!"
>
> (Fanno costione, il Commendatore cade e Don Giovanni parte.) [21]

zo reale dove ha appena violato Isabella, viene notato a parte che "qui si sente cader giù dal verone Don Giovanni".
[19] Cicognini (in Macchia) 181-182.
[20] Spaziani 16-17.
[21] Cicognini (in Macchia) 190. (Costione/questione = lite/duello).

Ogni spunto nobile, che pur non stonerebbe in un dramma dal sottotitolo di *Opera regia ed esemplare* viene immediatamente svisato e rattrappito sia dalla rapidità dell'azione che dalla sua ripetizione in chiave comica e canzonatoria da parte della maschera. Cicognini, quantunque avido lettore e abile traduttore di testi spagnoli, senza dubbio apprezzava anche enormemente gli spettacoli della Commedia dell'Arte, e nel voler ampliare il lato spettacolare del dramma spagnolo, troppo rigido e rigoroso per le scene italiane, aggiunse al suo *Convitato* quei tocchi scenografici di grande successo presi dalla commedia italiana più in voga al momento, che non era la Meditata ma l'Improvvisa. Abbiamo quindi anche in questo *Convitato*, scritto per intero, la continua simmetria verbale e di azione tra personaggi e maschere che caratterizzava gli scenari della Commedia dell'Arte; vedi, ad esempio, l'episodio magniloquente e pomposo dello scambio *nobile* tra Don Giovanni ed il Commendatore durante la cena, immediatamente ridimensionato dall'eco della canzone spiritosa e un po' volgare dei servitori:

> "Zà che volí canta,
> Don Zovanni ve digo,
> che 'sto bambozzo al me par un intrigo,
> de grazia mandel via,
> se no scappa de drio l'anima mia!" [22]

Cicognini adatta il suo modello spagnolo alterando i segni linguistici nobili che appoggiavano la vittoria dell'autorità costituita, e rovesciandone i valori socio-economici. Ogni episodio ed ogni scambio verbale del *Burlador* tirsiano viene così riequilibrato e ridimensionato nel *Convitato*. Questo mutamento sembra appoggiarsi unicamente sull'introduzione ed ampliamento del comico, ma il comico non è che un elemento esteriore, perché il rinnovamento del mito di Don Giovanni da parte degli Italiani ha genesi in realtà diversa e più intima.

Notiamo infatti che la "vaga scoltura" che si presenta agli occhi di

---

[22] Cicognini (in Macchia) 202. (Bambozzo = bambola/ pupazzo = statua).

Don Giovanni quando entra per la prima volta nella cappella funeraria degli Oliola (Ulloa), viene subito canzonata da Passarino come "sepoltura di puina" (ricotta), in una simmetria ritmica che comunica al pubblico l'interpretazione maliziosamente ridicola di questo grandioso monumento funerario dell'intermediario di Dio che ora, per la prima volta, viene anche interpretato come vanitoso:

Epitaffio
"Di chi a torto mi trasse a morte ria,
Dal ciel qui attendo la vendetta mia".

Passarino
"Di chi a torto mi trasse a morte ria,
quando Marco sartor va all'osteria" [23].

Non è questa soltanto reminiscenza meccanica influenzata dall'Improvvisa, perché è chiaro che in Italia già si avverte la necessità di ridimensionare, almeno in uno spettacolo teatrale, la tensione socio-economica tra le varie caste e l'autocrazia nobiliare che era invece riuscita totalmente vittoriosa nella Spagna imperialista del *Burlador* di Tirso. Nell'apostrofe del nostro eroe contro la tomba dell'uomo da lui ucciso:

"O vecchio insensato, altro vi vuole:
ora che sei morto pur vuoi inalzar
superbi Tempij per immortalarti?" [23]

avvertiamo già con particolare chiarezza la nuova impostazione ormai giudicata indispensabile per le scene italiane. La vanità del Commendatore e la vanagloria di questa tomba *superba* possono ora perfino permette-

---

[23] Cicognini (in Macchia) 196-198. (Per l'allusione al *sartore*, nota che la statua nel Burlador di Tirso serve durante l'ultima cena scorpioni, serpenti e unghie, mentre Catalinón commenta che si tratterà certo di unghie di sarti. Altra pecca degli eleganti libertini spagnoli secenteschi era di fare di tutto per non pagare i loro sarti, da cui la vendetta divina finale anche per i sarti che però, come il "perro muerto" viene tradotta in italiano senza essere compresa). Vedi la nota 32 a questo riguardo.

re al Don Giovanni del Cicognini di sfidare la statua, gettandole il guanto in faccia. Il mondo autocratico dell'imperialismo spagnolo si sbriciola in Italia, perfino in una *Opera regia ed esemplare*, sotto la spinta leggera della simmetria scenica imparata dalla Commedia dell'Arte.

Se nel *Burlador* di Tirso avevamo un Don Juan a cui era stato negato il privilegio di pentirsi:

"No hay lugar. Ya acuerdas tarde" [24]

l'eroe malvagio e spavaldo del Cicognini rifiuta ora egli stesso il pentimento, in un dialogo che alterna l'anafora "Pentiti, Don Giovanni" con gli epiteti "Lasciami dico, ohimè" e "Ohimè io moro, aiuto!" che preannunciano il suo lamento spettacolare finale che permetterà ancora al pubblico di vederlo dibattersi nelle fiamme infernali, ma che sfasa completamente il personaggio da penitente in criminale [25].

Grandi mutamenti avvengono anche nella caratterizzazione delle donne a cui vengono attribuite, nel *Convitato* del Cicognini, molte delle battute particolarmente importanti e decisive che nel *Burlador* di Tirso erano invece riservate ai personaggi maschili. Le donne sono vivaci e loquaci nel testo italiano; non fungono più soltanto da pedine nei giochi politici maschilisti, mentre il senso dell'onore comincia a perdere la sua impronta ispanico/araba. Particolarmente significativa a questo proposito è la sesta scena, in cui Isabella, faccia a faccia con il re (che nel *Burlador* le aveva parlato di spalle, per dimostrare ancor più palesemente il desiderio di punirla per aver ospitato un amante), viene ora trattata dal monarca con grande sollecitudine e rispetto, mentre egli le promette addirittura che farà di tutto per proteggere e salvare la sua reputazione di dama offesa [26]. Spariscono le prigioni per le indiscrezioni

[24] Tirso 176.
[25] Cicognini (in Macchia) 204.
[26] Cicognini (in Macchia) 175. Nota che Isabella supplica il re "di non lasciare invendicato oltraggio tale... l'onore è il più pregiato tesoro del mondo", eco assai affievolita della "Barbacane caída de la torre de mi honor" di cui Don Gonzalo Ulloa aveva accusato Don Juan, poco prima di essere da lui ucciso. Cicognini traduce con

amorose femminili, come pure gli insulti per la volubilità delle *banderuole* a cui i caballeros tirsiani si lamentavano di aver sconsideratamente affidato la reputazione dell'onore familiare.

Dalle contadinotte vivaci e maliziose (che però parlano sempre in toscano, da Innamorate) alle dignitose aristocratiche, i caratteri femminili acquistano adesso un timbro ed un'intensità individuale e cospicua che si sostituisce al dispositivo femminile statico e socialmente stratificato che avevamo invece nel *Burlador*[27]. Il lamento amoroso di Rosalba abbandonata, unito alle espressioni indignate e offese di Isabella e della qui loquacissima Anna possono ben preannunciare la creazione molieriana di una Elvire, primo esempio di donna nobilmente e sinceramente innamorata. Né tale nobiltà dei personaggi femminili da parte del Cicognini è diminuita dal gesto offensivo e canzonatorio della lista dei nomi, gettata alla pescatrice Rosalba da Passarino, quella stessa lista a cui si era appena accennato nel *Burlador*, nell'interiezione "Con ésta cuatro serano", con cui Catalinón aveva salutato la conquista della contadina Aminta da parte del suo padrone. La lista è un movimento rapidissimo di balletto, necessario per concretizzare per lo spettatore l'idea di un continuo, iperbolico susseguirsi di conquiste femminili, di cui una minima parte soltanto può esplicitamente mostrarsi sulla scena. È un gesto che viene però sempre affidato al servo: una parentesi mimica in chiave minore del parallelismo della maschera per concretizzare sulla scena l'azione della seduzione pluri-ripetuta che il pubblico può soltanto immaginare. Molière tralascerà tale gesto, mentre Da Ponte/Mozart gli daranno invece importanza anche maggiore facendo addirittura presentare il *Catalogo* all'amante aristocratica.

"la rocca del mio onore" e di nuovo tale apostrofe è espressa da una donna, Donna Anna, nella scena undicesima del II atto.

[27] Nel *Burlador* di Tirso de Molina, le donne conquistate erano quattro: due aristocratiche (Doña Ana e la Duquesa Isabela) e due popolane (Tisbea ed Aminta). Vale anche la pena notare che, in accordo con la politica espansionistica del periodo, una delle due aristocratiche è spagnola, mentre la seconda, la napoletana Isabela, è straniera. Le due popolane sono invece una pescatrice ed una contadina, i prodotti alimentari più comuni della Spagna anche odierna. (Vedi Cap. III).

Oltre ai personaggi femminili, Cicognini muta anche profondamente la caratterizzazione dei servitori. Chi si ricorda, ad esempio, l'insignificante Ripio, il servitore del Duque Octavio? Nel *Convitato* egli diventa, assumendo il nome di Fighetto, una delle numerose maschere del balordo pigro e vorace, la cui unica preoccupazione è di mangiare e dormire. Il suo spirito consiste nel parodiare i sentimenti del padrone, parlando della propria fame quando questi parla d'amore. Se Ottavio si lamenta perché il suo animo innamorato e inquieto non gli ha permesso di riposare durante la notte, Fighetto ribatte:

> "... anca mi tutta nott a io avú un baticor e sí a non so donde al se nasca, a non so se per fortuna al sia amore o fame" [28]

Si insiste sul rinnovamento dell'equilibrio socio-economico anche colla menzione di un bando che promette diecimila scudi a chi troverà l'uccisore del Commendatore Oliola (Ulloa), grande tentazione per Passarino che vi rinuncia soltanto a causa del proprio terrore per il padrone. È una rapida parentesi che prepara assai meglio che nel *Dom Juan* di Molière l'urlo finale, rabbioso e sconfortato, del servitore non pagato:

> Passarino
> "O, pover al mé Patron, al mé salari è andà a ca' del Diavol!" [29]

Si noti che Cicognini è l'unico autore pre-Molière, oltre allo scenario del Biancolelli (se anch'esso precede il *Dom Juan* del commediografo francese) che smitizzano così compiutamente lo sprofondamento infernale del nostro eroe, da farlo commentare, e in termini unicamente venali, dal servitore che ha perso il salario. E il lamento finale di Don Giovanni non alleggerisce questo tocco interessato e volgare che equipara la fine spettacolare dell'eroe protagonista a un semplice contrattempo monetario per la servitù. L'aristocrazia oppressiva del Cicognini diventa ormai incapace perfino di far fronte alle proprie responsabilità amministrative, domestiche e familiari.

[28] Cicognini (in Macchia) 191.
[29] Cicognini (in Macchia) 205.

Come gli altri spettacoli del periodo, l'opera regia del Cicognini contiene anche quel misto un po' bizzarro e disparato di tragedia, commedia, opera e mistero che caratterizzava lo sviluppo dell'arte scenica italiana del Seicento. È probabile che fosse proprio questa la ragione che fece scegliere all'autore toscano l'adattamento del *Burlador*: la possibilità cioè di trasformare in una specie di fantasia il lato soprannaturale e spaventoso del dramma spagnolo. Ma i canti misteriosi e drammatici e la statua di marmo che parlava e si muoveva non hanno più lo scopo, come nella Spagna secentesca dell'Inquisizione, di stimolare la fede ardente del pubblico. Ne stuzzicano semmai a malapena la curiosità, soddisfacendo il gusto del profano e del meraviglioso. La statua vivente non è più che un magnifico gioco di scena, un artificio teatrale, mentre il turbamento religioso viene sostituito dall'elemento comico. Invece di far paura in Italia si fa ridere, in un'espressione comica dall'effetto talvolta un po' incerto perché, sotto sotto, la statua che si muove fa ancora un po' paura, ma non si sa più tanto bene perché. I commedianti hanno cioè rimosso il lato spaventoso e soprannaturale del mito, ma essendo represso, questo elemento continua nondimeno a turbare inconsciamente lo spettatore, pur non essendo più coscientemente avvertito dal pubblico.

Come possiamo definire l'apporto del comico in questo adattamento del *Burlador* da parte di un autore toscano? La parola *burla* viene usata spesso e volentieri anche nel *Convitato*, a reminiscenza del titolo del dramma originario spagnolo, ma in un significato totalmente diverso:

Don Giovanni
"Dobbiamo partir di Napoli"

Passarino
"Eh, la burla, Sior"

Don Giovanni
"Come, ch'io burlo? Ti dico da senno." [30]

---

[30] Cicognini (in Macchia) 177.

oppure

Passarino
"Mi a son Don Giovannin sò fradell"

Rosalba
"O poveri fratelli sfortunati, dunque quest'è
vostro fratello?"

Don Giovanni
"Chi?"

Rosalba
"Questo."

Don Giovanni
"Temerario!"

Passarino
"Non si può nianca burlar!"[31]

Come è facile notare, la mistificazione del burlatore spagnolo si è
adesso tradotta in segni linguistici vuoti di valore, a volte addirittura con
traduzioni alla lettera di parole ed espressioni non capite[32]. Il comico è
comunque affidato principalmente alle maschere, e non solo ai servitori, Passarino e Fighetto, sempre affamati e poltroni, ma all'aggiunta di
tutte le altre maschere di vecchi loquaci e rimbambiti, come il Dottore e
Pantalone, e agli intermezzi audaci e scurrili di Brunetta, espressi nel

---

[31] Cicognini (in Macchia) 181.
[32] Vedi, ad esempio, la richiesta da parte di Don Giovanni del mantello e del
cappello del Duca Ottavio, per "fare un pero morto, questa notte" (Cicognini in
Macchia 187). È chiara traduzione non capita del *perro muerto* tirsiano (118), cioè
cane morto o meglio scherzo sessuale/inganno, termine comunemente usato dai libertini spagnoli secenteschi soprattutto nei riguardi di prostitute, quando riuscivano
a evitare di pagarle (Vedi Cap. III, Nota 17).

suo elegante toscano da Innamorata, che li rende ancora più comici. È un umorismo di respiro piuttosto limitato, ma perché il mito perdurasse era indispensabile che esso si comunicasse e si propagasse, il che non sarebbe mai avvenuto senza un apporto comico di portata facile e di comprensione immediata.

Anche il ruolo del cibo, che nel substrato archetipico simboleggia soprattutto l'inversione di un'ultima cena, viene di nuovo sfasato nell'interpretazione del Cicognini. Nell'opera regia il cibo si muta soprattutto in appetito ed esemplifica la continua simmetria di scene e lazzi tra personaggi aristocratici e maschere. Da appetiti sessuali si *scende* con i servitori agli appetiti alimentari.

Don Giovanni
"Vedi che buon bocconcino."

Passarino
"L'andarà in lista anca liè."

Don Giovanni
"Sì Signora; ma chi sete voi?"

Rosalba
"Una rozza pastorella... io sentij quei gemiti
che facevi in mare, e non volli mancare di
attendervi per darvi qualche soccorso."

Passarino
"Compassionevole della carne umana!"
.....

Don Giovanni
"Sentite: io feci voto in mare, se io mi
salvava, di sposare una poverella..."

Rosalba
"O me felice, o me fortunata..."

Passarino
"S'al stava un poc più in mare, al
s'innamorava d'una balena!"
......

Rosalba
"Andiamo dunque, mio bene..."

Passarino
"E fra poc ti farà meretrice"

Don Giovanni
"Andiamo, che non vedo l'ora di stringervi
nelle mie braccia."

Passarino
"E mi non ved l'ora de magnar"[33]

In conclusione, gli appetiti carnali sono continuamente e simmetricamente alternati con la fame. Dal quasi pudico desiderio di stringer tra le braccia Rosalba di Don Giovanni si arriva rapidamente all'abbinamento meretrice/magnar con cui Passarino intensifica, con la ripetizione, la smisuratezza di tutti gli appetiti. L'apice di tale simmetria viene raggiunta nella parodia dell'ultima cena, con Passarino che si divora i classici maccheroni, dodici uova e dodici bicchieri di vino, accompagnati dal suono di trombe che annunciano l'arrivo (soprannaturale!) della statua.

Il *Convitato* di Giacinto Andrea Cicognini ebbe immenso successo soprattutto in Italia, mentre passarono oltr'Alpe ed arrivarono in Francia quelle rappresentazioni della Commedia dell'Arte che avevano basato il loro scenario proprio su di esso. La *Cronique molieresque* ci informa che "Les Italiens" rappresentavano a Parigi, già nel 1657, al teatro Petit

---

[33] Cicognini (in Macchia) 181-182.

Bourbon (concesso da Enrico III alla prima compagnia stabile italiana dei Gelosi) un *Festin de Pierre* "sur canevas" [34].

Come recitavano gli Italiani in Francia? Sembra parlassero in italiano e che lo loro rappresentazioni continuassero a basarsi, anche in Francia, sull'effetto scenico di fronte al quale il testo parlato aveva importanza assai minore. C'era un certo numero di battute-chiave, indispensabili al processo dell'azione, il resto era lasciato in gran parte all'invenzione degli attori stessi con una libera creatività temperata da un deciso carattere codificato del loro spettacolo, sia per i gesti che per la rappresentazione [35].

Quando più tardi, col passare degli anni, *francesizzarono* la loro lingua, i personaggi non nascondevano mai la loro nostalgia per l'Italia [36]. Gli Italiani a Parigi aprirono gli orecchi per scoprire questo nuovo mondo dove la loro arte li chiamava a soggiornare per anni, ed erano estremamente ammirati ed apprezzati. Come possiamo ancor oggi leggere nell'"Avertissement qu'il faut lire" del *Requeil* di Gherardi, i cui scenari venivano recitati a Parigi nella seconda metà del Seicento:

> "Qui dit *bon comedien italien*, dit un homme
> qui a du fond, qui joue plus d'imagination
> que de mémoire; qui compose en jouant....
> qu'il marie si bien ses paroles et ses
> actions avec celles de son camarade, qu'il
> entre sur le champ dans tout le jeu et dans
> tous les mouvements que l'autre lui demande,
> ...Il n'en est pas de même d'un acteur qui
> joue simplement de memoire [37]..."

---

[34] Enea Balmas, *Il Mito di Don Giovanni nel Seicento francese* (Milano: Cisalpino-Goliardica, 1978) Vol. II, 22.

[35] Balmas, *Il Mito* Vol. II, 23.

[36] Lucette Desvignes, "Les Italiens à Paris d'après le requeil de Gherardi (1682-1679)" in *Mélanges à la mémoire de Franco Simone* (Ginevra: Slatkine, 1981) Vol. II, 323-349. Per esempio, 326-327: Arlecchino:"Maudit soit l'interet de m'avoir fait quitter la douceur de Tourin" in *Arlequin Empereur dans la Lune* (1684). Octave: "Comment veux-tu que je lui fasse entendre raison? Il ne sait pas l'italien et, comme tu vois, je parle assez mal françois!" in *Les Chinois* (1692).

[37] Gherardi, citato in Desvignes 335.

Questa l'eredità che arrivò a Molière e su cui egli appoggiò il suo *Dom Juan* nel 1665. Fu proprio agli scenari italiani che si rifece il grande commediografo francese, più che ai testi scritti di Dorimond e di Villiers che, entrambi col medesimo titolo, *Le festin de Pierre ou le fils criminel*, erano stati rappresentati per la prima volta rispettivamente nel 1659 e nel 1660 [38].

Non ci soffermeremo troppo su questi due testi scritti che precedono il *Dom Juan* di Molière, ma vorremmo accennare rapidamente che coll'intensificare la colpabilità dell'eroe protagonista, ed il conflitto padre/figlio, entrambi esemplificati dal sottotitolo stesso *le fils criminel*, si comincia, attenuando l'elemento comico, a formulare impercettibilmente quella nuova sfasatura del personaggio che darà vita al Don Giovanni problematico, nuovo araldo della proiezione del mito, dal Romanticismo ai nostri giorni. Il *Dom Juan* di Dorimond e di Villiers è un figlio in rivolta contro il padre, idea accennata soltanto nel *Burlador* di Tirso, che ne aveva fatto un uccisore di padri (psicologicamente di Don Diego, il vero padre - fisicamente di Don Gonzalo, il padre di Doña Ana), e quindi, per estensione, un ribelle all'autorità. Abbiamo già osservato come la ribellione di Don Giovanni fosse svanita nelle versioni italiane, che se mai avevano fatto del personaggio stesso un simbolo del sistema aristocratico, dispotico ed oppressivo, a cui si ribellavano i servitori, il cui salario era finito all'Inferno col padrone. L'apporto dei due testi francesi risuscita però la ribellione dell'eroe protagonista, elemento indispensabile per ridare spessore mitico al personaggio, che era stato invece tralasciato dai commedianti. Dorimond e Villiers creano una resistenza piuttosto circoscritta, anche se problematica, limitata cioè all'ambito familiare. Ne esce quindi un Dom Juan problematico, di matrice forse un po' troppo pseudo-raciniana, ma che potrà facilmente evolversi in personaggio tormentato e complesso nei secoli futuri.

Molière, vedremo, pur non rinunciando al comico introdotto dalla Commedia dell'Arte, tradurrà la nuova ricchezza psicologica dell'eroe

---

[38] I testi di Dorimond, Villiers e Rosimond sono riportati in Balmas, *Il Mito* Vol. I, 1-267.

complessato, in un carattere che giuoca magistralmente con l'arte della comunicazione, con i segni linguistici o espressivi. Altri, invece, manterrà la colpabilità monodimensionale concepita da Dorimond e Villiers [39], ma è innegabile che il mito deve immensa gratitudine all'interpretazione di questi due autori francesi i quali, volendo nobilitare il loro Dom Juan, hanno forse scritto dei *Festins de Pierre* un po' scialbi, con personaggi rigidi ed ampollosi, ma sono anche riusciti a rinnovare il mito, arricchendolo e ridimensionandolo.

Con l'entrata in scena del padre, il ritmo si rallenta considerevolmente, mentre l'eroe può ormai sentirsi libero soltanto se morto il padre, se obliterate le origini e le leggi dell'autorità, in favore del futuro e della libertà di pensiero. Visto però che il padre non sparisce veramente mai, si rinnova adesso l'atavico conflito mitico tra padre e figlio, passato e futuro, stabilità e movimento, conflitto che ingenera sì il figlio criminale, ma ne fa anche un eroe problematico, tormentato e moderno.

Questa, quindi, l'eredità che arrivò a Moliere e su cui egli appoggiò il suo *Dom Juan* nel 1665. La mediazione dell'Improvvisa non gli portò tanto la leggenda come una storia alla moda, quanto Don Giovanni come veicolo per la rappresentazione teatrale delle metafore che lo interessavano: un eroe perennemente mascherato in un abbinamento archetipico di personaggio/*Persona* [40].

L'originalità teatrale di questo personaggio, e l'apporto datogli dai contributi della Commedia dell'Arte, permetteranno al commediografo francese di ideare un eroe che lungi ormai dal fungere da mira per la critica moralistica del pubblico, riuscirà invece a canzonare apertamente personaggi e spettatori, in nome della libertà di pensiero e della libertà d'azione.

---

[39] Ci riferiamo soprattutto al *Don Giovanni Tenorio o sia il Dissoluto* di Goldoni, già citato.

[40] Carl G. Jung, *Aion: Researches into the Phenomenology of the Self,* in *Collected Works* (New York: Bollingen Foundation/Pantheon Books, 1959) Vol. IX, Parte II.

CAPITOLO V

DOM JUAN

Fu soltanto nel 1947 che il *Dom Juan* di Molière venne finalmente rimesso in circolazione in Francia, per opera del famosissimo attore Louis Jouvet che lo ripropose in quell'anno al teatro dell'Athénée, dopo un lungo periodo di dimenticanza perché lo si era considerato opera difficile e poco rappresentativa dell'arte del suo autore.

Scritto poco tempo dopo le polemiche sollevate da *Tartuffe*, il *Dom Juan* era stato rappresentato per la prima volta il 16 febbraio 1665, a palazzo reale. Erano infatti più o meno dieci anni che, come abbiamo visto nel capitolo precedente, si recitavano a Parigi diverse versioni teatrali della leggenda, con un successo sempre maggiore. I documenti del tempo registrano che il pubblico affollava il teatro *des Italiens* per vedere le compagnie stabili che recitavano la loro versione di questa leggenda spagnola, impiegando macchinari scenici eccezionali come una statua che andava a cavallo, fulmini, tuoni e fiamme infernali che invadevano l'intero palcoscenico dell'Hôtel de Bourgogne[1].

Il *Dom Juan* di Molière, benché avesse avuto grande successo alla sua prima rappresentazione e avesse anche ricevuto l'approvazione del re (che sembra si fosse molto divertito), venne ritirato dalle scene dopo solo 15 rappresentazioni, e non vi ricomparve mai più. Il testo venne pubblicato soltanto dopo la morte del commediografo, in un'edizione profondamente alterata e censurata[2].

---

[1] Franco Tonelli, "Molière's *Dom Juan* and the Space of the Commedia dell'Arte", *Theatre Journal* XXXVII. 4 (Marzo 1985): 440.
[2] Enea Balmas, "Don Giovanni nel Seicento Francese", *Studi di Letteratura Francese* (Firenze: Olschki, 1980) Vol. VI, 6.

Molière non conosceva il dramma spagnolo originale di Tirso de Molina, scritto probabilmente 45 anni prima del suo, cioè intorno al 1620, e benché egli avesse una certa familiarità col teatro spagnolo, sembra assai improbabile che una copia del *Burlador* circolasse in Francia prima del 1665. Il commediografo francese conosceva però molto bene gli spettacoli della Commedia dell'Arte, e aveva certamente letto gli scenari del *Convitato*. Aveva anzi perfezionato il suo stile di attore seguendo gli insegnamenti di Tiberio Fiorilli, o Fiorillo (1608-1694), il più celebre di tutti gli Scaramouche[3].

In un "programme-annonce" di uno spettacolo del *Dom Juan* rappresentato probabilmente in provincia, si loda in modo particolare la "Description des superbes machines et des magnifiques changements de théâtre du *Festin de Pierre* ou *L'Athée foudroyé* de M. de Molière" e si ricorda al pubblico che questo "aimable divertissement" è una "imitation des Italiens" fatta dalla "scène françoise". Vengono anche sottolineate soprattutto le "postures italiennes" di Sganarelle, durante la cena con la statua[4].

Fin dall'inizio del primo atto, l'entrata di Dom Juan era stata ideata secondo lo stile dell'Improvvisa, con Sganarelle e Gusman (lo staffiere di Elvire) che entrano in scena per primi, nel mezzo di un'accalorata discussione sul tabacco e le sue qualità. Resti però sempre presente che l'archetipo del Don Giovanni italiano è da considerarsi fonte assai evanescente del *Dom Juan*, e conveniamo con Spaziani secondo il quale in queste condizioni di incertezza circa la tradizione, esso vada inteso in maniera piuttosto elastica, da coincidere nel migliore dei casi con quello più generico di spunto o motivo ricorrente, spesso contaminato e deformato[5].

Dal frontespizio della commedia impariamo che "La scène est", un

---

[3] H. Gaston Hall, "Ce que Molière doit à Scaramouche", *Mélanges à la mémoire de Franco Simone* (Ginevra: Stlatkine, 1981) Vol. II, 257.

[4] È questa una *plaquette* di quattro pagine in quarto che si trova riprodotta nel Vol. V delle *Oeuvres* di Molière, ed. Despois-Mesnard (Parigi: Grands Ecrivains de la France, 1924). Vedi, per proseguire su queste linee di ricerca, Marcello Spaziani, *Don Giovanni dagli scenari dell'arte alla "Foire"* (Roma: Edizioni di Storia e Letteratura, 1978) 32.

[5] Spaziani 43.

po' vagamente, "en Sicile" [6], senza precisare non solo la città in cui si svolge l'azione ma neanche se ci si trovi in una casa, un palazzo o un luogo pubblico. Una prima scorsa all'elenco dei personaggi mostra anche una certa confusione di nomi spagnoli, francesi e italiani e, come nella tradizione dell'Improvvisa, una lista assai lunga di personaggi (17 nomi), al contrario degli altri lavori di Molière che di solito non contavano più di undici, dodici personaggi. È una commedia che, a prima vista, può quasi sembrare (ed è stata talvolta considerata) disordinata, perché l'eroe può cambiare radicalmente da simpatico a odioso, da geniale a brutale, mentre molti personaggi, senza mai partecipare al filone principale dell'azione, entrano in scena, "disent leur mots et disparaissent" [7].

Che tipo di eroe è questo Dom Juan di Molière? Ne abbiamo una descrizione concitata e drammatica fin dalla prima scena, con Sganarelle che "inter nos" spiega a Gusman che in Dom Juan vive "le plus grand scélérat que la terre ait jamais porté, un enragé, un chien, un Diable, un Turc, un Hérétique... un épouseur à toutes mains" per concludere, mostrando anche una buona dose di soggezione servile che "s'il fallait qu'il en vînt quelque chose à ses oreilles, je dirais hautement que tu aurais menti." [8].

Fin dall'introduzione della commedia, Sganarelle, cercando di definire il suo padrone e non riuscendoci, deve quindi rifarsi all'iperbole. Molière può così comunicare agilmente al suo pubblico il senso e la varietà delle colpe di Dom Juan, facendo esprimere al servitore un'indignazione ammirata che può essere articolata soltanto in una lunga lista iperbolica di insulti. Nel corso di tutta la commedia tutte le azioni e reazioni del *valet* nei confronti del padrone saranno sempre codificate in funzione di questo primo ritratto datone all'inizio, talvolta assecondando tale immagine e tal'altra contestandola [9].

---

[6] J.- B. P. de Molière, *Dom Juan ou Le Festin de Pierre*, in *Oeuvres Complètes* a cura di Georges Couton (Parigi: Gallimard, 1971) Vol. II, 31.

[7] M. Descotes, *Les Grands Roles du théâtre de Molière* (Parigi: 1961) 61.

[8] Molière 33-34.

[9] Jacques Guicharnaud, *Molière - Une aventure théâtrale* (Parigi: Gallimard, 1963) 191.

Dom Juan appare così fin dall'introduzione come un *attore*, figura leggendaria di conquistatore mitico, da paragonarsi ad Alessandro Magno [10]. Ne risulta l'immediata equazione Dom Juan = Alexandre = eroe mitico = inversione di Cristo [11], che fin dall'inizio si emana da questa descrizione amplificata delle colpe dell'eroe protagonista, dilatandolo in archetipo. Un personaggio chiaramente a doppio livello dunque: criminale e mitico.

Quale la reazione di Molière stesso nei riguardi di questo suo personaggio? Ci sono critici come M. Couton che pensano Molière sia propenso a favorire il suo Dom Juan, e citano a prova di questo loro argomento la poca intelligenza di Sganarelle, al quale è stato affidato il ruolo di difensore della religione e dell'autorità [12]. Altri invece sono di opinione totalmente opposta, ed affermano che il commediografo è profondamente ostile al suo eroe protagonista, grazie al quale egli può satirizzare i "grands seigneurs méchants hommes" che lo circondano a corte [13].

Non ci sembra particolarmente chiarificatore quest'esame dei *penchants* di Molière nei riguardi del suo personaggio: in Dom Juan il commediografo francese ha individuato e creato un eroe di dimensioni mitiche, un carattere palesemente al di là del *simpatico* o dell'*antipatico,* che riesce vincitore in tutti gli incontri con gli altri personaggi, facendo assegnamento sull'arma assegnatagli dal suo autore: la parola.

Se nel *Burlador* di Tirso avevamo un mistificatore munito di beffe ed *engaños,* i cui intrighi, basati su burle e dinamismo, nei posteriori scenari italiani del *Convitato* si erano via via evoluti sempre più in azione a scapito della parola, il pendolo adesso oscilla bruscamente nella direzione opposta, perché nel Dom Juan di Molière abbiamo la creazio-

[10] Molière 36.

[11] Uno studio interessante per proseguire su queste linee di ricerca è Ronald W. Tobin, "Dom Juan, ou le principe du plaisir", *Littérature et gastronomie* (Parigi: Papers on Seventeenth Century Literature, 1985) 21-63.

[12] Georges Couton, "Introduction" a Molière, *Oeuvres Complètes* a cura di Georges Couon (Parigi, Gallimard, 1971).

[13] Vedi soprattutto Robert Garapon, "Molière pour ou contre Dom Juan", *Studi di Letteratura francese* Vol. VI, 58-66.

ne di un personaggio le cui armi si appoggiano esclusivamente su motti ed intrighi linguistici.

Che cos'è la parola? "La parole... n'est autre chose que la pensée expliquée par un signe extérieur", spiega Pancrase nel *Mariage forcé* di Molière, ed il nome stesso di questo personaggio (Pan-Krasis) significa confusione [14]. L'idea che i segni linguistici siano la rappresentazione esteriore della verità interiore dell'emittente, rappresenta una delle convinzioni più antiche della società umana. Come spiega Hans Georg Gadamer nel suo *Truth and Method,* in un testo noi presupponiamo trovare l'intero significato espresso: tutta la verità [15]. I membri delle comunità semiologiche, cioè coloro che emettono e ricevono segni linguistici, stipulano tra loro l'implicito contratto di abbinare segno e verità, contratto assecondato e regolato dal sistema etico e religioso vigente [16]. È un sistema però continuamente ostacolato da un problema fondamentale: un segno non rappresenta necessariamente la verità, e raramente questa problematica della duplicità semiotica venne sfruttata in tutte le sue dimensioni come nella letteratura francese del Seicento [17].

Il testo di Molière, ancora oggi come al suo primo apparire nel 1665, continua a rendere estremamente perplessa la critica perché in esso si susseguono, una dopo l'altra, scene che possono sembrare assai diverse tra loro, mentre sono in realtà concatenate dalla particolare relazione del commediografo con la lingua. Le parole nel *Dom Juan* hanno perso la loro funzione di comunicare verità o cognizioni, arrivando addirittura ad ostacolare lo svolgimento lineare della trama, invece di assecondarlo. L'intera commedia è così costruita su una complessa metafora di tra-

---

[14] Per quest'analisi della *parola* nel *Dom Juan* di Molière, sono debitrice all'ottimo articolo di Domna C. Stanton "Playing with Signs: The Discourse of Molière's Dom Juan", *French Forum* V. 1 (1980): 106-121.

[15] Hans Georg Gadamer, *Truth and Method,* tr. da Garrett Barden e John Cumming (New York: Seabury Press, 1975) 262.

[16] Claude Lévi-Strauss, *Les Structures élémentaires de la parenté* (Parigi: Mouton, 1967) 565-570.

[17] Roland Barthes, *Le Degré zéro de l'écriture, suivi de Nouveaux essais critiques* (Parigi: du Seuil, 1972).

sgressione che sovverte ogni possibile fondamento lineare e mimetico. Come giustamente nota Tonelli, il *Dom Juan* di Molière è un testo che si oppone radicalmente alla mimesi aristotelica, teoria che a quel tempo veniva invece considerata ancora di massima autorità per il teatro [18].

Dom Juan seduce sempre e soltanto con la parola, *promettendo* alle donne di sposarle (metaforicamente, di amarle per sempre). Ne consegue che egli non è soltanto l'eroe del pensiero tradotto con consumata abilità in parola, l'eroe cioè del virtuosismo linguistico, ma anche, e soprattutto, l'eroe scandaloso della *rottura* della promessa. Il mito di Don Giovanni diventa quindi un mito di scandalo o rottura verbale, non perché il personaggio sia necessariamente concepito dal suo autore come corrotto, ma perché le promesse stesse dell'eroe sono corrotte, e quindi non mantenibili. Ne deriva che la versione della leggenda enucleata da Molière si impernia su un conflitto che si mantiene sempre irrisolto tra due fazioni: i personaggi che vogliono ridurre Dom Juan a un segno linguistico veritiero e definitivo, contro l'eroe stesso che si oppone sempre strenuamente, rifiutandosi di accedere a tale desiderio. Col ridurre la lingua ad un agente farsesco che si riflette simultaneamente in sé a spese della comunicazione, la narrativa della commedia molieriana si dissolve sotto gli occhi dello spettatore, bersagliato da una sovrabbondanza di segni contraddittori. È un teatro quindi più da godere subliminalmente che da analizzare o, se mai, da analizzare soltanto in sede retrospettiva.

Come già aveva notato anche Bénichou, Dom Juan è il più enigmatico di tutti i personaggi teatrali francesi del Seicento e, forse, l'esempio più estremo dell'ambiguità semiologica del periodo [19]. È un antieroe che riesce sia a far credere tutti i suoi segni ingannevoli, che a dominare gli altri personaggi con cui viene a contatto. Non che egli sia l'unico a parlare in modo falso ed ambiguo, perché nonostante l'apparente cinismo della sua *Weltanschauung* semiotica, l'eroe, in un certo senso, finisce per essere vendicato dagli altri personaggi che si dimostrano altrettanto

---

[18] Tonelli 441.
[19] Paul Bénichou, *Morales du grand siècle* (Parigi: Gallimard, 1948) 156-218.

disonesti linguisticamente, da Sganarelle che fin dall'inizio equipara l'uso del tabacco all'onestà ("c'est la passion des honnêtes gens")[20] a Elvire che fa di tutto per costringere l'eroe a mentire:

> "Que ne vous armez-vous le front d'une noble
> effronterie? Que ne me jurez-vous pas que vous
> êtes toujours dans les mêmes sentiments pour
> moi, que vous m'aimez toujours avec une ardeur
> sans égale,...Voilà comme il faut vous défendre,
> et non pas être interdit comme vous êtes."[21]

Dom Juan riesce a dimostrarsi vittorioso in tutti gli scambi verbali soltanto perché è l'unico personaggio che conosca a fondo il gioco e possa quindi divertirsi consapevolmente sostituendo e confondendo nel corso di tutta la commedia i propri segni linguistici falsi con azioni eroiche ed espressioni sincere. Le parole sono, ripetiamo, le armi con cui l'eroe riesce a sedurre, turbare, incantare e imprigionare tutti gli altri personaggi e lo scopo essenziale di ogni suo ragionamento è di riuscire a ridurre gli antagonisti *senza parole*. Molière raggiunge tale scopo alterando le sue scelte linguistiche fino a sfiorare l'insistenza ossessiva, colla ripetizione nel corso della commedia del vocabolo *dire* almeno cento volte, *parler* trenta e *parole* almeno quindici volte[22].

Nelle pagine che seguono, cercheremo di esaminare e codificare lo scambio linguistico tra Dom Juan e gli altri personaggi principali della commedia: le donne, Monsieur Dimanche, il Povero, il padre Dom Louis e Sganarelle.

Nel rapporto linguistico dell'eroe con Elvire, esemplificato dal loro incontro nel I atto, è chiaro che essa si trova in una situazione senza vie d'uscita. Quando Elvire esprime le sue emozioni, le sue parole sono va-

---

[20] Molière 32.
[21] Molière 40.
[22] Vedi a questo proposito Judd D. Hubert, *Molière and the Comedy of Intellect* (Berkeley: Univ. of California Press, 1962) 118-120.

ne ("Non, non, je n'ai point un courroux à exhaler en paroles vaines") [23], ma se essa invece funge da ricevente, la poveretta diventa automaticamente vittima dell'abilissimo giuoco di cui Dom Juan è maestro. Se poi egli emette un segno autentico: "Je ne suis parti que pour vous fuir" [24], tale confessione viene espressa in un connotato falso, perché della fuga viene ipocriticamente incolpato un "pur motif de conscience" [25], una crisi di coscienza e di subitaneo rispetto per i voti matrimoniali e religiosi di Elvire.

Al momento infine in cui Sganarelle, in un'interruzione motivata dalla tradizionale simmetria di parole e azioni tra maschera e personaggio ereditata dall'Improvvisa, si intromette in questo scambio verbale totalmente ambiguo tra Dom Juan ed Elvire, si ritorna di nuovo all'emissione autentica in un contesto menzognero, degenerando nella confusione linguistica più iperbolica:

> Sganarelle:
> "Madame, les conquérants, Alexandre et les
> autres mondes sont causes de notre départ.
> Voilà, Monsieur, tout ce que je puis dire." [26]

Elvire preferirebbe invece che Dom Juan le mentisse a causa della *nobiltà* del loro amore; è questo un gioco verbale che egli rifiuta sempre: la menzogna di Dom Juan può infatti originare soltanto nella consumata e consapevole abilità linguistica dell'eroe protagonista, e non può mai essergli imposta dall'esterno. È proprio tale rifiuto che lo rende sempre vincitore in tutti gli incontri della commedia, ed Elvire, ormai sconvolta, può ora trasporre lo scambio linguistico ad un altro livello, totalmente autentico, chiamando il suo amante *scélérat* e passando agilmente dal *vous* al *tu,* nell'enfatico momento conclusivo della scena. Lo scambio verità/ipocrisia tra Dom Juan ed Elvire si è sviluppato in manie-

---

[23] Molière 41.
[24] Molière 40.
[25] Molière 40.
[26] Molière 40.

ra parallela ma inversa in tutta la scena: mentre Elvire aveva emesso segni autentici che enfatizzavano il suo disperato desiderio di poter dominare la situazione, Dom Juan aveva ribattuto con segni ambigui che mostravano però la sua indubbia e assoluta maestria sull'intero scambio verbale. Entrambi i personaggi, a lor modo, optano per una forma di controllo, ma solo Dom Juan riesce vincitore perché lo scambio verbale non è per lui che un giuoco, delle cui ramificazioni emotive egli è consapevolmente esperto. Alla povera Elvire non resta quindi che un grido finale e disperato:

> "Je te le dis encore, le Ciel te punira,
> perfide, de l'outrage que tu me fais; et
> si le Ciel n'a rien que tu puisse appréhender,
> appréhende du moins la colère d'une femme
> offensée." [27]

grido che viene cinicamente registrato da Dom Juan con questo commento a Sganarelle

> Dom Juan (après une petite réflexion):
> "Allons songer à l'éxécution de notre entreprise
> amoureuse." [28]

la futura conquista, cioè, di una fidanzata, che però andrà a monte a causa del naufragio.

Con un personaggio femminile socialmente inferiore come la contadina Charlotte, Dom Juan sfoggia la propria abilità scegliendo invece di esibirsi in uno stile diverso. Rifacendosi a uno dei canoni fondamentali dell'eloquenza, egli decide di sfruttare il narcisismo umano e, in particolare, il desiderio della fanciulla di elevarsi socialmente con un impensato ed inaspettato matrimonio aristocratico. Egli riesce a conquistarla con

---

[27] Molière 41.
[28] Molière 41.

una rapidità inverosimile (sette frasi), e dimostandosi non tanto conquistatore quanto *conquistato* dalla bellezza di lei. È una seduzione più
passiva che attiva quindi, atta a lusingare al massimo il narcisismo della
giovane. Il successo completo di Dom Juan, anche in questo scambio
linguistico, viene infine riassunto dal commento conclusivo di Charlotte:

> "Mon Dieu! Je ne sais si vous dites vrai, ou
> non, mais vous faites que l'on vous croit." [29]

Sono parole che rasentano il patetico: la povera Charlotte continua
ancora implicitamente a dubitare i segni emessi da Dom Juan, ma si di-
chiara ormai apertamente vinta dalla maggiore abilità verbale di
quest'ultimo.

È un gioco così esperto nella sua ambiguità che la scena non può
che essere seguita e superata da quello che Guicharnaud chiama "le
ballet mécanique" di Dom Juan con Charlotte e Mathurine [30], in cui
l'eroe riesce a dire le stesse parole identiche, contemporaneamente, alle
due fanciulle, ognuna delle quali, gareggiando per il suo amore, pensa
siano rivolte a lei soltanto. Perfino quando entrambe finiscono per al-
learsi contro di lui, insistendo perché egli risolva apertamente una volta
per tutte il diritto amoroso mutuamente esclusivo di ognuna delle due,
questo trafficante "in valuta linguistica", come ben lo definisce la Stanton [31], affidandosi di nuovo alle sue inesauribili risorse, decide adesso di
scambiare le parole per i fatti, esortando le due fanciulle a: "faire et non
pas dire, et les effects décident mieux que les paroles [32]..."

Nella sua completa superiorità, l'eroe può addirittura trasporre lo
scambio verbale in azione, mentre le due ragazze, ormai completamente sconfitte, restano *senza parole*, non diversamente dal personaggio
femminile aristocratico, cioè Elvire.

[29] Molière 48.
[30] Vedi a questo proposito l'ottimo libro di Jacques Guicharnaud già ricordato,
238.
[31] Stanton 112.
[32] Molière 53.

La scena col creditore, Monsieur Dimanche, una delle migliori di tutta la commedia a causa sia della situazione che della vivacità e stringatezza del dialogo, offre un nuovo esempio di maestria linguistica. Dom Juan inizia promettendo che nel corso della situazione egli svelerà un segreto, e questa volta dice proprio la verità perché riuscirà a mantenere la promessa. L'eroe s'impegna infatti ad insegnare a Sganarelle come sbarazzarsi con agio e grazia dei creditori, il che egli farà con consumata abilità, pagando sì Monsieur Dimanche, ma con monete che non sono altro che segni linguistici: Parole = denaro.

Dom Juan domina il suo antagonista facendo di nuovo ricorso al narcisismo, e affidandosi alla tradizione dell'ospitalità fino ad eccessi iperbolici. Chiede notizie di tutti i membri della famiglia Dimanche, compreso il cane, invita il suo sbalordito creditore a cena e finisce per accompagnarlo alla porta con un abbraccio di commiato. Il povero Dimanche cerca di cominciare cento frasi che vengono sempre immediatamente interrotte dalla foga enfatica del suo interlocutore il quale, al momento culminante e quando è ormai certo del proprio successo, può mostrare il suo virtuosismo capovolgendo perfino il giuoco linguistico e verbalizzando ciò che andava taciuto, cioè il suo debito, tradotto adesso in termini non monetari ma di gentilezza ospaliera [33]:

> Dom Juan:
> "Otez ce pliant, et apportez un fauteuil."
>
> M. Dimanche:
> "Monsieur, vous vous moquez, et..."
>
> Dom Juan:
> "Non, non, je sais ce que je vous dois, et
> je ne veux point qu'on mette de différence
> entre nous deux." [34]

---

[33] Stanton 112-113.
[34] Molière 69.

Di nuovo, come nelle scene precedenti con Elvire e le due contadine, il segno autentico comunicato ambiguamente diventa ingannevole e falso, mentre il pubblico, bersagliato da tutti questi messaggi contrastanti, non può che reagire con ammirazione frastornata. E tale confusa meraviglia viene poi intensificata dalla parallela ripetizione della scena da parte della maschera del servitore. Ma Sganarelle grande artefice del giuoco linguistico non è, così che egli non ripaga i debiti con le parole e si passa adesso alle spinte:

> Sganarelle (*le tirant... le poussant...le poussant... le poussant tout à fait hors du théâtre*):
>
> "Fi! vous dis-je." [35]

Lo scambio tra Dom Juan ed il Povero, situato esattamente nel mezzo della *pièce,* funge invece da cardine per tutto lo svolgimento della commedia. Esso serve da punto d'arrivo al complicato sviluppo dell'azione precedente e preannunzia ciò che avverrà in seguito. È una scena che, abbiamo ricordato nel capitolo precedente, aveva un vago antecedente nell'incontro tra Aurelio e il Romito nello scenario dell'*Ateista fulminato,* e che era stata raccolta e ripetuta anche nei testi di Dorimond e Villiers. Molière, ancora una volta, riesce a farne un capolavoro.

Dom Juan procede ricattando il Povero con i segni stessi del mondo del Povero: la preghiera, la carità e la pietà, idee qui totalmente sradicate dal loro senso spirituale e inserite invece in un connotato economico. Di nuovo l'eroe comincia a richiamarsi all'onore ed all'amor proprio del Povero, commercializzandone il sistema ed equiparando la preghiera col denaro. Dom Juan promette infine al Povero un luigi d'oro (la sola unità monetaria vera e propria che appaia in tutta la commedia) se egli distruggerà con una bestemmia l'intero suo codice religioso di eremita. Qui però, per la prima volta nel corso della commedia, Dom Juan perde la partita, ed è questa una delle tre sconfitte linguistiche del nostro eroe

---

[35] Molière 72.

(le altre, vedremo, sono il dialogo col padre ed il secondo incontro con Elvire). Perché il gioco linguistico del protagonista sia vittorioso, infatti, è sempre indispensabile che il suo interlocutore mostri, anche momentaneamente, la propria vulnerabilità morale, permettendo in tal modo a Dom Juan di far scattare il meccanismo linguistico di cui è maestro e di colpire la vittima con la propria *captatio benevolentiae*. L'appello al narcisismo e alla vanità del proprio interlocutore, abbiamo visto, era di solito sufficiente, ma la spiritualità del Povero lo rende immune, tanto più che in questo caso, e vedremo che lo stesso avverrà nelle altre due scene appena ricordate con il padre e, di nuovo, con Elvire, il livello etico/mentale di Dom Juan non gli permette di intuire i valori della religiosità sublime e ascetica del Povero.

> Dom Juan:
> "Tu te moques: un homme qui prie le Ciel tout
> le jour ne peut pas manquer d'être bien
> dans ses affaires." [36]

L'ottica dell'eroe può soltanto equiparare la preghiera all'appagamento immediato del desiderio. Non potendo intuire la funzione catartica dell'atto, oltre alla sua dimensione al di fuori della comune spazio /temporalità, Dom Juan può soltanto canzonare la preghiera, il cui effetto egli non riesce a comprendere. Il dono del luigi d'oro, che viene poi gettato lo stesso al Povero "pour l'amour de l'humanité" è la conferma definitiva della sconfitta del nostro eroe in un duello verbale combattuto a un nuovo livello, che egli è incapace di capire e sul quale può quindi ancor meno signoreggiare.

Anche nel dialogo con Elvire, mentre avevamo visto come Don Juan, impaziente ed irritato per questa interruzione, avesse finito per affidare l'amante abbandonata al servitore nell'incontro iniziale, la situazione si capovolge completamente al momento dell'ultima apparizione della donna, nel IV atto. Per la prima volta, nell'intera evoluzione del

---

[36] Molière 59.

mito, abbiamo adesso un personaggio femminile che ama con completa dedizione Dom Juan, in una fusione di eros ed agape che farà sentire la propria eco in tutte le future versioni del mito, ma che l'eroe, di nuovo, non può né capire né, tanto meno, apprezzare.

Ancora più complessa è però la sconfitta verbale con il padre (Atto IV, Scena 4). Il discorso di Dom Louis appare come ben concepito e ben articolato. Come intelligenza e perizia verbale egli si mostrerebbe all'altezza del figlio... se Dom Juan non usasse questa volta una nuova arma, ancora più astuta delle precedenti, che abbassa e imborghesisce il tono tragico della scena: "Monsieur, si vous étiez assis, vous en seriez mieux pour parler." [37] Ma la tragedia la si recita in piedi; sono i padri da commedia che si siedono per far la predica ai figli scapestrati. L'insolenza di Dom Juan questa volta consiste nel cercare addirittura di alterare la componente strutturale della scena teatrale stessa, trasformando la figura tragica di Dom Louis nella maschera comica del padre/ostacolo = Pantalone. Non ci riesce però e, una terza volta, subisce una sconfitta assai simile a quella che aveva caratterizzato il suo incontro con il Povero e con Elvire. Dom Louis non offre infatti al nostro eroe alcun appiglio di vulnerabilità morale che lo aiuti ad architettare la *captatio benevolentiae* del proprio padre, il quale già lo ama comunque e lo perdona. È un livello di moralità dove la "tendresse paternelle" quantunque "poussée à bout" cerca ancora di "prévenir sur toi le courroux du Ciel" [38], sentimenti incomprensibili per Dom Juan. Il nostro eroe deve quindi nuovamente ammettere la propria sconfitta, il che egli fa augurandosi, a parte, che il padre muoia al più presto lasciandogli l'eredità. Sarà soltanto con la scena finale tra padre e figlio, quando Dom Juan riuscirà ad abbinare i propri segni linguistici con quelli mimici ed espressivi dell'ipocrisia, che anche Dom Louis soccomberà di fronte alla maggior abilità del figlio.

È l'ipocrita Dom Juan che riesce a sgominare tutti gli avversari. Quell'ipocrisia che era servita a Tartuffe per appropriarsi dei beni altrui, rappresenta invece per Dom Juan la più abile e progredita delle tecni-

---

[37] Molière 73.
[38] Molière 73.

che per liberarsi dei seccatori, compreso il padre. Dom Juan interpreta l'ipocrisia etimologicamente come recita e come separazione paradigmatica tra segno e verità. La scena dell'ipocrisia (Atto V, Scena 1), testualmente spiegata da Molière anche nelle didascalie (Dom Juan: *faisant l'hypocrite*), doveva essere estremamente comica, con gesti e smorfie studiati ed ideati appositamente per la parte. I segni fisici quindi (*les grimaces*) si accomunano adesso ai segni linguistici. Questo accoppiamento accorderà tale forza persuasiva al nostro eroe che da ora in avanti egli riuscirà a "fermer la bouche à tout le monde et jouir en repos d'une impunité souveraine." [39]

Molière, per il discorso ipocrita del suo personaggio, ha preso in prestito i vocaboli della lingua penitenziale del periodo, con espressioni magniloquenti come *abominations, grâces* e perfino *pleine rémission*. La parola *Ciel,* in particolare, viene ripetuta continuamente con umiltà melliflua. Con l'ipocrisia, Dom Juan riesce ad ottenere controllo completo su tutti gli avversari. Ora egli è un ipocrita *laureato*, esperto nell'alzare gli occhi al cielo, nell'emettere pii sospiri e sfoggiare la boccuccia a cuore del disgusto moralistico. È una figura comica ma tremenda. Dom Juan ha trovato le chiavi segrete per governare la società, e dietro questa descrizione smorfiosa di parole piene di *onctuosité*, abbiamo una critica spietata della società del tempo, che può preannunciare la futura evoluzione romantica del protagonista in eroe alienato e ribelle a causa della propria superiorità morale sulla società che gli è contemporanea.

Il personaggio nei riguardi del quale Dom Juan esibisce con maggior vigore ed entusiasmo il proprio virtuosismo linguistico è certamente il suo *valet* Sganarelle. In ognuno dei suoi dialoghi con Sganarelle che, come aveva già notato anche Guicharnaud, procedono tutti su un piano parallelo di definizione e di svolgimento, domina la curiosità o meglio l'interrogatorio. [40] Tale scambio dialettico non è incidentalmente provocato dalle circostanze, ma rappresenta un'attitudine costante ed

---

[39] Molière 80-81.
[40] Guicharnaud 194.

una pratica che il nostro eroe aveva esteso anche a tutti gli altri scambi verbali.

Se Dom Juan domanda a Sganarelle la sua opinione a proposito di qualunque argomento, dalla loro partenza precipitosa, alle infedeltà o la religione, tale curiosità non dimostra tanto l'interesse del nostro eroe nel pensiero del suo servitore, quanto il suo divertimento per l'aver provocato la spontanea profferta di opinioni da confutare. Lo scambio verbale gli permette infatti sia di turbare e confondere il suo interlocutore che di esibirsi nel proprio virtuosismo linguistico. E Sganarelle, quantunque si dimostri continuamente e coerentemente critico della moralità espressa dalle parole del suo padrone, resta però così ammirato dalla perizia di lui che non può nascondere il suo entusiasmo:

> "Ma foi! J'ai à dire..., je ne sais; car
> vous tournez les choses d'une manière,
> qu'il semble que vous avez raison; et cependant
> il est vrai que vous ne l'avez pas. J'avais les
> plus belles pensées du monde, et vos discours
> m'ont brouillé tout cela. Laissez faire: une
> autre fois je mettrai mes raisonnements par
> écrit, pour disputer avec vous." [41]

Dom Juan risulta sempre vittorioso negli incontri verbali con Sganarelle perché la separazione referenziale tra segni linguistici e verità può raggiungere l'apice negli scambi tra padrone e servitore a causa del divario sociale e intellettuale tra i due:

> Sganarelle:
> "Mais Monsieur... je suis tant soit peu scandalisé
> de la vie que vous menez"
>
> Dom Juan:
> "Comment? quelle vie est-ce que je mène?

---

[41] Molière 36.

Sganarelle:
"Fort bonne. Mais, par exemple, de vous voir
tous les mois vous marier comme vous faites..."

Dom Juan:
"Y a-t-il rien de plus agréable?"

Sganarelle:
"Il est vrai, je conçois que cela est fort
agréable..." [42]

Perfino le azioni vengono capovolte, come, ad esempio, quando Sganarelle cerca di mettere pace tra Dom Juan e l'infuriato fidanzato di Charlotte, Pierrot, e finisce per ricevere per sbaglio uno schiaffo del suo padrone, diretto a quest'ultimo. L'eroe, come sempre, riesce a dominare Sganarelle incolpando il servitore, del proprio errore:

Dom Juan:
"Te voilà payé de ta charité" [43]

Il *valet* si sente sempre molto frustrato sotto questa figura d'autorità che lo diminuisce e lo riduce, (e il termine ridurre è suo) [44], a una marionetta in ogni conversazione tra i due, ma anche quando si trova in una posizione relativamente libera, egli continua a dimostrare la propria atonia verbale, arrivando perfino a tradurla in atonia fisica. Ci riferiamo in particolare all'episodio in cui, per cercare di muovere ogni suo arto volendo glorificare la creazione divina dell'uomo e del corpo umano, Sganarelle finisce per cadere, offrendo al suo padrone la facile occasione di ribattere cinicamente: "Bon! voilà ton raisonnement qui a le nez cassé" [45].
Nonostante l'ostilità per il padrone, Sganarelle viene anche conti-

---

[42] Molière 36.
[43] Molière 51.
[44] Sganarelle: "O complaisance maudite! à quoi me réduis-tu?", Molière 74.
[45] Molière 58.

nuamente sedotto dalla sua intelligenza non diversamente, in fondo, da ciò che succede a tutti gli altri personaggi della commedia. Le sole schermaglie linguistiche con Dom Juan che egli, raramente, riesce a vincere, sono quelle in cui copia lo stile dell'eroe imitandone la frattura paradigmatica referenziale. Ci riferiamo in particolare alla lunga diatriba del primo atto (Scena 2) in cui Sganarelle recita tutti i peccati e le colpe del suo padrone, fingendo di riferirsi a qualcun altro e parlandone impersonalmente, unico episodio in cui il suo avversario sia costretto, momentaneamente, ad arrendersi, esclamando "Paix!"[46]

Un'altra componente degna di nota in tutti gli scambi verbali della commedia è che essi sono sempre basati sul conflitto tra due unità metaforiche fondamentali: la stabilità o permanenza e la novità o movimento[47]. Il cuore di Dom Juan viene spesso descritto sia da lui stesso che da Sganarelle con immagini di movimento, in perenne opposizione alla fedeltà e costanza "bonne que pour des ridicules."[48] Quella ribellione del Don Juan di Tirso contro l'autorità codificata del mondo dei padri, simboleggiata dal continuo susseguirsi di mistificazioni, beffe ed inganni, si traduce adesso nella vittoria del movimento contro la permanenza.

> "Quoi? tu veux qu'on se lie à demeurer au
> premier objet qui nous prend, qu'on renonce
> au monde pour lui...? Non, non... [49]

> "J'aime la liberté en amour, tu le sais, et
> je ne saurais me résoudre à renfermer mon
> coeur entre quatre murailles."[50]

La permanenza è quindi sinonimo di claustrofobia, il che abbina

---

[46] Molière 37.
[47] Per proseguire su queste linee di ricerca, vedi anche Guicharnaud 186.
[48] Molière 35.
[49] Molière 35.
[50] Molière 65.

agilmente la metafora spaziale con quella temporale. Dom Juan può così comunicare al pubblico e al suo interlocutore Sganarelle, come ogni
forma di adesione al codice morale vigente sia per lui impossibile. Sia
con Elvire che con il padre, Dom Juan si trova faccia a faccia con il
mondo della permanenza, nei riguardi del quale può reagire soltanto
augurando al padre una morte prossima, e, nel caso di Elvire, facendo
addirittura finta di non vederla:

> "Me ferez-vous la grâce, Dom Juan, de vouloir
> bien me reconnaître? et puis-je au moins espérer que
> vous daigniez tourner le visage de ce côté?"[51]

Il movimento si rifiuta di dar vita alla permanenza persino con
un'occhiata, ma Elvire, che in realtà capisce benissimo ciò che lo sguar-
do di Dom Juan vuole comunicarle, esige comunque che egli lo smentisca con le parole:

> "... le coup d'oeil qui m'a reçue m'apprend
> bien plus de choses que je ne voudrais en savoir...
> Parlez, Dom Juan, je vous prie, et voyons de
> quel air vous saurez vous justifier!"[51]

L'eroina della permanenza vuole controllare l'eroe del movimento,
tagliandogli addirittura il viso in due: che gli occhi comunichino pure
un messaggio purché la bocca li smentisca! In tal caso, però il nostro
eroe non può ubbidire, anche se lo volesse, e tacendo passa il proprio
segno linguistico ("Allons, parle donc à Madame") al servitore che rimane confuso e sbalordito: "Que voulez-vous que je lui dise?... Vous vous
moquez de votre serviteur"[51].
Il conflitto tra permanenza e movimento è un conflitto continuo che
sottentra in tutti i rapporti della commedia, e mentre il nostro eroe era
riuscito ad ottenere vittoria completa nei suoi scambi linguistici, la ten-

---

[51] Molière 39-40.

sione ed il bisogno ossessivo di proteggere la propria libertà contrapposto all'orrore claustrofobico della permanenza sono emozioni che vittimeggiano il suo personaggio stesso, essendo insite nella fibra del suo carattere. Senza libertà non c'è Dom Juan, e il mondo del movimento va da lui difeso a tutti i costi e con ogni mezzo.

Questa continua e aggerrita opera di difesa del nostro eroe, sia nelle disquisizioni sulla religione e la medicina con Sganarelle, che nei dialoghi moralistici col padre che, soprattutto, nei rapporti con le donne conquistate, si mantiene coerente nel corso di tutta la commedia. Cosa attrae il nostro eroe, in questi suoi rapidi amori? Dom Juan stesso lo spiega a Sganarelle. È il fascino delle "inclinations naissantes" che hanno "charmes inexplicables, et tout le plaisir de l'amour est dans le changement. On goûte une douceur extrême à *reduire*, par cent hommages, le coeur d'une jeune beauté, ... à *combattre*... à *forcer* pied à pied toutes les petites résistances qu'elle nous oppose..." [52]

Quantunque Dom Juan desideri il cambiamento e la novità dell'amore nascente, subliminalmente egli ha bisogno di controllare tale "inclination naissante" (vedi l'impiego di verbi come "réduire, forcer, vaincre, mener"). Benché egli si dichiari ardente difensore del cambiamento quindi, in realtà procede sempre immediatamente tentando di imprigionare e dare permanenza (il *suo* marchio di permanenza) a questa possibilità mutevole e nascente, che pure lo aveva affascinato proprio per la sua offerta di cambiamento e novità. Si usano termini fisici come "pied à pied" per descrivere la conquista psicologica che culmina con l'immagine metaforica di Alessandro Magno:

> "... et comme Alexandre, je souhaiterais qu'il
> y eût d'autres mondes, pour y pouvoir étendre
> mes conquêtes amoureuses." [53]

Appena Dom Juan riesce a controllare e a stabilizzare ogni nuovo

---

[52] Molière 35-36 (Corsivo dell'autrice).
[53] Molière 36.

amore, appena egli riesce a conquistare, si conclude un processo che deve ricominciare immediatamente, perché l'incontro dell'eternità col tempo è un attimo effimero e fuggevole che il nostro eroe ricerca sempre compulsivamente nell' ossessione stessa della ripetizione. È un processo a cui Dom Juan deve *cedere* e che lo coerce nel ruolo di vittima, al contrario degli scambi verbali con gli altri personaggi, nei quali era invece riuscito sempre vittorioso:

> "... la beauté me ravit partout où je la
> trouve, et je cède facilement à cette douce
> violence dont elle nous entraîne." [54]

Questi sono gli attimi fuggevoli in cui le parole del protagonista sono sincere, mentre egli esprime il *suo* pensiero, in un raro abbinamento paradigmatico di segno e verità. Dom Juan cede alla visione amorfa della bellezza femminile non conosciuta e quindi ancora in movimento, riducendola compulsivamente in conquista. Quando l'episodio è però consumato, la tensione e il desiderio di una nuova conquista si risollevano immediati perchè altrimenti, invece di operare in questa continua alternanza di permanenza e movimento, il nostro eroe si ritroverebbe imprigionato entro due forme diverse di permanenza, quella esterna del codice etico vigente, e quella ossessiva interna, del bisogno di conquista.

Quando Elvire, al principio della terza scena del primo atto, era arrivata *sperando*, verbo ripetuto due volte, Dom Juan aveva potuto affidarla, impaziente e irritato per questa interruzione del suo nuovo progetto amoroso, a Sganarelle, ma quando, nel IV atto, essa riappare mostrandogli tutto il suo amore, pieno di dedizione spirituale, Dom Juan... cede di nuovo al fascino della bellezza di Elvire:

> "Madame il est tard, demeurez ici... vous me
> ferez plaisir de demeurer, je vous assure..."

(e poi, a Sganarelle)

---

[54] Molière 35.

> "Sais-tu bien que j'ai encore senti quelque
> peu d'émotion pour elle, que j'ai trouvé de
> l'agrément dans cette nouveauté bizarre, et
> que son habit négligé, son air languissant
> et ses larmes ont réveillé en moi quelques
> petits restes d'un feu éteint?" [55]

È forse il suo amore sublime e rinunciatario che rinnova per Dom Juan il fascino di Elvire? Non ci facciamo illusioni: Elvire lo attrae soltanto perché adesso essa sarebbe stata una nuova conquista (*une inclination naissante*), che avrebbe quindi messo di nuovo in moto il processo al quale il nostro eroe deve compulsivamente cedere per poter imprimere il proprio marchio di permanenza sulla novità e sul movimento. Non è la donna in sé che stanca Dom Juan, ma la fedeltà e la costanza impostegli dal rapporto: una nuova conquista della stessa donna è una nuova chimera e una nuova, possibile dominazione del movimento. Dom Juan ama *la beauté* cioè l'astrazione e la possibilità, e ciò che lo aveva attratto di nuovo in Elvire era semplicemente il fascino di una nuova possibilità.

Il conflitto dicotomico fra permanenza e movimento si enuclea in arma vincente soprattutto quando viene tradotto nel duello linguistico tra l'eroe ed il suo confidente/maschera, cioè Sganarelle. Dalla sua disquisizione sul tabacco nella prima scena al grido finale: "Ah! mes gages, mes gages" [56], Sganarelle si è dimostrato presenza continua durante lo svolgimento di tutta la commedia. Tutti gli altri personaggi saranno vendicati dalla morte di Dom Juan, tutti meno il servitore che verrà pagato soltanto a parole, come Monsieur Dimanche. Ma nonostante la perdita dello stipendio, più che vittima Sganarelle si dimostra vincitore. Nel momento stesso in cui il suo padrone viene sprofondato nell'Inferno, il *valet*, gloriosamente vivo, è capace infatti di gridare ai quattro venti la propria acrimonia. Questo sentimento vittorioso finale del servitore ben

[55] Molière 76.
[56] Molière 85.

112

presto altererà anche la conclusione stessa del mito, e dalla clamorosa delusione per la perdita dello stipendio, episodio inventato dai Commedianti dell'Arte, si passerà assai facilmente al semplice e noncurante desiderio di andarsene all'osteria per trovare un padrone migliore [57].

Il lamento contro l'aristocrazia oppressiva e prepotente che ha portato con sé all'inferno lo stipendio del servitore è anche, contemporaneamente, il grido vittorioso della vita sulla morte e, in senso lato, la celebrazione della nascita della borghesia. Sganarelle è quindi da vedersi come il fulcro su cui si impernia la struttura tematica della commedia, più che il suo sviluppo scenico o narrativo. È un personaggio pieno di contraddizioni, che da un punto di vista linguistico funge soprattutto da elemento riequilibratore nei riguardi del padrone, permettendo a Molière di poterlo sfruttare in maniera particolarmente efficace come personaggio/metafora, a causa della polivalenza ereditata dall'Improvvisa.

Dal tabacco alla medicina, religione o cibo, Sganarelle è infatti ideale per esplorare ogni topos che attragga o diverta il suo autore. Ma sarà proprio il grido finale del servitore che ha perso il salario a segnalare che l'apparente vittoria dell'autorità vigente non è più un trionfo senza conseguenze. Tutti gli altri personaggi, dalle donne al *Commandeur*, sono stati infatti vendicati dalla morte di Dom Juan: tutti meno il *valet*, il personaggio che aveva governato la struttura tematica della commedia, incorniciandone lo svolgimento dall'inizio alla fine. Nel *Dom Juan*, come nei canovacci della Commedia dell'Arte, il trionfo autocratico finale si dimostra incompleto; ma adesso, dopo i sottili duelli linguistici proposti dal testo molieriano, il pubblico sa con certezza che nel futuro diventerà sempre più difficile poter distinguere tra trionfi e sconfitte, nel perenne conflitto strutturale e tematico tra autorità oppressiva ed individualismo ribelle.

---

[57] Sono le ultime parole di Leporello nel *Don Giovanni* di W.A. Mozart per il libretto di L. Da Ponte, che verrà esaminato nel prossimo capitolo.

CAPITOLO VI

PAROLE O MUSICA? DON GIOVANNI "ILLUMINATO" DA GOLDONI E MOZART

Alla fine del Settecento, Don Giovanni, confuso con la letteratura dei libertini, sembrava aver esaurito il suo ciclo. In Francia *Tartuffe* e *Le Festin de Pierre* venivano abbinati in una generale condanna, e Dom Juan in particolare veniva definito come "un libertin décidé, dont la punition théâtrale ramène moins à la vertu, que sa conduite n'inspire le vice par les couleurs qu'il lui prête" [1].

È la Chiesa specialmente che si scaglia contro questa recente, famosa versione teatrale del mito, il cui autore viene ora giudicato "...un des plus dangereux ennemis que le monde ait suscités à l'église" [2]. Né il mito continua a godere di maggior successo nel mondo del teatro, dove diversi autori cominciano invece a criticare aspramente Molière, rimproverandogli adesso la sua immoralità. Si arriva addirittura fino a Riccoboni che, con una certa ipocrisia, ripudia adesso un dramma previamente osannato, preferendo eliminarlo dalla propria raccolta teatrale [3]. Oltre

---

[1] Per uno studio approfondito sulla reazione illuminista nei riguardi del mito di Don Giovanni e del *Dom Juan* di Molière in particolare, vedi Henri Lagrave, "Don Juan aux siècle des lumières" in *Approches des lumières, Mélanges offerts à Jean Fabre* (Parigi: Klincksieck, 1974) 257-276.

[2] Abbé de la Tour, *Réflections morales, historiques et littéraires sur le théâtre* (Avignon: Chave, 1735) 122.

[3] Luigi Riccoboni in *De la réformation du théâtre* apparso nel 1743, separa le commedie di Molière à *conserver* da quelle à *corriger* e infine à *rejeter*. Benché non ponga il *Dom Juan* nella terza categoria (dopo tutto la commedia di Molière era stata parte del suo repertorio fino al 1728), esprime però giudizi così severi nei suoi confronti che non ci restano altre possibilità d'interpretazione.

agli ecclesiasti e agli autori di teatro, ci sono diversi letterati e teorici, in particolare coloro che professano apertamente il loro *buon gusto* che cominciano adesso a stupirsi che Molière si sia interessato a un "aussi mauvais sujet" [4].

È Voltaire in particolare che dà inizio a questo nuovo indirizzo della critica nei riguardi del mito, definendo l'argomento un *bizarre sujet*. E il disdegno con cui egli condanna la commedia molieriana come una *comédie bizarre* viene ben presto condiviso da altri che spesso abbineranno a tale giudizio anche l'aggettivo *absurde* [5].

È soprattutto l'*irrégularité* dell'argomento che disturba questi letterati, oltre al pessimo gusto del carattere esotico della vicenda, concepita in Spagna, rimodellata in Italia e, infine, importata in Francia. "Pièce informe"... "monstre dramatique"..."mélange monstrueux" sono quindi i commenti critici più generosi di questo periodo, che obbietta in particolare all'unione del meraviglioso cristiano con un argomento chiaramente barocco [6]. È del resto assai comprensibile come un'opera di apologia religiosa che già dai tempi di Tirso de Molina non funzionava più come tale, per gli Enciclopedisti non potesse neanche avere il vantaggio di fungere da arma filosofica contro la Chiesa [7]. Coloro che decidevano di mettere in scena il *Dom Juan* di Molière nel diciottesimo secolo non potevano infatti né provare per mezzo di esso che la fede cristiana fosse la sola, vera fede e che Dio punisce gli empi, né riuscivano a fare dell'eroe un campione delle *Lumières*, del deismo o dell'ateismo, a causa del connotato profondamente religioso dell'argomento stesso.

Sopravviveva soltanto una forma teatrale dove il mito, in chiave as-

---

[4] P. Nicéron, *Mémoires pour servir à l'histoire des hommes illustres* (Briasson, 1734) Vol. XXIX, 188-189.

[5] "Sommaire de Don Juan" che segue la *Vie de Molière* pubblicata da Voltaire nel 1739 a Parigi.

[6] È questo un commento di Rochemont, le cui *Observations* obbligarono Molière a rimuovere il suo *Dom Juan* dalle scene, dopo soltanto 15 rappresentazioni.

[7] Vedi a questo proposito Annie Rivara, "Don Juan et la mort ou la difficulté d'être libertin", in *Etudes et recherches sur le XVIII siècle* (Marsiglia: Université de Provence, 1980) 35.

sai minore, continuava a godere ancora di molto successo. Era questo un mondo senza censure e senza recriminazioni: il teatro dei burattini che, nel corso dei secoli, aveva sempre continuato ad imitare (ed a rivaleggiare) sia con la Meditata che, soprattutto, l'Improvvisa, sfruttandone gli argomenti e imitandone le mode. Il teatro dei burattini aveva inoltre il vantaggio di non essere censurato, e ci furono vari decenni durante i quali tutto il peso della storia teatrale del mito cadde proprio sulle spalle di legno dei burattini, con la produzione di un numero vastissimo di rappresentazioni, sia in Italia, che all'estero[8].

Non si vide quindi di buon occhio questo grandioso mito di *hubris* umana e di vendetta divina, e uno di coloro che criticarono particolarmente la fabula di Don Giovanni fu proprio il nostro Goldoni a cui dava particolarmente noia questa "sciocca commedia...composizione (che) meritava d'essere negletta... con...la statua di marmo eretta in pochi momenti, che parla, che cammina, che va a cena... che fa prodigi...e, per corona dell'opera, tutti gli ascoltatori passano vivi e sani in compagnia del Protagonista a casa del Diavolo."[9] Se Molière aveva già spogliato la leggenda del suo lato più fantastico e meraviglioso, Goldoni, come giustamente nota il buon Farinelli, volendo fare un passo più innanzi "capitombolò con esso, o meglio fece capitombolare il Don Giovanni, che si trovò sempre male nelle mani di poeti troppo realisti, troppo freddi ragionatori."[10] Nonostante le sue manchevolezze la commedia che

[8] Vedi, per proseguire su queste linee di ricerca, Roberto e Renata M. Leydi, *Marionette e burattini* (Milano: Collana del "Gallo Grande", 1958) 257. Vedi anche in Oscar Mandel, *The Theatre of Don Juan* (Lincoln: Univ. of Nebraska Press, 1963) 259-277, l'intero testo di una di queste commedie per burattini, *Don Juan und Don Pietro*, rappresentata a Strasburgo in data incerta, ma sicuramente prima del 1787. Mentre Don Juan, Don Pietro (il Commendatore) e Don Philippo (il fidanzato) mantengono il loro nome di origine spagnola, Anna diventa ora Donna Marillis, mentre il servitore si germanizza completamente in Hans Wurst. È un testo molto completo e assai più dettagliato dei canovacci della Commedia dell'Arte.

[9] Carlo Goldoni, "L'Autore a chi legge" che precede *Don Giovanni Tenorio o sia Il Dissoluto*, in *Opere* a cura di Giuseppe Ortolani (Milano: Mondadori, 1960) Vol. IX, 215-281.

[10] Arturo Farinelli, *Don Giovanni* (Milano: Bocca, 1946) 128.

Goldoni dedicò a questo mito rappresenta però una delle prime parodie critiche del personaggio Don Giovanni stesso, atta a preannunziare i molti tentativi di sistematica denigrazione di questo misterioso eroe, che fioriranno nell'era post-romantica. Il commediografo veneziano quindi, seppur confusamente, intuì in anteprima quei cambiamenti che diventeranno indispensabili per mantenere in vita il mito nel teatro post-romantico del ventesimo secolo, il che è di grande interesse e non va sottovalutato.

Quando Goldoni, ancora molto giovane e all'inizio della sua fortunata carriera teatrale, decise di mettere in scena il suo *Don Giovanni Tenorio o sia il Dissoluto,* egli vide nel mito soprattutto l'opportunità di vendicarsi, sotto il nome di Carino (Carlino), della propria brutta esperienza con l'attrice Elisabetta Passalacqua (Elisa nel *Dissoluto*), la quale, dopo averlo sedotto per ottenerne dei vantaggi professionali (almeno così racconta l'autore nei suoi *Mémoires*) lo aveva poi tradito con Vitalba, un altro attore [11]. Ciò che premeva soprattutto al commediografo veneziano, oltre alla vendetta già ricordata, era di sostituire tutti gli elementi soprannaturali del mito con situazioni realistiche, eliminando prima di tutto l'om di sasso parlante che appare invece soltanto come un busto silenzioso, ultima concessione ai requisiti della tradizione. Fu anche per una ragione di amor proprio nazionalistico che Goldoni decise di far rappresentare sulla scena veneziana la sua versione del mito, in polemica con il Saint-Evremont che "prendendo il *Convitato di Pietra* per una tragedia, pose in ridicolo gli Italiani che la soffrivano... mostrando non aver letto le bellissime tragedie nostre." [12]

Ci dice l'autore nei suoi *Mémoires* come il pubblico "accoutumé à voir... Arlequin se sauver... et Don Juan sortir à sec des eaux de la mer, sans avoir dérangé sa coeffure", non gradisse particolarmente "cet air de noblesse" che il commediografo aveva dato "à une ancienne bouffonne-

---

[11] Carlo Goldoni, *Mémoires de M. Goldoni* in *Opere* Vol. I, 170-178. Vedi anche Angelica Forti-Lewis, *Italia Autobiografica* (Roma: Bulzoni, 1986), il cui quinto capitolo, 99-138, è dedicato alle autobiografie di quattro autori veneziani del Settecento: Goldoni, Gozzi, Casanova e Da Ponte.

[12] Goldoni, "L'Autore a chi legge" 216.

rie", ma siccome le sue avventure con la Passalacqua e Vitalba erano ben risapute, tutti si divertirono lo stesso. La commedia ebbe molto successo e venne rappresentata fino a Martedì Grasso, concludendo il carnevale veneziano del 1736 [13]. Come giustamente nota Carol Lazzaro-Weis, con tutto che Goldoni si fosse opposto strenuamente all'immoralità dell'argomento, egli stesso usò il mito come farsa carnevalesca per umiliare la Passalacqua [14]. Il commediografo mantenne quindi, seppur subliminalmente, quel connotato carnevalesco di moralità rovesciata che è una delle costituenti fondamentali del mito, come abbiamo visto fin dall'esame dell'archetipo del *Burlatore* (trickster), nel secondo capitolo.

Quali furono i mutamenti che Carlo Goldoni effettuò nel suo *Dissoluto* per renderlo più aderente alle regole di buon senso e, soprattutto, buon gusto che governavano la scena teatrale del periodo? Visto che il comico e il grottesco non erano una forma accettabile di rappresentazione nel Settecento, Goldoni *illuminato* per prima cosa cercò di ripulire il mito di tutti i suoi elementi comici e sguaiati, e di trasformarlo in una parodia critica di base pedagogica e morale. Ne risultò un mito scialbo e scolorito, quasi una parodia di se stesso. Per evitare che gli attori improvvisassero con commenti scurrili o lazzi osceni, egli scrisse il suo *Dissoluto* in versi "perché in verso le cose si dicono con un poco più di moderazione" [15].

Poteva dare veste drammatica al *Burlador* un Carlo Goldoni? Assolutamente no. Sarebbe forse riuscito meglio un *Don Giovanni* a Carlo Gozzi, non profondo scrutatore delle passioni umane e poco esperto nell'intreccio dei suoi drammi, ma in compenso meno ragionatore e calcolatore, più poeta e, soprattutto, più dotato nel campo dell'immaginazione fantastica. Goldoni, ci dice egli stesso nei suoi *Mémoires*, ammirava tanto il Cicognini fin da ragazzo [16], ma dal *Convitato* del Cicognini egli prese ben poco, e per compiere una vendetta contro un'amante infedele scris-

---

[13] Goldoni, *Mémoires* 177-178.
[14] Carol Lazzaro-Weis, "Parody and Farce in the Don Juan Myth in the Eighteenth Century", in *Eighteenth Century Life* VIII. 3 (May 1983): 35-48.
[15] Goldoni, "A chi legge" 218.
[16] Goldoni, *Mémoires* 13.

se soprattutto una commedia d'intrigo, e non delle migliori. Si fece Masetto (Carino) invece di farsi Don Giovanni, burlato quindi e non burlatore, e la direzione psicologica stessa della sua creazione teatrale gliene svisò il vigore. D'un colpo egli sopprime tutte le buffonate, i lazzi indecenti, e il comico che erano passati nel mito dalla Commedia dell'Arte. Meglio sarebbe stato se avesse fatto uno dei suoi acutissimi studi di carattere, ma Goldoni, grande ritrattista di piccolo-borghesi, non poteva veramente capire e apprezzare "un grand seigneur méchant homme" [17] come Don Giovanni, e lo imborghesì.

Coll'eliminazione del pathos e del soprannaturale dalla commedia goldoniana, ha finito principalmente per soffrire il personaggio dell'eroe protagonista, la cui malvagità nel passato era sempre stata superumana, priva di volgarità meschine e dotata di quello che Gendarme de Bévotte definisce "l'héroîsme du mal" [18]. Il borghese Goldoni imborghesisce anche il suo Don Giovanni facendone un *playboy* privo degli ereditati, indispensabili attributi di *caballero*. Si tratta di un seduttore che finisce perfino per duellare con una delle sue ex amanti, Isabella, riuscendone... vinto [19], e che cerca di conquistare, con molta violenza, Anna nel mezzo di una cena a casa di lei (fra il dessert e il caffè), mentre il Commendatore, ancora vivissimo, si era allontanato per qualche istante [20].

Per evitare che il suo eroe si comporti in maniera innaturale, Goldoni ne fa un personaggio chiaramente minore, che appare sulla scena per la prima volta soltanto nel secondo atto, reduce da uno scolorito incontro con dei ladri che lo hanno derubato, il che sostituisce il ben noto, drammatico naufragio. Veniamo a conoscere Don Giovanni soltanto a metà del terzo atto, in un brevissimo monologo, quando egli finalmente si confessa ed il pubblico riesce a scoprire... che gli piacciono le donne:

[17] J.- B. P. de Molière, *Dom Juan ou Le festin de Pierre*, in *Oeuvres Complètes* a cura di Georges Couton (Parigi: Gallimard, 1971) Vol. II, 34.
[18] Georges Gendarme de Bévotte, *La Légende de Don Juan (Des Origines au Romantisme)* (Ginevra: Slatkine, 1906/1970) 318.
[19] Goldoni, *Don Giovanni* 247.
[20] Goldoni, *Don Giovanni* 260-261.

"Ovunque giri curioso il guardo,
Splender vegg'io la maestade ibera.
Ma ancor non s'appresenta agli occhi miei
Rara beltade a incatenarmi il cuore.
Le catene d'amore io prendo a giuoco,
Poiché costanza nell'amor non serbo." [21]

Il Don Giovanni goldoniano, così razionalizzato, diventa un personaggio teatralmente incomprensibile, anche perché egli non ha più nessuno con cui confidarsi. Spariscono infatti sia il padre che, ancora più importante, il valletto, la cui fondamentale simmetria comica col padrone e le cui svariatissime funzioni, Goldoni preferisce ignorare, per evitare gli "improperi, villanie e calci" [22] con cui egli veniva maltrattato da Don Giovanni nelle precedenti rappresentazioni della Commedia dell'Arte. Ma il valletto, in tutte le versioni teatrali del mito compreso l'originale dramma spagnolo di Tirso de Molina, esternava sempre l'ambiguità comico/drammatica del suo padrone, così che adesso tutto il ridicolo deve risiedere unicamente nell'eroe Don Giovanni, che ne risulta di necessità superficiale e meschino.

Né hanno molta più vita i personaggi femminili, anche se Goldoni si è sforzato di renderli più *nobili* dell'eroe esclusa, naturalmente, Elisa/Elisabetta Passalacqua che viene assai maltrattata dal suo autore. Anche le donne si dimostrano meschinamente ambiziose, viziate, avare e, soprattutto, teatralmente incomprensibili e contraddittorie. La famosa scena in cui Anna in lutto, seduta davanti al mausoleo di suo padre, si commuove di nuovo alla vista di Don Giovanni penitente e in ginocchio, più che preannunciare la futura direzione romantica e sublime dell'eroina amante [23], ci sembra renda invece questo personaggio fem-

---

[21] Goldoni, *Don Giovanni* 245.

[22] Goldoni, "A chi legge" 215.

[23] Vedi l'interpretazione di questa scena offerta da Jean Rousset, *Le Mythe de Don Juan* (Parigi: Colin, 1978) 56. Secondo Rousset l'Anna del *Don Giovanni* di Goldoni preannuncia la direzione di sacrificio e dedizione che caratterizzerà i personaggi femminili nelle versioni ottocentesche romantiche del mito di Don Giovanni.

minile assai incomprensibile, senza che la sua ambiguità sia alleviata dalla spiegazione conclusiva: "Son donna alfin..." [24]. Il commediografo si era tanto preoccupato di destreggiare l'avvenimento finale, escogitando invece della statua un più razionale e atmosfericamente plausibile "fulmine che colpisce don Giovanni, la terra si apre, e lo sprofonda" [25] che insieme all'invito a cena del Commendatore e lo sprofondamento finale, eliminò anche uno degli elementi teatralmente più potenti del mito: l'incontro drammatico e spaventoso con cui l'emissario divino punisce l'eroe ribelle.

Non ci sono dubbi che Goldoni fosse perfettamente consapevole della poca teatrabilità del suo *Dissoluto*, ma ciò nonostante egli considerò degni di nota i propri tentativi di riforma morale del mito e scelse di includere il suo *Tenorio* nella prima edizione delle *Opere*, pubblicata tra il 1753 e il 1757. Già fin da allora però, la futilità della riforma goldoniana del mito era diventata sempre più palese, e il suo *Dissoluto* non fece scuola. Nessuno riprese la commedia goldoniana e il suo *Don Giovanni Tenorio* illuminato trovò ben pochi imitatori. Assai più importanti del debole tentativo goldoniano sono invece le nuove ramificazioni del mito nel suo contemporaneo abbinamento con la musica.

Già a partire dai primi decenni del 1700 si era infatti cominciato a affievolire il grande successo dell'Opera Seria italiana, rimpiazzata sia dall'opera seria riformata basata sui mutamenti strumentali introdotti da Gluck che soprattutto, dalla crescente importanza dell'Opera Buffa, sempre più in voga a partire dal 1750-1760 [26]. L'Opera Seria, con la sua scissione fondamentale tra recitativi (secchi o accompagnati) ed arie, e con i suoi libretti nobili ed eroici, esprimeva soprattutto il proprio lega-

---

[24] Goldoni, *Don Giovanni* 275.

[25] Goldoni, *Don Giovanni* 279.

[26] Per proseguire su queste linee di ricerca, vedi in particolare Angelo Solerti, *Gli albori del melodramma* (Palermo: 1902) e *Le origini del melodramma* (Torino: 1904). Vedi anche il compendio di Domenico De' Paoli, *L'opera italiana dalle origini all'opera verista* (Roma: Stadium, 1955); Franco Abbiati, *Storia della Musica* (Milano: Garzanti, 1981) e Giorgio Pestelli, *The Age of Mozart and Beethoven,* tr. dall'italiano da Eric Cross (Londra: Cambridge Univ. Press, 1984).

me artistico con il Barocco, mentre l'Opera Buffa o l'Opera Semiseria erano destinate a dar voce alla nuova modernità ed ai cambiamenti di sensibilità e gusto sia dei musicisti che del pubblico del Settecento.

Entrambe però (sia Seria che Buffa) basavano il loro libretto su quello schema in apparenza semplice ma in realtà estremamente ingegnoso, escogitato anni prima dal Metastasio, che concedeva tutti i diritti alla musica, senza per questo abdicare a quelli della poesia. Ogni scena veramente importante era quindi composta di due parti distinte: la vera e propria azione drammatica (o, nel futuro, comica) e l'espressione lirica della scena. Il musicista risolveva il problema drammatico con un recitativo, ma il cantante si dimenticava poi di essere un personaggio drammatico, ed esprimeva le proprie emozioni, mentre il compositore approfittava dell'occasione (a lui imposta), per scrivere quell'aria che tutti si aspettavano e che ormai, durante tutto il secolo diciottesimo e oltre, costituirà la parte più importante dell'opera. L'opera diventa così un regolare alternarsi di azione e arresto, e se il recitativo si fa la parte del leone nel libretto, l'aria prende il sopravvento nella partitura. Era un buon compromesso che permetteva, entro certi limiti convenzionali, il libero sviluppo sia della poesia che della musica e soddisfaceva anche il desiderio di gloria dei cantanti, i cosiddetti *Virtuosi*.

Sulle origini dell'Opera Buffa molto è stato scritto e parecchio resta ancora ipotetico. Le varie Storie della musica fanno generalmente risalire le origini di questo genere all'Intermezzo napoletano, ma in un esame del mito di Don Giovanni in questa sua nuova direzione musicale, è di grande importanza ricordare che la nascita stessa degli Intermezzi era stata grandemente influenzata dalla Commedia dell'Arte. I primi Intermezzi avevano molti lati in comune con l'Improvvisa, dai personaggi, più *tipi* che caratteri veramente umani, alla ripetizione delle situazioni sceniche e degli argomenti, compresa una certa robustezza di azione e di dialogo basato, quest'ultimo, spesso sull'uso parziale del dialetto, in un tono realisticamento popolaresco.

Se l'Opera Buffa nei primi decenni del '700 sembrava quasi soffrire di un complesso d'inferiorità nei riguardi della sorella maggiore, questo fatto fu però anche la fortuna sua e del mito di Don Giovanni per musica, perché essa si rese di conseguenza indipendente non soltanto dalle sorti dell'Opera Seria, ma anche da tutto quel mondo di convenzioni assurde che la controllavano. I Virtuosi non volevano saperne dell'Opera Buffa, così che questa ne fece a meno, e cercando la sua strada, trovò i propri interpreti facendo cantare le sue parti di donne da vere donne, affiancandole e contrastandole con voci di basso e di baritono che nell'Opera Seria erano sempre state affidate invece a personaggi social- mente inferiori, a meno che, raramente, non si trattasse di qualche tiran- no. L'Opera Buffa creerà anche un nuovo stile, più vivo e più sciolto: ecco quindi il Recitativo Buffo, rapido e saltellante, dotato a volte di un movimento vertiginoso, ed ecco i suoi personaggi spesso popolani, dal tono semplice, immediato e fresco. Ed a gara con i personaggi, ecco l'orchestra che si arrischia ad imitare con gli strumenti i movimenti uma- ni che tradiscono i moti dell'animo, e a prendere via via una parte colla- boratrice sempre più viva di accompagnamento.

Il Virtuoso, il quale non sapeva fare altro che cantare, mirabilmente sì ma solo cantare, veniva ora sostituito dal cantante che doveva anche saper recitare, muoversi sulla scena, ballare ed esprimere con la propria pantomima azioni e sentimenti. L'Opera Seria e l'Opera Buffa si svilup- parono col tempo autonomamente, ma appena l'Intermezzo diventò Opera Buffa, osserviamo anche un altro curioso fenomeno: mentre il li- bretto mostra decisamente il suo carattere buffo, la musica afferma il ca- rattere buffo nei recitativi o nel pezzo d'insieme, ma nella composizione delle arie, il musicista del secolo diciottesimo si sente prima di tutto compositore e, di conseguenza, serio. Si effettua così un matrimonio musicale tra elementi buffi ed elementi seri, con la musica e il libretto che si ammorbidiscono, scivolando spesso nell'ambito del sentimentale. Un insieme quindi, com'è facile intuire, particolarmente adatto a quel misto di erotismo, soprannaturale, comico e azione che caratterizzano il mito di Don Giovanni.

Se il mito si era rinnovato ed aveva ricevuto nuovo impeto dalle rap- presentazioni dei commedianti, avviene lo stesso ora anche con quella derivazione dall'Intermezzo e dalla Commedia dell'Arte che è l'Opera Buffa. Si assiste quindi in questo secolo a un'immensa fioritura di *Don Giovanni* e di *Convitati* per musica i quali, contrariamente al teatro par- lato che, come abbiamo appena visto, era stato assai limitato e scolorito, ebbero invece immenso successo.

"Nessuno riesce a vivere senza aver visto almeno una volta Don

Giovanni arrostire all'inferno, e lo spirito del governatore volare in cielo", scrive Goethe, di passaggio a Roma nel 1787 [27]. Abbondano infatti i *Don Giovanni* per musica con, tra gli altri, un balletto di Gluck per coreografia di Angelini che, per la prima volta, pone l'uccisione del Commendatore all'inizio, facendo un tutt'uno dell'attentato ad Isabella a palazzo reale con cui si apriva il dramma tirsiano, e del duello tra Don Giovanni e il padre di Anna, situato dal drammatista spagnolo nella seconda giornata. È questa un'introduzione conclusiva, basata su un ritmo binario serrato tra Eros e Thanatos che continuò a fare scuola nel mondo operistico buffo e venne ripresa anche dalla più importante di tutte le produzioni musicali del mito realizzate prima di Mozart, il *Capriccio drammatico per il primo atto, ed il Convitato di Pietra per il secondo atto* di Giovanni Bertati e Giuseppe Gazzaniga, rappresentato per la prima volta a Venezia nel Carnevale del 1787 [28]. Librettista e compositore fecero precedere la loro opera di un atto da un capriccio drammatico (trucco favorito anche dell'Improvvisa), che introduce il pubblico direttamente nel mezzo di un gruppo di attori senza lavoro, mentre l'astuto impresario suggerisce di far rivivere la vecchia storia del *Convitato*, che ha sempre avuto tanto successo. E così fanno [29].

Può sorprendere che Mozart scegliesse proprio un soggetto come *Don Giovanni*, soltanto pochi mesi dopo la rappresentazione di questo *Convitato* veneziano, anche se l'Opera Buffa gli era stata in realtà commissionata nel gennaio dell'87, un mese prima della première del *Capriccio drammatico* [30]. Mancano informazioni specifiche, anche perchè

[27] Nota citata in Farinelli 148.

[28] Vedi in Macchia 85-95 l'estesa e dettagliata analisi dell'opera di Bertati e Gazzaniga che è stata anche rappresentata nel 1973 alla XXX Settimana Musicale Senese.

[29] Alfred Einstein nel suo *Mozart: His Character, His Work*, tr. da Arthur Mendel e Nathan Broder (Londra: Oxford Univ. Press, 1945/1961) commenta, 436 e altrove, sul coraggio e acume del Bertati che, derivando il suo *Don Giovanni* da varie fonti, riformò totalmente il personaggio anche da un punto di vista letterario e psicologico. Vedi anche in Einstein 437, l'esame parallelo della scena del *Catalogo*.

[30] Per un'analisi parallela del *Don Giovanni* di Bertati/Gazzaniga e di quello di

quando il librettista Da Ponte parla di Bertati, generalmente ne parla con molta antipatia ("botte gonfia di vento", "ciuccio"), fose perchè Bertati gli aveva rubato il posto, diventando dopo di lui il nuovo poeta imperiale di corte[31].

Chi legge la fitta e affascinante corrispondenza tra i membri della famiglia Mozart, in particolare le lettere scambiate tra Wolfgang ed il padre Leopold, nota soprattutto l'immensa attenzione ai particolari durante la composizione di ogni opera, dall' iniziale scelta del tipo di libretto alla fase conclusiva della produzione teatrale. È una cura per tutti i dettagli che può passare inosservata a causa della rapidità con cui Mozart riusciva a comporre la musica delle sue opere, ma è importante notare il ritmo frenetico dell'operosità del compositore durante la sua pur breve vita, come possiamo anche vedere dal tipico lamento nella lettera serale al padre se, per qualche ragione, era stato obbligato a passare anche soltanto mezza giornata *sine linea*, cioè senza poter comporre.

Dalle sue lettere vediamo soprattutto come, tra tutte le forme di composizione, l'opera fosse la favorita di Mozart: Opera Seria quando era molto giovane, e Buffa negli ultimi anni della sua vita[32]:

"Ma devo proprio concludere questa lettera. Se
dovessi scrivere tutto quello che penso, non
mi resterebbe più carta. Mandami presto la
tua risposta, ti prego! (Cercava di ottenere
un libretto). Non ti dimenticare di
quanto io desideri scrivere opere. Invidio

Da Ponte/Mozart, vedi, oltre ai libri di Einstein, Macchia e Pestelli già ricordati, anche il testo di Rousset, che però si rifà a Macchia, oltre a Frédéric M. Breydert, *Le génie créateur de W.A. Mozart* (Parigi: Alsatia, 1971) e Ivor Keys,*Mozart* (New York: Holmes, 1980).

[31] L'episodio è narrato da Lorenzo Da Ponte nelle sue *Memorie* (Milano: Garzanti, 1976) 164-166. Vedi anche Forti-Lewis 99-138.

[32] Per uno studio sulle opere serie di Mozart, che non verranno trattate in questa sede, vedi Francis Claudon, Georges Favier, Jacques Joly, Laurine Quétin, "Mozart et le genre sérieux" in *Littérature et Opéra*, testi raccolti da Philippe Berthier e Kurt Ringger (Grenoble: Presses Universitaires de Grenoble, 1987) 18-43.

proprio chiunque ne stia componendo una e quasi
quasi piangerei dalla stizza quando sento o vedo
un'aria. Ma italiana, non tedesca; seriosa non
buffa"

"Scrivere opere è adesso la mia più grande
ambizione, ma devono essere francesi più che tedesche,
e italiane meglio ancora" [33].

Fin dal 1780 lo avevano anche interessato questioni che diventeranno estremamente pertinenti nella sua composizione di *Don Giovanni* come, ad esempio, la rappresentazione musicale del soprannaturale sulla scena [34]. Gli esempi della sua continua attenzione ai minimi dettagli, in tutte queste sue vivacissime e spontanee lettere, sono infiniti, mentre il lettore resta particolarmente commosso e ammirato dalla naturale e effervescente simpatia di questo geniale compositore.

Prima di accingersi a comporre la musica di un'opera, più che la scelta particolare del libretto, Mozart programmava in modo particolare

[33] Da *The Letters of Mozart and His Family, Chronologically Arranged*, tr. e a cura di Emily Anderson (Londra: Macmillen, 1985). Le due lettere citate sono entrambe dirette al padre, in data 4 febbraio 1778 e 7 febbraio 1778. Tutte le lettere citate in questo capitolo sono state tradotte in italiano dall'autrice. Le parole italiane già nel testo sono invece trascritte in corsivo.

[34] In una lettera al padre, scritta da Monaco il 29 novembre 1780, Mozart, criticando l'*Achille in Sciro* del Sales su libretto di Metastasio, spiega: "C'è un'aria del tipo e dello stile che sarebbe piaciuta molto a Raaf (Anton Raaf, 1714-1797, fu uno dei più famosi tenori del tempo): 'Or che mio figlio sei, sfido il destin nemico; sento degli anni miei il peso alleggerir'. Dimmi, non ti sembra che l'orazione della voce ultraterrena sia troppo lunga? Pensaci con attenzione. Immaginati nel teatro e ricorda che la voce deve essere spaventosa - deve penetrare - e che il pubblico deve proprio credere che essa esista davvero. Come si può produrre quest'effetto se il discorso è troppo lungo? Perché in tal caso gli spettatori si convinceranno sempre di più che non vuol dire proprio niente. A mio parere se l'orazione del fantasma nell'Amleto non fosse così lunga, risulterebbe molto più potente. È facilissimo accorciare l'orazione di una voce dell'oltretomba e ci si guadagna molto più di quanto non ci si perda."

il *numero* dei cantanti, il *tipo* d'opera e il *timbro* delle voci; particolari
che gli erano ancora più importanti della trama vera e propria, come si
può ben vedere da questa lettera al padre, scritta nell'83, proprio all'inizio del suo rapporto col librettista Da Ponte:

> "Vorrei proprio poter mostrare quello che
> riuscirei a fare con un'opera italiana.
> Così ho pensato che a meno che Varésco non
> sia ancora in collera con noi a causa dell'o-
> pera di Monaco (L'*Idomemeo* per cui l'Abate
> Varesco aveva scritto il libretto), mi
> potrebbe scrivere un nuovo libretto per
> sette cantanti. *Basta!* Mi saprai dire
> se sia possibile o no. Nel frattempo gli potresti
> domandare di buttar giù qualche idea, e quando io
> verrò a Salisburgo potremmo lavorarci insieme. La
> cosa essenziale è che nell'insieme la storia sia
> veramente comica. Se possibile, dovrebbe
> presentare due parti femminili altrettanto impor-
> tanti: una dovrebbe essere *seria*, l'altra una
> *mezzo carattere*, ma entrambe uguali come
> importanza e grandezza. Il terzo personaggio
> femminile potrebbe essere interamente *buffa*, e
> anche tutti gli uomini, se necessario" [35].

Da Ponte nelle sue *Memorie* dice semplicemente di avere suggerito
egli stesso l'argomento del Don Giovanni a Mozart, che il compositore
accettò con entusiasmo, il che può essere possibilissimo [36]. Il mettere in
scena personaggi storici, mitologici o già ben noti al pubblico (o che
tutti presumevano conoscere) era comunque espediente già ben noto a
tutti i librettisti e compositori del periodo, che li dispensava dal rappresentare i personaggi come avrebbero dovuto fare creandoli *ex-novo*, e
permetteva loro di presentare *ex-abrupto* l'azione, senza la difficoltà di
dover spiegare con cura i sentimenti che animavano i personaggi.

[35] Scritta da Vienna, il 7 maggio 1783.
[36] Da Ponte, *Memorie* 125.

Spesso, però, non viene data al libretto di Da Ponte l'ammirazione dovuta, forse perchè i primi, famosi critici del *Don Giovanni*, da Hoffmann a Kierkegaard, hanno sempre preferito giudicare il libretto come fosse una commedia, senza tenere abbastanza a mente che la semplice lettura di un libretto ci dà soltanto un'idea molto incompleta della sua arte[37]. Il librettista deve infatti sviluppare l'azione del suo testo secondo linee chiare e semplicissime, senza mai imporre un'interpretazione specifica al compositore. Oltre a ciò, il testo deve essere poetico sì, ma dalla poesia facilmente adattata in poesia per musica, non particolarmente profonda quindi, ma orecchiabile e ritmata. La prima collaborazione tra Mozart e Da Ponte era stata per *Lo Sposo deluso*, opera non finita, ma mentre Da Ponte parla di Mozart in termini di lode iperbolica, insistendo fra l'altro di aver egli stesso praticamente salvato il compositore dalla più profonda oscurità[38], Mozart si mostra assai più circospetto, anche perchè condivideva col padre Leopold una certa diffidenza per gli Italiani in genere, ricordo probabile dell'arrogante maleducazione dei Virtuosi, con cui aveva spartito pasti e compagnia (insieme a cuochi e valletti) quando, ancora molto giovane, era al servizio del Cardinale Colloredo[39].

Il rapporto Mozart/Da Ponte fu, in ogni caso, uno di quei doni spe-

[37] E.T.A. Hoffmann, "Don Juan" in *Contes Fantastiques Complets*, tr. da Loève-Veimars (Parigi: Flammarion, 1964) Vol. II, 15-86 (Vedi Cap. VII). Soren Kierkegaard, "The Immediate Stages of the Erotic or the Musical Erotic" in *Either/Or*, tr. da David F. Swenson e Lillian Marvin Swenson (Princeton: Princeton Univ. Press, 1971) Vol. I, 45-134. Il più completo tra gli studi contemporanei dedicati al Don Giovanni di Da Ponte/Mozart è quello di Jean Victor Hocquard, *Le "Don Giovanni" de Mozart* (Parigi: Aubier Montaigne, 1978).

[38] Da Ponte, Memorie 104.

[39] Nella lettera al padre scritta da Vienna il 7 maggio, 1783 - vedi nota n. 35 - Mozart scrive: "Il poeta di corte è un certo Abate da Ponte. Ha un'enorme quantità di lavoro di revisione per il teatro e deve anche, *per obbligo*, scrivere interamente un nuovo libretto per Salieri, che lo terrà occupato per almeno due mesi. Ha promesso di scrivere, subito dopo, un nuovo libretto per me. Ma chi sa se potrà - o vorrà - mantenere la sua promessa. Come ben sai, questi gentiluomini italiani sono sempre estremamente cortesi in tua presenza. Basta così, li conosciamo anche troppo bene! E se è in lega con Salieri, so benissimo che non me ne arriverà proprio un bel niente".

ciali che il mondo artistico offre all'umanità, una collaborazione sigillata dall'immenso successo iniziale delle *Nozze di Figaro*[40], seguito da *Così fan tutte* e dal *Dissoluto punito o sia Il Don Giovanni - Dramma giocoso in due atti* rappresentato per la prima volta a Praga, il 29 ottobre, 1787[41]. Mozart conosceva bene le commedie di Molière, che gli erano state donate a Parigi nel 1778 dall'amico Weber, e fin da giovanissimo s'era innamorato di tutte le possibilità offerte dal Carnevale e dal travestimento in maschera. In una deliziosa lettera, mezza in italiano e mezza in tedesco, scritta alla sorella Nannerl da Verona nel 1770 (Mozart aveva soltanto 14 anni), il compositore si diverte a raccontarle i grandi vantaggi della maschera, tra i quali che non è necessario toglierla o salutare l'interlocutore per nome: *"Basta dire 'Servitore umilissimo, Signora Maschera'. Cospetto di Bacco, che bel divertimento!"*[42]

Don Giovanni, come *Figaro*, ottenne a Praga un immediato ed immenso successo, come riportano i resoconti delle recensioni, ancora reperibili. Dal *Wiener Zeitung* del 25 ottobre sappiamo anche che Giacomo Casanova (grande amico di Da Ponte, anche se si leticarono spesso), si trovava anch'egli a Praga in quei giorni. Tra le carte del Casanova, dopo la sua morte, è stato ritrovato anche il testo del sestetto del secondo atto, da lui corretto e riscritto, così che sembra molto logico supporre che si trovasse alla première del *Don Giovanni*, e che l'opera lo avesse assai interessato[43].

---

[40] Dalla lettera di Mozart al Barone von Jacquin, scritta da Praga il 15 gennaio 1787: "Qui non si parla che di *Figaro*. Non si recita, canta o fischia nient'altro che *Figaro*. Nessun'altra opera attrae come *Figaro*. Niente, niente altro che *Figaro*".

[41] Tutti i documenti pertinenti alla vita di Mozart ancora reperibili sono pubblicati in Otto Erich Deutch, *Mozart: A Documentary Biography*, tr. da Eric Blom, Peter Branscombe e Jeremy Noble. (Stanford: Stanford Univ. Press, 1966). Per il *Don Giovanni* vedi recensioni, contratti, manifesti e annunci sui giornali di Praga, compreso il rendiconto della visita di Giacomo Casanova, 301-305.

[42] Scritta da Verona, il 7 gennaio 1770.

[43] In Deutch 301 si cita una lettera del Conte Lamberg a Johann F. Opitz, il 4 novembre 1787, nella quale si parla della visita del Casanova a Praga durante quel periodo. Casanova abitava a Dux presso il Conte di Waldstein fin dal 1785, e vi restò fino alla morte nel 1798. Negli ultimi anni della sua vita mantenne una nutritis-

Praga, in ogni caso, era seconda soltanto a Vienna come centro intellettuale di quel vasto conglomerato di popoli e nazioni che formava l'impero degli Asburgo. Se a Vienna la corte imperiale stessa patrocinava le arti, a Praga l'aristocrazia boema godeva di una vita teatrale altrettanto intensa. Si accolse entusiasticamente il *Don Giovanni*, premiando Mozart dell'intenso lavoro a cui aveva dedicato l'intera estate, e delle difficoltà con cantanti e produzione, che in realtà era meno sviluppata della viennese, come ci dice il compositore nelle sue lettere. Con soltanto sei giorni di prova prima della rappresentazione, compositore e librettista furono obbligati a lavorare indefessamente, e infine si era dovuto posporre la première di due settimane, fino al 29 ottobre.

Attraverso i secoli *Don Giovanni* resta ancora un soggetto operistico per eccellenza, anche perchè le situazioni drammatiche del testo sono sempre anche situazioni spontaneamente e naturalmente musicali. Mozart riuscì a creare un'opera in cui ogni personaggio è dotato di una sua propria personalità sia psicologica che musicale, e pur unendoli nelle sublimi melodie della sua partitura, egli riesce anche a preservare l'identità musicale di ognuno. È una fusione drammatica non soltano di parole e musica, ma di parole avviluppate nella musica, entrambe unite e inseparabili.

L'età dell'oro del mito di Don Giovanni viene quindi iniziata dall'opera mozartiana, dove gli aspetti che dominano il libretto di Da Ponte riescono a comunicare una nuova e più complessa ambivalenza, intensificata dal loro abbinamento con lo spartito musicale drammatico mozartiano [44]. Se Goldoni aveva omesso il *Convitato di pietra* dal suo ti-

---

sima corispondnza con J.F. Opitz, pubblicata a Leipzig da Kurt Wolff Verlag nel 1913. (Vedi a questo proposito Forti-Lewis 99-138.)

[44] W.A.Mozart, *Don Giovanni: Opera en deux actes; Fac-simile in extenso du manuscrit autographe conservé à la Bibliothèque Nationale* (Parigi: La Revue Musicale, 1970). È un'edizione a tiratura limitatissima del manoscritto originale completo, n. 1548 (1-8), firmato e autenticato anche dalla donatrice Pauline Viardot che, avendolo ricevuto in quaderni non rilegati, fece fabbricare un cofanetto di legno prezioso, ornato riccamente di cuoio, secondo l'esempio del Museo Britannico. L'apertura di questo cofanetto era sempre il momento più commovente offerto agli ospiti della Viardot, da Gounot a Liszt, Saint-Saens, Rossini e il giovane Fauré.

tolo perché aveva tolto il personaggio stesso dalla sua commedia per rispetto al razionalismo illuminista, Mozart e Da Ponte lo eliminano adesso perchè sentono di non aver più bisogno dell'apporto spettacolare del trucco teatrale *pour épater les bourgeois.* Compositore e librettista sono infatti perfettamente consapevoli di tutte le possibilità offerte loro dall'unione della leggenda con la musica, sebbene preferiscano anch'essi aderire, quando sia possibile, alle unità aristoteliche e limitino lo sviluppo della storia a 24 ore, mantenendolo interamente a Siviglia [45].

L'agile scambio dal comico al tragico che caratterizza la struttura dell'opera non è dovuto soltanto all'avvicendarsi di scene comiche e tragiche (compresa l'iniziale morte, in scena), ma è effettuato anche, e soprattutto, a un livello strettamente musicale. Si alternano infatti inaspettate strutture polifoniche (per es. "Tutto, tutto già si sa" nel finale del primo atto), con rapidi cambi di tempo e unisoni improvvisi altrettanto inaspettati.

Come ha notato anche Kierkegaard, l'unità intrinseca dell'opera si enuclea fin dall'Ouverture che, essendo musica soltanto sinfonica, offre all'ascoltatore l'opportunità di comprendere a fondo sia il compositore operistico che il suo rapporto spirituale e musicale con l'argomento della sua opera. Se il compositore non riesce ad afferrare il suo argomento

Sembra che Rossini si inginocchiasse esclamando: "C'est Dieu lui-même!" Una copia del manoscritto, dalla cui introduzione abbiamo tolto le informazioni appena citate, è stato appena acquistato per nostra fortuna dalla Biblioteca Musicale dell'Università di Stato di New York a Stony Brook.

[45] L'opera comincia con Donna Anna che racconta l'incidente: "Era già alquanto avanzata la notte". La seconda scena avviene all'alba (Leporello: "Essendo l'alba chiara"). La terza scena, con Masetto, Zerlina e i contadini, è verso mezzogiorno, mentre Don Giovanni che si accinge a invitare tutti a casa sua esclama poco dopo: "Troppo mi premono queste contadinotte, le voglio divertir finché vien notte". Il primo atto si conclude col ballo di sera a casa di Don Giovanni, mentre il secondo atto si apre con la sua fuga notturna, seguita dalla scena nel cortile oscuro della casa di Donna Anna. Siamo fra le nove e le dieci di sera. Quando Don Giovanni e Leporello s'incontrano nel cimitero sono "le due de la notte", cioè le 10 di sera, visto che le 24 ore erano divise in due periodi di 12 ore ognuno, dalle 8 di mattina alle 8 di sera e dalle 8 di sera alle 8 di mattina. Il secondo atto, infine, si conclude coll'apparizione della statua tra le 11 e mezzanotte, l'ora dei fantasmi.

in toto, allora l'Ouverture spesso non va oltre a una slegata associazione d'idee, un aggregato di vari temi e arie, affastellati insieme, senza individuare ed illuminare l'essenza della totalità musicale dell'opera. Lungi dall'essere una confusa associazione di temi ed arie, l'ouverture di *Don Giovanni* si presenta invece subito concisamente definitiva, impregnata dell'essenza stessa dell'opera.

> "Potente come il pensiero di un Dio, commovente
> come la vita di un mondo, fremente nella sua
> ansietà e nella sua passione, tremenda nella
> sua ira ed ispirata nella sua *joie de vivre*...
> stridente nella sua sensualità, deliberata-
> mente solenne nella sua imponente dignità... E
> tutto questo viene ottenuto dall'Ouverture senza
> che essa si nutra del sangue dell'opera ma, al contrario,
> mentre le funge da premonizione." [46]

L'intero spartito riesce a proiettare ed a comunicare quelle ambivalenze e conflitti tanto difficili a tradursi per mezzo dei segni linguistici, e ciò avviene proprio per l'astrazione del medium musicale stesso. Così, volendo scegliere un esempio tra i mille che si potrebbero notare, quando alla fine del primo atto Leporello e Don Giovanni invitano Elvira, Anna ed Ottavio, tutti e tre mascherati, al ricevimento nel palazzo di Don Giovanni:

Leporello
"Venite pure avanti,
vezzose Mascherette"

Don Giovanni
"È aperto a tutti quanti:
Viva la libertà!"

---

[46] Kierkegaard 125-126 (traduzione italiana dell'autrice).

l'immensa confusione sociale e psicologica di tutta la situazione viene genialmente sottolineata dal compositore per mezzo di tre danze diverse, che oltre ad essere basate sulla medesima melodia, vengono anche suonate contemporaneamente: un minuetto per i personaggi aristocratici, una contraddanza per la *mésaillance* cioè per Don Giovanni e Zerlina e un valzer (il primo ballo considerato eroticamente suggestivo perchè la coppia restava abbracciata per tutta la durata della musica) per Leporello e Masetto. È chiaro che ogni danza comunica il proprio messaggio socio-psicologico, soprattutto il valzer, che presentando un'inversione grottesca dell'elemento erotico, dimostra ancor più chiaramente quanto il povero Masetto burlatore/seduttore proprio non sia, ma burlato.

Quali sono le caratteristiche più innovatrici del nuovo Don Giovanni, personaggio musicale? Come aveva notato anche Kierkegaard, egli è senz'altro l'eroe di tutta l'opera, il fulcro su cui si focalizza l'interesse di ogni altro personaggio [47]. È il nucleo vitale che riesce anche, misteriosamente, a comunicare la propria forza animatrice a tutti gli altri personaggi: un eroe modellato sia sul *burlador/caballero* tirsiano che sul raffinato cinismo di Molière, e tale fusione viene poi incorporata e ampliata dalla Commedia dell'Arte e dal fascino seducente di un gentiluomo settecentesco italiano, quale poteva considerarsi un Da Ponte. Questo Don Giovanni per musica non si dimostra particolarmente abile come seduttore e in fondo, nel corso di tutta l'opera, non seduce che - forse - una delle cameriere di Donna Elvira. Se egli venisse rappresentato come un semplice seduttore, si dimostrerebbe soltanto un astuto e meschino intrigante, ma la musica riesce invece a comunicare continuamente che si tratta di un essere perennemente spinto dal proprio desiderio, che lo incalza a comportarsi in modo seducente. La seduzione di Don Giovanni va quindi compresa e circoscritta entro questo perimetro. Parole e monologhi (lunghe arie) non gli si addicono perchè lo programmerebbero in individuo riflessivo, mentre la potenza del suo desiderio, conferendogli una continua, sensuale energia, viene meglio rispecchiata dal

---

[47] Kierkegaard 118.

tempo veloce e spezzato che caratterizza sempre le arie di questo personaggio sulla scena.

Per Hoffmann invece, il Don Giovanni mozartiano è già soprattutto un eroe audace, pieno di disprezzo sia per la volgarità meschina della vita, a cui si sente superiore, che per la calma e pace di coloro che preferiscono aderire ai dettami della religione.[48] È un personaggio già romanticamente identificato e definito dalla propria *hubris*, e la musica può facilmente assecondare sia la scissione emotiva insita nel personaggio stesso, che il parallelismo umoristico della ripetizione di azione e sentimenti da parte del servitore. Musicalmente Don Giovanni viene quindi definito ed aumentato sia dal *perpetuum mobile* delle sue rapidissime arie, che dalla cadenza sensuale delle serenate e delle arie di seduzione. Ci troviamo di fronte ad un cacciatore dal fiuto finissimo:

Don Giovanni:
"...Zitto, mi par
sentir odor di femmina..."

Leporello:
"Cospetto!
Che odorato perfetto!"

Don Giovanni:
"All'aria sembra bella "

Leporello:
"E che occhio, dico!"[49]

che immediatamente resta affascinato anche sentimentalmente da ogni futura vittima:

[48] Hoffmann 83.
[49] Atto I, Scena 4.

Don Giovanni:
"Udisti? Qualche bella
Dal vago abbandonata. Poverina!
Cerchiam di consolare il suo
tormento"

Leporello:
"Così ne consolò mille ottocento"
Don Giovanni:
"Signorina!" [50]

Com'è facile notare anche dall'esempio appena citato, Leporello, cioè il servitore/maschera, alterna continuamente rime e melodie col suo padrone, intensificando ancor più la simmetria grottesca personaggio/maschera, ereditata dalla Commedia dell'Arte. Tale effetto non è ottenuto soltanto dalla melodia parallela del tema musicale, ma soprattutto dal fatto che Mozart ha scelto voci di baritono per entrambi i personaggi. Vedi ad esempio, tra i tanti duetti alternati o d'insieme tra Don Giovanni e Leporello, la scena (Atto primo, Scena XV) in cui i due si ritrovano dopo lo scambio degli abiti, e padrone e servitore continuano a ripetersi "bravo e arcibravo" a vicenda, in uno specchio linguistico e musicale perfettamente simmetrico, anche se invertito referenzialmente.

La voce tenorile riservata ad Ottavio invece, e la staticità che caratterizza musicalmente questo personaggio il cui stile viene determinato dalla tradizione immota delle pur bellissime arie da Opera Seria che gli sono riservate, rendono questo carattere che canta da Virtuoso e si muove (o meglio non si muove) da Serio sulla scena, musicalmente ridicolo, anche se il libretto gli ha riservato idee nobili di devozione amorosa. Un tenore fisicamente e musicalmente statico nell'espressione melodiosissima della devozione del suo amore, diventa comico quando continuamente raffrontato al ritmo rapidissimo dell'azione e delle arie baritonali dell'eroe protagonista e della sua maschera. Si aumenta così ancor più, con questo conflitto etico, la confusione psicologica tra movi-

---

[50] Atto I, Scena 5.

mento e permanenza, una delle caratteristiche strutturali del mito stesso, già ben identificabile fin dal *Dom Juan* di Molière [51], che ora si può avvalorare anche delle differenze del tempo musicale.

L'altro amante burlato, Masetto, è invece un basso, e questa scelta è di grande aiuto per chiarire musicalmente la situazione, stratificando automaticamente la sociologia delle voci, che può così separare musicalmente i personaggi aristocratici da quelli popolani. Don Giovanni invece, che benché aristocratico è un ribelle sociale (ricordiamo che anche nei canovacci della Commedia dell'Arte faceva *lazzi* sguaiati e non *scene* aristocratiche), anche per Mozart non appartiene musicalmente all'aristocrazia né col tempo delle sue arie (che sono da Buffo e non da Serio) né col timbro della sua voce che essendo egli baritono invece che tenore, è da personaggio tradizionalmente minore. Don Giovanni e Ottavio sono quindi inversione musicale e sociologica l'uno dell'altro, e coll'aiuto della musica tale inversione è ancora più pronunciata dell'altra, vecchia inversione, che aveva sempre caratterizzato il rapporto tra Don Giovanni e il servitore, che hanno invece voci identiche e si fondono ora l'uno nell'altro. Possiamo quindi intuire che con l'avvento della musica, la distanza che ci separa ancora da un Don Giovanni romantico, ribelle e alienato dalla società sua contemporanea, si sta facendo ormai sempre più breve.

Ci troviamo di conseguenza anche di fronte ad una progressiva evoluzione della *burla*, dell'elemento comico del mito che si viene via via modernizzando, diventando sempre più complesso nello sfasamento determinato dall'intervento musicale. *Burla* come segno linguistico viene usato con estrema parsimonia dal librettista Da Ponte [52], mentre ogni azione comica ha sempre un connotato tragico, aumentato ancor più dall'ambiguità musicale della partizione. Ci viene particolarmente in mente la bellissima romanza "Ahi taci ingiusto core", fremente di passione amorosa e di sofferenza, che Elvira canta dal balcone mentre Don

---

[51] Vedi il capitolo precedente.
[52] Atto II. Scena 1: Don Giovanni: "Va', che sei matto: fu per burlar." Leporello: "Ed io non burlo, ma voglio andar." È questa l'unica citazione letterale del termine *burla* (e notiamo che è una burla che finisce male).

Giovanni e Leporello stanno scambiandosi gli abiti, preludio, lo spettatore già intuisce, di una beffa particolarmente crudele che verrà perpetrata nei confronti della povera donna [53].

Tutti i personaggi femminili e non solo Elvira sono grandemente aumentati e nobilitati dalla musica, ed è chiaro che la suddivisione delle arie, come aveva notato anche Rousset, favorisce lo spiegamento e l'espansione delle donne che non sono più soltanto prede indifferenziate o povere innocenti mistificate [54]. La loro confessione cantata strappa i personaggi femminili al semi-anonimato del passato, all'ombra nella quale erano state gettate dalla personalità dominante del libertino, permettendo loro di presentare al pubblico il proprio punto di vista.

Un personaggio che nel passato era stato poco più di un'espressione del sottofondo proletario, ci riferiamo alla pescatrice/pastorella/contadinella, diventa ora un carattere carico di ambiguità. Quale arte ha usato Mozart per togliere a Zerlina la sua natura paesana e per idealizzarla ai nostri occhi: grazia e ricchezza di colori e luci, incanti melodici e note dolci e piene di tenerezza che abbelliscono questa debole e indecisa natura. Come già aveva notato anche Breydert, la melodia del duetto della seduzione ("Là ci darem la mano") [55] era già stata anticipata in alcuni accordi dell'accompagnamento, in altre due situazioni: l'aria del Catalogo e l'aria di Masetto al suo primo arrivo, quando ammonisce i giovani amanti al ballo delle nozze [56]. Questo non è che un esempio della sublime genialità del compositore che, con poche battute, comunica all'ascoltatore attento che la seduzione di Zerlina è ormai senza scampo - come potrà essa evitare di finire nella famosa lista? - il che la trasforma da moglie infedele in vittima. Il tutto viene poi sottolineato dalle piccole interiezioni "Signore, è mio marito... Ma, signor, io gli diedi parola di sposarlo... Mi fa pietà Masetto" con cui essa cerca debolmente di opporsi all'agguerrita persuasione del seduttore aristocratico. E si sa inoltre che gli ammonimenti cantati ai "giovinetti" da Masetto saranno

---

[53] Atto II, Scena 2.
[54] Rousset 154.
[55] Atto I, Scena 9.
[56] Breydert 84-90.

anch'essi inutili e dimenticati. Ma la partizione, abbinando le tre situazioni e riproponendole musicalmente nel momento stesso in cui Zerlina sta per essere sedotta, amplifica e distende il personaggio, rendendolo anche comprensibilissimo da un punto di vista teatrale e umano. L'orchestrazione semplicissima che accompagna con la sua melodia immortale le parole "Là ci darem la mano", come aveva notato anche il Keys, mostra anche, implicitamente, che Zerlina è un personaggio socialmente inferiore[57]. Se Don Giovanni si fosse rivolto ad una dama del suo rango, sarebbe stata infatti indispensabile un'introduzione orchestrale alla romanza, che segue invece immediatamente dopo il recitativo. L'ambivalenza di Zerlina è magistralmente tratteggiata anche dal fatto che benché le sue parole indichino che essa vuole opporsi a Don Giovanni, musicalmente i due sono armonizzati in un duetto. E mentre, in una delle burle linguistiche più azzeccate del libretto, Da Ponte fa accordare Don Giovanni e Zerlina a dirigersi al palazzo di Don Giovanni "a ristorar le pene d'un innocente amor", la presunta innocenza della situazione viene contemporaneamente contraddetta dalla melodia cromatica, sinuosa e sensuale, degli archi.

Le arie amplificano immensamente anche il ruolo di Donna Anna (mentre Gazzaniga non le aveva ancora attribuito nessun'aria importante). Anna, punto di unione tra i due sottomiti del burlatore e dell'incontro con l'aldilà, legame fondamentale tra Eros e Thanatos, diventa adesso il personaggio femminile più importante di tutta l'opera, che può opporsi addirittura a Don Giovanni stesso. È l'eroina che guida le altre vittime del seduttore nel loro pellegrinaggio vendicativo. Un'indole energica, risoluta, forte contro l'avverso destino, una figura nobile e maestosa dal carattere anche eminentemente musicale: figlia amante e disperata, fanciulla violata (anche se si è salvata all'ultimo), e donna intenta a scoprire la verità ed a ottenere la punizione del libertino. Ogni nota che essa canta è un capolavoro di finezza psicologica, in un seguito di bellissime arie che hanno anche sfruttato mirabilmente la prodigiosa versatilità del personaggio.

[57] Keys 201.

139

Quando Anna a metà del primo atto riconosce improvvisamente nel gentiluomo che fino ad allora si era cortesemente offerto di aiutare lei ed Ottavio nella loro ricerca, Don Giovanni, l'uccisore di suo padre, sono gli accordi musicali spaventosi che accompagneranno la statua del Commendatore e che ci avevano turbato fin dall'Ouverture che sottolineano il lamento sdegnato della sua scoperta. Anna è musicalmente la personificazione perenne di tutti gli elementi del mito. È la premonizione della morte, pur nella sua personale scelta di vita e di amore nel sentimento costante che la lega ad Ottavio.

L'idea stessa della morte si stava mutando, alla fine del Settecento. Sappiamo da Philippe Ariès che mentre sia la letteratura che le arti tendevano ad associare la morte con l'amore dal Seicento al principio del Settecento, in un abbinamento di Eros con Thanatos e in un caleidoscopio di temi erotico-macabri, già alla fine del secolo si preannuncia invece una nuovissima interpretazione della morte, vista adesso soprattutto come rottura. Si interpreta la morte come una trasgressione che strappa l'uomo alla sua vita quotidiana e alla monotonia della società razionale, per introdurlo in un mondo irrazionale anche se sublime [58]. Tale mutamento è già avvertibile nel *Don Giovanni* di Da Ponte/Mozart. Abbiamo infatti non solo la funebre Ouverture che dà il tono iniziale all'opera, gettando la sua ombra su tutto il suo svolgimento, ma anche il duello col Commendatore, generalmente in posizione mediana, a partire da Mozart (dopo la coreografia di Angelini per il balletto di Gluck e il *Don Giovanni* di Bertati e Gazzaniga) appare immediatamente, all'inizio dell'opera. Questo fatto ridimensiona tutta la storia del mito, colorandone foscamente gli elementi comici da Dramma Giocoso. È una morte sulla scena che, come aveva notato anche Pestelli, contraddiceva totalmente il gusto metastasiano e francese dell'epoca, e che anche a un livello strettamente musicale cambia totalmente il tempo e si espande in una solennità cosmica [59]. Il melodiosissimo trio dell'agonia del Com-

---

[58] Philippe Ariès, *Western Attitudes Toward Death: From the Middle Ages to the Present,* tr. da P.M. Ranum (Baltimore: Johns Hopkins Univ. Press, 1974) 56-57.

[59] Pestelli 158-159.

mendatore ("Ah, soccorso! ...Son tradito!" "Ah! già cadde il sciagurato"... "Qual misfatto! qual eccesso") [60] musicalmente alternato tra il personaggio morente, Don Giovanni e Leporello, unisce irrimediabilmente fin dall'inizio dell'opera il padre di Anna in punto di morte con il suo uccisore e la maschera dell'uccisore, in un'armonia che avviluppa inestricabilmente di morte la vitalità di Don Giovanni.

Né possiamo scordare che Leopold Mozart, il padre di Wolfgang, era morto anch'egli nel maggio dell'87, proprio quando il figlio stava iniziando a lavorare al suo *Don Giovanni*, mentre il compositore stesso morirà soltanto quattro anni più tardi, all'età di 35 anni. La pacata e serena comprensione della morte da parte di Wolfgang Mozart, come possiamo vedere particolarmente bene dalla lettera scritta al padre malatissimo - addirittura l'ultima lettera tra i due - si riflette anche in questo melodiosissimo trio posto all'inizio dell'opera, dove l'eroe, la sua maschera e l'alter Io morente, si fondono musicalmente in un'unica melodia [61].

Soltanto dopo quest'abbinamento supremo di parole e musica, effettuato nell'opera di Da Ponte/Mozart, il mito potrà cominciare a diversificarsi, passando anche al di fuori del teatro e sfasandosi in altri generi e sottogeneri. Sarà il racconto fantastico di Hoffmann, dove per la prima volta la morte trapassa dalla scena alla vita, in un abbinamento romantico arte/vita che esige che Anna, l'anello tra Eros e Thanatos, muoia anche in realtà, che darà l'avvio a questa nuova diversificazione.

Come per primo ha notato Jean Rousset, il *Don Juan* di Hoffmann, essendo "un *récit* qui raconte une *représentation* de l'*opéra* de Mozart, suivi d'une *méditation* qui est un *essai*, le premier grand essai sur le thè-

---

[60] Atto I, Scena 1.

[61] Il 4 aprile 1787 Mozart scriveva al padre da Vienna: "Ho appena ricevuto una notizia che mi fa molto dispiacere, tanto più che mi era sembrato dalla tua ultima lettera che, grazie a Dio, ti sentissi meglio. Ma ora sento che sei malato davvero... Quando si pensa con chiarezza alla morte, si capisce che essa è il vero scopo della nostra esistenza. In questi ultimi anni ho formato un rapporto così stretto con questa amica, la migliore e la più vera dell'umanità, che la sua immagine non mi fa più paura, anzi mi rassicura e mi consola. E ringrazio Dio per avermi offerto l'opportunità di capire che la morte è la chiave che apre la porta alla vera felicità".

me" aprirà il mito anche a questi tre campi: la musica, la meditazione filosofica, e la narrativa poetica [62]. Ogni forma seguirà poi, nei secoli futuri, il suo particolare dinamismo, sia frangendosi ancor più e sfasando il mito in musica esclusivamente sinfonica, che ricostituendosi di nuovo ed abbinando insieme la poesia con la narrativa filosofica. Questo quindi il corso aperto al mito dall'opera mozartiana e dal primo racconto ad essa ispirato, la narrazione fantastica di Hoffmann. I nuovi generi e sottogeneri continueranno a moltiplicarsi nei secoli futuri, fino ai nostri giorni, mentre la fabula si aprirà a nuovi indirizzi artistici e teatrali che, col passare del tempo, si snoderanno sempre più audaci e diversificati.

[62] Rousset 16-17 e altrove.

CAPITOLO VII

LA REDENZIONE DI DON GIOVANNI

Sulle prime il racconto "Don Juan" di E.T.A. Hoffmann non fa particolare impressione. Privo di azione ed assai più corto degli altri racconti fantastici, segue brevemente il monologo epistolare del narratore, un viaggiatore musicofilo che passa poche notti in una locanda, legata da una misteriosa porticina ad un contiguo teatro. Quella sera si rappresenta il *Don Giovanni* di Mozart, ed il nostro viaggiatore ha un incontro fortuito con Anna, donna e personaggio, nel palco comunicante tra locanda e teatro. È un momento magico, nel quale l'essenza stessa della musica mozartiana gli viene rivelata, in questa comunicazione subliminale e parapsicologica che gli permetterà perfino di intuire, nel rinnovato apparire onirico del profumo della donna, il momento in cui la cantante, poche ore dopo, morirà, travolta dalla propria passione.

Una storia, come possiamo ben vedere, pienamente romantica e priva di novità particolarmente rivoluzionarie. Se seguiamo con attenzione la lettera con cui questo viaggiatore/musicologo narra l'accaduto all'amico Theodor (Gottlieb von Hippel), vi troviamo però una particolare interpretazione dell'opera che negli anni futuri finirà per imporsi, conferendo una nuova e diversa angolatura all'evoluzione romantica della fabula di Don Giovanni.

Si può perfino dire, ed è stato infatti notato da vari critici [1] che la leggenda di Don Giovanni può essere divisa in due fasi, separate proprio da questo racconto fantastico di solo 5 pagine. Se Molière aveva infatti

---

[1] In particolare vedi Leo Weinstein, *The Metamorphoses of Don Juan* (Stanford: Stanford U. Press, 1959) 67.

già tratteggiato il suo personaggio Dom Juan come un idealista sui generis, sia amorale che perennemente attratto dal proprio rinnovarsi in ogni nuovo amore, in Hoffmann abbiamo adesso per la prima volta un autore innamorato addirittura degli aspetti demonici del suo eroe.

Molti furono quei Romantici incantati dal fascino satanico, in un processo che Mario Praz traccia dal Marino per poi arrivare al massimo del rigoglio nei personaggi Byroniani[2]. Ma, come ci fa notare con ragione Weinstein, tale parallelo si denota sfasato perché il Don Juan di Hoffmann, benché ribelle all'autorità divina, non si profila come vero e proprio alleato di Satana quanto come ribelle soltanto *per sé*, in nome della propria completa libertà di pensiero. Il Don Juan di Hoffmann è più propriamente un idealista deluso, ribelle contro chi lo ha tradito, cioè Dio e la società: Dio che gli ha dato una natura insaziabile di desiderio, e la società che si dimostra incapace di soddisfare tale desiderio.

È questa un'interpretazione rivoluzionaria dell'eroe che se anche era nell'aria, venne però più compiutamente delineata dall'immaginazione fantastica dell'autore, anche a causa della sua profonda sensibilità musicale. Hoffmann, grande ammiratore di Mozart, era infatti egli stesso un rinomato compositore sinfonico ed operistico, che aveva addirittura cambiato il proprio secondo nome da Wilhelm in Amadeus, in omaggio al suo ammiratisimo Wolfgang Amadeus Mozart[3].

Il suo racconto fantastico "Don Juan" si enuclea quindi come una recensione dell'opera mozartiana ed un saggio musicale, scritto astutamente in prima persona. Hoffmann ha fatto del suo eroe un personaggio mistico che incarna contemporaneamente i sogni del suo autore e l'anelito romantico verso l'infinito e verso un inarrivabile divenire. In questa lettera immaginaria al suo amico Theodor, il narratore trasforma il significato dell'opera di Mozart, e scoprendovi fin dall'Ouverture una profondità ed un infinito che né il musicista settecentesco né il suo li-

---

[2] Mario Praz, *The Romantic Agony*, tr. in inglese da Angus Davidson (Londra: Oxford U. Press, 1933) Cap. II (in Weinstein 73).

[3] Per questa ed altre notizie biografiche su Hoffmann, vedi Harvey W. Hewett-Thayer, *Hoffmann Author of the Tales* (Princeton: Princeton U. Press, 1948).

brettista Da Ponte vi avevano forse ideato, interpreta l'opera come un simbolico conflitto tra la vita umana e il potere infernale. Gli appare quindi come un contrasto tra forze opposte che nella loro polarità si combattono e si attirano.

Passando attraverso la misteriosa porta nascosta da una tappezzeria, il narratore è penetrato nel palco n. 23, il palco simbolicamente attribuito ai forestieri della locanda. Qui si inizia il suo viaggio segreto nel mondo della musica. Mentre gli altri ospiti della locanda si esprimono con commenti superficiali e ridicoli, in un chiacchiericcio che lo snerva terribilmente ("... bisognerebbe moderarsi di più sulla scena, Donna Anna era troppo passionale e benché fosse senza dubbio una gran bella donna italiana, era trascurata nella persona ed addirittura spettinata..."), colui che invece ha saputo aprire la porta misteriosa di comunicazione tra la locanda (la vita di ogni giorno) ed il teatro, è il solo capace di intuire il divino messaggio dell'opera. Il narratore penetra così l'essenza stessa del mito, nell'espressione musicale del suo archetipo. "Sento i recitativi come furono ricevuti dal divino maestro, e come li ha trasmessi... la natura ha dato a Don Giovanni tutti i doni che avvicinano l'umanità all'essenza divina... e non c'è niente al mondo che innalzi l'uomo più dell'amore, la cui influnza immensa e misteriosa illumina il nostro cuore, portandovi allo stesso tempo estasi e chaos." [4]

L'interpretazione dell'opera da parte di Hoffmann venne criticata aspramente nell'800. Furono soprattutto i primi biografi di Mozart a rifiutarne l'apporto ma, con maggior misura, anche molti musicologhi di questo secolo si mostrano piuttosto scettici, e si è accusato Hoffmann di aver generato l'incomprensione ottocentesca per il *Don Giovanni* di Mozart, avvallandone la popolarità in Germania sulla base di un malinteso [5]. Il racconto fantastico viene quindi interpretato da molti critici come una fantsia che non è che "una cornice brillante tutta fregi e intarsi

---

[4] E.T.A. Hoffmann, *Contes Fantastiques*, tr. in francese da Loève-Veimars (Parigi: Flammarion, 1964) Vol. II, 76-83. (Traduzione italiana dell'autrice).
[5] Alfred Einstein, *Mozart, his Character*, his Work, tr. da Arthur Mendel e Nathan Broder (Londra: Oxford Univ. Press, 1945/1961) 439 e soprattutto 470.

ad un quadro immaginario... uno studio di caratteri (che) fu invece una fantasia su fantasmi", come dice Farinelli, concordando pienamente con Ellinger[6].

Pur essendo d'accordo con questi commenti, non possiamo però fare a meno di notare, con Giovanni Macchia, che anche se di tutte queste idee "in Mozart sia assai poco", ciò non di meno "Hoffmann è partito da Mozart per dare anima a un mito"[7]. Si è quindi creato un modello che ha esercitato una profondissima influenza sugli ulteriori sviluppi della fabula, effettuandone in particolare uno sfasamento quasi immediato dal teatro al poema e alla narrativa filosofica, originato proprio in questo racconto.

Pur non volendo esaminare le varie trasformazioni nei sottogeneri appena ricordati, che non verranno trattate in questo volume dedicato unicamente al mito di Don Giovanni nel teatro, non possiamo però passare sotto silenzio quei mutamenti generati dal racconto di Hoffmann che altereranno la struttura stessa del mito. Nello sfasamento da teatro a *récit*, come ci fa ben notare J. Rousset, non si effettua soltanto un cambiamento del genere, ma anche di forma e addirittura creativo[8]. Dal narratore invisibile o meglio mascherato dello spettacolo teatrale, si passa nel *récit* alla voce narrante in primo piano, che controlla tutti i personaggi. Al destinatario multiplo e simultaneo del messaggio teatrale si sostituisce un narratario semplice, un lettore, con il quale il narratore può istituire una comunicazione diretta anche se narrata, che può esprimersi o indirettamente o in modo palese nel testo. Cambia anche l'ordine temporale perché dal presente ubiquo del sistema drammatico si può agilmente passare a qualunque forma temporale, perché la polivalenza dello strumento narrativo, se privilegia il passato, si presta anche a ogni forma di anacronismo, dalle distorsioni alle traslazioni, mentre anche la

---

[6] Vedi a questo proposito Georg Ellinger, *E.T.A. Hoffmann: Sein Leben und seine Werke* (Amburgo: L. Voss, 1894) 83 e segg. Vedi anche Arturo Farinelli, *Don Giovanni* (Milano: Bocca, 1946) 191-192.

[7] Giovanni Macchia, *Vita, Avventure e Morte di Don Giovanni* (Torino: Einaudi, 1978) 48.

[8] Jean Rousset, *Le Mythe de Don Juan* (Parigi: Colin, 1978) 48.

funzione referenziale concreta della scena si traduce ora in spazio immaginario. Alla polifonia simultanea teatrale si sostituisce la monodia letteraria, anch'essa spesso portavoce dell'autobiografismo emotivo, che è una delle caratteristiche del racconto romantico in prosa o in poesia. Dopo il racconto fantastico di Hoffmann le versioni non teatrali del mito, da romanzi a novelle, a poemi... a poemi sinfonici, sono numerosissime, e formano una particolare metamorfosi del mito di Don Giovanni, enucleatasi proprio nel Romanticismo[9].

Cosa avviene all'eroe Don Giovanni, nell'intepretazione romantica iniziata dal racconto fantastico di Hoffmann? Come avevamo già notato, il personaggio si riveste immediatamente di una bellezza affascinante e mefistofelica: l'eroe drammatico assorbe in sé l'umanità dell'attore, non diversamente da ciò che avviene anche all'energia femminile immanente ed opposta, cioè Anna. Hoffmann arricchisce l'eroe mozartiano di una nuova caratteristica, elevandolo a amante irresistibile. Se nel passato le donne avevano perseguitato l'eroe soprattutto per costringerlo ad adempiere al contratto matrimoniale e per vendicarsi della sua infedeltà, abbiamo adesso un amante la cui abitudinaria fuga/volo da donna a donna viene per la prima volta motivata non dalla propria vanità sessuale, ma da una perenne ricerca della *Donna Ideale*. Legato all'inseguitore di un ideale, Hoffmann ritrae il frustrato, il *révolté* che, deluso nelle sue speranze e illusioni, si scaglia contro Dio e contro gli uomini. Per la prima volta, con l'aiuto del narratore invece del referente fisso scenico, possiamo conoscere anche l'apparenza fisica dell'eroe, la vastità della sua cultura, e ci viene addirittura spiegato *perché* egli sia come è.

Mutata è soprattutto l'attitudine del narratario e del pubblico nel giudicare le azioni del personaggio. Invece del susseguirsi di azioni sceniche, abbiamo ora la voce narrante che spiega il motivo dietro le azioni. Si tralascia completamente il connotato religioso della leggenda spagnola per drammatizzare ed offuscare l'immagine del libertino in un'interpretazione cerebrale di seduttore fatale. Il tormento per la mancata con-

---

9 Vedi, per esempio, il *Don Juan di Byron* (1819-1824); *Namouna* di de Musset (1832); *Les Ames du Purgatoire* di Mérimée (1834); il *Don Juan* di Lenau (1844), e quello di A.Tolstoj (1862).

quista del proprio ideale viene visto contemporaneamente anche come una perenne opportunità ciclica che può sempre rinnovarsi. Don Giovanni diventa quindi un personaggio che vive il conflitto insito nell'uomo tra Dio e il Demonio, tra la passione e l'insoddisfazione. Ogni donna conquistata ed abbandonata diventa così un audace insulto alla natura umana ed al suo creatore.

L'esegesi del Don Giovanni di Hoffmann fu come una ventata d'aria fresca e particolarmente necessaria per l'evoluzione o meglio la sopravvivenza del mito, e questo soprattutto per due ragioni: si introduce una nuova interpretazione dell'eroe e della sua storia e ci si accorda anche con il nuovo pensiero dei giovani romantici. Si ingrandisce quindi Don Giovanni mentre si ridicolizza la moralità di Ottavio, che già nel racconto di Hoffmann diventa "un ometto manierato, ben abbigliato e rileccato". La statua del Commendatore ed il servitore, che nel passato avevano rappresentato l'uno la giustizia divina e l'altro le ammonizioni del buon senso, vengono relegati in una posizione totalmente minore o addirittura eliminati. Il tradizionale secondo sottomito (la punizione dell'eroe per mezzo dell'emissario celeste) svanisce quindi, di fronte al seduttore. Nello sviluppo di questo nuovo filone, il triunvirato dell'opposizione maschile (Ottavio, la statua e il servitore) si abbasserà sempre più, mentre Don Giovanni verrà innalzato a indicibili altezze.

Le *burle* di Don Giovanni si evolvono con Hoffmann in vittorie sulla volgarità e banalità della vita, mentre la passione del personaggio stesso si comunica ad Anna che diventa una donna ardente, tormentata da un pathos che la divora e che accomuna il personaggio con la cantante, in una passione che trapassa dall'erotismo all'estasi musicale e, in una fusione di estasi e morte che tocca e distrugge l'attrice ed il personaggio, si sopprime la creazione scenica come la creazione narrativa.

Notiamo che Kierkegaard ed Hoffmann sono al polo opposto nella loro intepretazione di Donna Anna nell'opera mozartiana, perché mentre il primo la considera insignificante, per Hoffmann essa è indubbiamente il personaggio femminile principale [10]. La corta narrativa di Hoff-

[10] Soren Kierkegaard, "The Immediate Stages of the Erotic or the Musical Erotic", *Either/Or*, tr. da David F. Swenson and Lillian Marvin Swenson (Princeton, Prin-

mann rinnova quindi la leggenda, che nel diciassettesimo e nel diciottesimo secolo era apparsa soprattutto come un sistema irreligioso e immorale, come filosofia di vita egotistica ed antisociale. Dalla Spagna all'Italia e alla Francia, tutte le versioni del mito, abbiamo visto nei capitoli precedenti, si mantenevano piuttosto uniformi, ma tale uniformità della fabula sparisce per sempre a partire dal XIX secolo, mentre il mito si sviluppa in filoni sempre più filosofici nel Nord Europa, soprattutto in Germania, e sempre più cristiano cattolici nel Sud, principalmente nelle versioni spagnole.

In Spagna il nazionalismo romantico incoraggia la riscoperta e la rivalorizzazione dei drammi del *Siglo de Oro*, tanto disprezzati dal classicismo del secolo precedente. Ma il *Siglo de Oro* viene ora rivalutato sotto l'influenza del Romanticismo straniero; abbondano quindi le *refundiciones* secentesche, reinterpretate in chiave romantica, tra cui il *Don Juan Tenorio* di Zorrilla, riadattamento del *Burlador* di Tirso. In Germania nasce invece la concezione di un Don Giovanni al di sopra dell'amore sensuale, il quale vuole ora conquistare una bellezza perfetta, concepita dall'immaginazione e cercata penosamente e invano attraverso tutte le incarnazioni terrestri di donna. Gli autori romantici tedeschi, nel rinnovato mito di Don Giovanni, trovano particolarmente ripugnante l'ideale classico dell'*honnête homme* o anche del filosofo, e preferiscono introdurre il nuovo modello del Poeta/Vate, in cerca di un ideale. Nel caso di Don Giovanni tale ideale viene rappresentato dalla donna elusiva e perfetta. È la psicologia dell'eroe e non più le sue azioni che interessano, nel proseguimento di una traccia che era stata già suggerita da Molière. Si crea quindi l'astrazione del tipo che simboleggia la teoria e la filosofia dell'amore: un insieme di aneliti fisici, morali e spirituali che per la prima volta trovano una spiegazione ed una formula. La moda dell'esotismo, in particolare di quello spagnolo ed italiano, incoraggia anche fuori della Spagna la rinascita del mito nel teatro, mentre la donna ideale amata da Don Giovanni finisce spesso per essere l'unico

ceton Univ. Press, 1971) Vol. I, 45-134. Kierkegaard s'interessa esclusivamente di Zerlina ed Elvira, ignorando completamente Anna.

personaggio femminile dei drammi, donna trovata sempre troppo tardi dal libertino, a cui ormai non resta che convertirsi da *débauché* in amante mistico.

L'amore non è soltanto esaltato ma spesso elevato al livello di religione mistica. La letteratura romantica esalta l'amore in tutte le sue forme: da casto ad adultero, da appassionato a superficiale, in un tormento di passioni che possono far diventare Don Giovanni sia amante elegiaco, che tormentato o tragico. L'amore non è quindi tanto per le donne quanto per il sogno inattualizzabile di donna. La passione romantica redime Don Giovanni, mentre si esalta l'eroe in un recupero di passione redenta o demonica, che il Romanticismo impone ormai apertamente alla leggenda. L'eroe diventa il compagno di Faust come di Werther, e l'originale ribellione contro l'autorità codificata, la sua rivolta contro Dio e contro la signoria paterna, perdono adesso il loro connotato criminale, in un'esaltazione dell'individuo a spese della società che si sfasa in derisione per il mondo borghese. Le regole della società sono ormai soltanto un ostacolo alla libertà poetica della fantasia e dell'immaginazione.

L'ermeneutica romantica del mito si enuclea quindi in un bivio metafisico. Da una parte abbiamo un eroe di matrice nordico/protestante, il quale si dimostra sempre più astratto nel suo distaccato tormento mistico. I grandi miti che dominano la generazion del 1830, ci ricorda Gendarme de Bévotte, sono proprio Faust e Don Giovanni che, in questa interpretata alienazione metafisica, vengono spesso accomunati nella medesima tragedia e identificati l'uno con l'altro [11].

La vena spagnola prende invece in considerazione soprattutto la componente erotica del mito, purificandola sempre più per influsso dell'ascendenza spirituale che la rende ormai sublime. Tale concezione si basa soprattutto sulla teoria cattolica della purificazione e del riscatto dei peccatori attraverso la propria sofferenza e le preghiere dei santi. È questo un filone che risente anche di quel senso un po' vago di religiosità mistica e sentimentale che rappresenta una delle tante sensibilità dell'animo romantico.

---

[11] Georges Gendarme de Bévotte, *La Légende de Don Juan (Du Romantisme à l'époque contemporaine)* (Parigi: Hachette, 1911) 6

Particolarmente ambizioso è il tentativo, da parte di diversi autori, di abbinare i miti di Faust e di Don Giovanni nello stesso dramma. Come abbiamo già ricordato, fin dal racconto fantastico di Hoffmann si era indirizzato Don Giovanni sempre più in direzione demonica, arricchendo l'idealismo erotico e metafisico dell'eroe ed imponendogli una componente intellettuale. Se un Don Giovanni in cerca della sua donna ideale può, in questa sua ricerca dell'assoluto, ricordare superficialmente Faust, quest'ultimo, coll'episodio di Margherita che suggerisce a suo modo la seduzione di una fanciulla innocente, può anch'egli ricordare Don Giovanni. A questi aspetti forse superficiali, possiamo anche aggiungere l'apparenza soprannaturale del personaggio, oltre al duello con il padre/fratello della fanciulla sedotta. Ma la vera tentazione di accomunare questi due giganti letterari in una stessa opera, la si trova soprattutto nella quantità di facili antitesi che oppongono il Grande di Spagna al Mago germanico come esempi contrastanti di filosofia e di vita: l'effervescente latino Don Giovanni, nato sulla costa mediterranea e creato dalla teologia cattolica, il quale, nella propria *joie de vivre* e ricerca dei piaceri sensuali, contrasta il nordico Faust, grave e ponderoso prodotto del protestantesimo germanico, sempre teso nel raggiungere l'esperienza assoluta dell'intelletto umano. Sia Faust che Don Giovanni si dimostrano trasgressori dei limiti imposti all'esistenza umana, uno nella ricerca del frutto proibito del sapere infinito, l'altro in quella dei piaceri peccaminosi della carne: ambedue pieni di disprezzo per le leggi umane e avidi di sempre maggior potere e conquista [12].

Da un'iniziale associazione delle due leggende si passa ben presto alla loro fusione, soprattutto in Germania dove tale abbinamento era avvenuto perfino nel teatro dei burattini, con il servitore Hans Wurst che, in innumerevoli *Puppenspiele*, recitava contemporaneamente la parte del valletto di Faust e di Don Giovanni [13]. Tale unione fa risentire le sue influenze, più o meno subliminalmente, anche fuori dalla Germania, perché condiziona anche l'interpretazione russa del mito, come si può

---

[12] Gendarme de Bévotte, *Du Romantisme* 2.
[13] Georges Gendarme de Bévotte, *La Légende de Don Juan (Des Origines au Romantisme* (Ginevra: Slatkine, 1906/1970) 412.

vedere nel *Convitato di Pietra* di Pushkin (1830) e, soprattutto, nel poema drammatico *Don Giovanni* di Aleksey Tolstoy (1862).

Fu uno degli epigoni dello *Sturm und Drang*, un conte Benzel-Sternau che per primo si interessò nella fusione dei due miti, ma in Germania, più o meno coscientemente, si prestava da secoli a ciascun eroe il carattere ed i sentimenti dell'altro [14]. Anche il Faust di Goethe, del resto, esprime con molta chiarezza il proprio dualismo psicologico:

> "Dentro il cuore, ah, mi vivono due anime
> e una dall'altra si vuole dividere.
> L'una, in sua dura avidità d'amore,
> si stringe con tenaci organi al mondo,
> potente l'altra dalla polvere si leva
> ai campi ermi degli avi [15].

Se abbiamo quindi diversi autori, da Benzel-Sternau a Vogt [16], che abbinano i due miti, o poeti come Lenau che compongono il loro *Don Juan* subito dopo avere scritto un *Faust* [17], l'unione più originale si presenta nel *Don Juan und Faust* di Christian Dietrich Grabbe, una farsa in cui s'intrecciano filosofia, intrigo comico e dramma eroico. Le passioni titaniche vengono rappresentate sulla scena in maniera volutamente comica, in questo dramma che è stato definito come "grandioso, geniale e pazzo, sublime e triviale come tutto quello che produsse questo poeta dalla squilibratissima fantasia." [18]

Nell'Ottocento l'interesse per la vita privata di Grabbe fu così feroce

---

[14] Gendarme de Bévotte, *Des Origines* 421.

[15] J.W. Goethe, *Faust*, tr. e a cura di Franco Fortini (Milano: Mondadori, 1988) Vol. I, 87.

[16] Benzel-Sternau, *Der steinerne Gast, eine Biographie, von dem Verfasser des Golden Kalbs* (1808); Nicholas Vogt, *Der Farbenhof oder die Buchdruckerei in Mainz* (1809).

[17] N. Lenau, *Don Juan*, poema drammatico pubblicato nel 1844 e *Faust* (1833-1834). Al *Don Juan* di Lenau si ispirò R. Strauss per il suo poema sinfonico omonimo (Op. 20).

[18] Farinelli 197.

che finì quasi per far dimenticare i suoi scritti. Per molti suoi contemporanei, Grabbe fu soprattutto il tipico poeta dissoluto, incapace di adeguarsi alla società sua contemporanea, un alcolizzato che finì autodistrutto dai propri eccessi. Su di lui vennero scritti innumerevoli drammi e romanzi, lavori ispirati soprattutto a quella sua vulnerabile sensibilità, sempre nascosta dietro la volgarità aggressiva e violenta del poeta [19]. Il carattere pessimista e violento guastò tutte quelle amicizie che il suo fascino di *enfant terrible* del mondo letterario gli aveva procurato, in un'ambivalenza di attrazione e repulsione che aveva ritardato, tra l'altro, anche la pubblicazione delle opere teatrali fino al 1827, dopo anni e anni che venivano mandate invano agli editori [20].

Il *Don Juan und Faust*, anch'esso scritto nel '27 ma pubblicato l'anno seguente, è l'unico dramma di Grabbe che venne prodotto, diverse volte, mentre il suo autore era ancora in vita, ed è sempre rimasto il suo lavoro più conosciuto. È una tragedia (così viene definita da Grabbe, anche se in realtà si tratta di una tragicommedia) estremamente antisentimentale, che non biasima, accusa o ama nessuno dei suoi personaggi. "Con la stessa voce tonante io vi rispondo: No!", sembra sia anche la risposta finale del commediografo al suo universo, come quella del suo Don Juan alla statua del Commendatore [21]. Grabbe stesso spiega in una lettera al suo editore la ragione del proprio interesse nella fusione delle due leggende: "... due tragiche leggende... una che simbolizza la caduta della natura umana sensuale, l'altra la caduta della natura ipertrascencendentale." [22]

---

[19] Quest'avida curiosità per la vita personale di Grabbe può forse essere attribuita alle polemiche che infuriarono subito dopo la pubblicazione della prima biografia dell'autore: *Grabbe* di Eduard Duller (Düsseldorf: Schreiner, 1838), un'opera estremamente soggettiva, basata principalmente sulle rivelazioni della moglie

[20] Per proseguire su queste linee di ricerca, vedi Roy C. Cowen, *Christian D. Grabbe* (New York: Twayne, 1972). Vedi anche A.W. Hornsey, *Idea and Reality in the Dramas of Christian Dietrich Grabbe* (New York: Pergamon, 1966).

[21] Christian D. Grabbe, *Don Giovanni e Faust*, tr. e a cura di Enrico Groppali (Genova: Costa & Nolan, 1986) 90.

[22] Da una lettera al suo editore citata in Cowen 82-83. (Traduzione italiana dell'autrice).

È una tragedia che è stata spesso giudicata mal centrata, anche a causa della strana divisione in quattro atti [23], e dell'unico e cortissimo episodio (poco più di 50 righe) in cui i due eroi Faust e Don Juan, si affrontano finalmente sulla scena [24]. Accettata però la precarietà strutturale inevitabile, si nota anche subito che Grabbe si dimostra abilissimo nel mantenere l'interesse costante del suo pubblico per le storie parallele dei due protagonisti. Il realismo spagnolo di Don Juan è brutalmente comico nel suo continuo raffronto coi ponderati ideali del germanico Faust. Grabbe fa di tutto per distruggere continuamente l'illusione dell'amore romantico, dall'immediato recupero con cui Don Juan, dopo la morte di Anna si slancia verso nuove conquiste ("La morte di Anna ... suscita in me un cocente rimpianto. Ma drizzo le vele e riprendo la rotta col vento nuovo! Non ci sono almeno mille belle donne ancora nel mondo? Perché amareggiarmi per una sola?") [24], allo stupore con cui Faust apostrofa la stessa Anna, dopo averla appena uccisa, scusandosi per non averla trattata con maggior gentilezza [25].

Se il tema fondamentale dell'opera è la diversa "sete insaziabile" [26] di entrambi i protagonisti, tema del resto estremamente comune anche ai poeti dello *Sturm und Drang*, è questa una sete contemporaneamente comica e nihilistica, il che rappresenta invece un elemento estremamente originale. Il mondo del *Don Juan und Faust* è un mondo futile ed ambiguo, governato da una forza demonica chiamata Ombra, il cui dominio sorpassa sia il volere divino che quello satanico, ed il cui principio regolatore dell'universo si basa sul Chaos, mentre ogni avvenimento viene determinato unicamente dal caso. In un clima stranamente pre-pirandelliano, ogni personaggio recita secondo un codice fisso esteriore nel proprio perenne giuoco linguistico: Faust impersona colui che cerca Dio, Don Juan rappresenta le gioie sensuali della vita, Anna la

---

[23] Ricordiamo che le tragedie vengono sempre divise in un numero dispari di atti (tre o cinque), per permettere la classica sequenza aristotelica dello sviluppo di azione, acme tragico e conclusione.

[24] Grabbe 85-86.

[25] Grabbe 81.

[26] Grabbe 32

virtù e Gusman, suo padre, l'onore. Nessun personaggio può muoversi al di fuori del proprio perimetro simbolico per la proibizione, insita nel personaggio stesso, di contraddire il proprio ristretto codice morale, linguistico ed esistenziale.

Le azioni di Don Juan, strettamente modellate sul libretto di Da Ponte, non si oppongono mai totalmente a quelle di Faust, anch'esse del resto assai vicine al poema di Goethe, perché i due eroi più che antagonisti sono da vedersi come biforcazioni del medesimo principio attivo di un universo che sta progressivamente perdendosi nell'oblio della più borghese banalità. In una superficiale opposizione di Nord/Sud - Protestantesimo/Cattolicesimo - tragedia/commedia, si estrinseca soprattutto quella che Karl Gutke ben definisce come la "tecnica del riflesso", dove sia Faust che Don Giovanni recitano lo stesso ruolo identico ma opposto, parodiando e smitizzando l'uno per l'altro il codice sovrumano della sensualità o dell'intelletto [27]. Ognuno funge da satira per l'altro, in un giuoco linguistico mai spiegato palesemente, che il pubblico deve decodificare continuamente per conto proprio. Se Don Juan favorisce le metafore della fame (dal cibarsi di baci, al dire che si ama Dio godendo la vita come si complimenta un cuoco godendone il cibo), Faust favorisce invece la sete mortale mai appagata del sapere universale, in una simmetria parallela quanto rispecchiata di pane e vino. Faust è l'ultimo sognatore, ma Don Juan è senz'altro il primo realista, e mentre ciascun personaggio continua ad esistere entro il perimetro del proprio codice linguistico, come nel *Dom Juan* di Molière anche in questo caso l'eroe Don Juan è l'unico personaggio conscio del giuoco linguistico a cui tutti i personaggi, lui compreso, sono soggetti.

Dalla scissione paradigmatica referenziale del proprio amore: "Maledizione!" (Don Giovanni ed Anna sono stati interrotti da Ottavio) "Stavo andando a gonfie vele. Dalle labbra parole e immagini mi uscivano a getto continuo" [28], al disprezzo con cui ascolta di nascosto le parole di

---

[27] Karl S. Gutke, *Geschichte und Poetik der deutschen tragikmödie* (Gottingen: Vandenhoeck & Ruprecht, 1961) 197-207.
[28] Grabbe 45.

Ottavio: "È un peccato che questi esseri non possano essere sostituiti da macchine che adempiano alle stesse funzioni, in casa e in chiesa, nei campi e a letto" [29], l'eroe si mostra sempre estremamente consapevole delle proprie metafore. Gli altri personaggi ne sono invece schiavi inconsapevoli, a partire da Anna che risponde alle vuote parole d'amore del fidanzato Ottavio ripetendo l'ultima parola di ognuna delle frasi di lui, come un'eco assurdamente apatica. In un disprezzo che riduce tutti i sistemi codificati della società (matrimonio, onore, patriottismo, cavalleria, pace e guerra) al loro segno linguistico, Grabbe satirizza continuamente l'idealismo di tutti i valori romantici. Egli ha creato un Don Juan che insegue il suo ideale femminile soltanto per evitare l'*ennui*, sentimento ben noto a tutti gli ex idealisti del tempo. Anche Don Juan non vive ma, unico in tutta la tragicommedia di Grabbe, *sa* di non vivere, mentre gli altri automi prendono il loro codice esistenziale/linguistico terribilmente sul serio. Chiaramente Grabbe per primo intuì il filone totalmente assurdo che opererà tanta importanza nello sviluppo del mito nel nostro secolo, da Rostand a Anouilh, Frisch e tanti altri autori contemporanei. La conquista della donna (e in questo caso abbiamo un unico personaggio femminile, Anna, amata da entrambi i protagonisti), rappresenta un'altra delusione perchè costringe Don Juan a concludere temporaneamente il ciclo della seduzione, una delle tante illusioni che, come l'onore e il patriottismo, egli ha creato e coscientemente interpretato come tale.

Se Don Juan manovra parole ed immagini, Faust ne è invece completamente schiavo, mostrandosi anch'egli, come Ottavio, un pedante radicato nei sistemi codificati. Se il Faust di Goethe era riuscito a superare le restrizioni della lingua con l'aiuto dello Spirito ("In principio era la Parola. Eccomi già fermo. Chi m'aiuta a procedere? ... mi darà giusto lume lo Spirito. M'è impossibile dare a *Parola* tanto valore... In principio era il *Pensiero*... era l'*Energia*... era l'*Azione*" [30], il Faust di Grabbe, parodiando tale concetto, fa perfino dire all'emissario celeste: "Voi pensate

[29] Grabbe 47.
[30] Goethe 95.

solo a ciò che potete tradurre in parole... Nebbia, solo nebbia! Tutto ciò
che non si parla è privo di senso,... è patrimonio dell'illusione."[31]

Pensieri e passioni sono completamente congelati per l'eroe Faust,
che si è fatto creare un magnifico palazzo da Mefistofele sui picchi nevosi
più alti del Monte Bianco, e che, con orripilato stupore, finisce con lo scoprire che perfino l'emissario del Diavolo non conosce la risposta ai misteri
dell'universo. La vera tragedia del Faust di Grabbe era nell'aver creduto
nel potere sia della parola che della propria intelligenza. È questo un ruolo forse ancora più difficile da obliterarsi della fedeltà codificata e borghese di un Ottavio, della virtù sterile di Anna o dell'onore suicida di Gusman, il quale finisce addirittura sepolto nella bara dell'onore. Anche il
complesso codice linguistico e filosofico di Faust viene completamene distrutto dal suo autore, che riduce questo personaggio a un livello spietata-
mente comico per mezzo del cerebralismo assurdo di tutte le sue filosofiche declamazioni.

Particolarmente originale è il personaggio di Anna, unica donna di
tutta la tragicommedia, corteggiata e amata da entrambi i protagonisti,
uno dei quali, Faust, finirà per ucciderla nella frustrazione del proprio
amore non contraccambiato, prima di seguirla nella tomba, insieme alla
propria nemesi, Don Juan. Nonostante il suo professato amore per Don
Juan, Anna si aggancia sempre a norme di condotta prive di vita: le sue
parole esprimono soltanto luoghi comuni, mentre essa finisce perfino
per rifiutare l'amore del suo Don per non essere obbligata a separarsi
dalla rigida e codificata idea del proprio Io. Nella patetica e stanca descrizione del rapporto disamorato che essa ha col marito, da vivo e da
morto. "Non so difendermi dall'amore ma voglio proteggere il mio onore"[32], Anna continua a ripetersi come un'eco senza senso, e l'immagine
che Grabbe suggerisce dell'incontro di Anna ed Ottavio in Paradiso
sembra talmente sterile, che non stupisce che Don Juan preferisca l'Inferno.

Nella società priva di vita descritta da Christian Grabbe nel suo *Don*

[31] Grabbe 49.
[32] Grabbe 44.

Juan und Faust, anche i servitori echeggiano assurdamente il lato più negativo dei personaggi aristocratici. Leporello, il solo che riesca a conquistare una donna (Lizette, la zegna di Anna, con una serenata a base di mosche, insetti, buzz buzz e zum zum che vuole ricordarci il mondo della Commedia dell'Arte), in tutte le sue azioni si mostra ancora più malandrino del suo padrone. La tragicommedia di Grabbe si conclude quindi con una puntata particolarmente negativa. Abbandonando sia il consueto urlo di sgomento e di rabbia per la perdita del salario [33], che il più pacato "Ed io me'n vado all'osteria a trovar padron migliore" dell'opera mozartiana [34], l'autore tedesco favorisce per Leporello una morte tragica ancora più drammatica di quella del suo padrone, in una grafica rappresentazione di fiamme infernali che lo ingolfano.

In un nihilismo linguistico non meno tremendo per il suo sottofondo comico, Grabbe, come giustamente nota Harris [35], presenta un Satana in preda a maggiori dubbi ed ansietà dello stesso Faust ("dubbi dell'anima che travolgono i sensi ed il pensiero") [36]. Sia Satana che Dio non possono che essere illusioni: "Lui voleva l'arbitrio assoluto e lo volevo anch'io," dice Satana "lui si serviva di mezzi illeciti, io agivo allo scoperto. Lui, le catene, le chiama *Amore* e quanti sciocchi, vittime di questa parola, non sentono il cozzo tremendo della ferraglia che li imprigiona." [37] Il *dénouement* lascia il pubblico con un senso completo di futilità, mentre i due regni di Dio e del Diavolo si trovano "a un palmo di distanza l'uno dall'altro" [38], con Dio che "segna col Diavolo, come i bambini segnano col carbone [39].

Al nihilismo comico e tragico del *Don Juan und Faust* di Christian

---

[33] Vedi, per esempio, la conclusione del *Don Giovanni* del Cicognini o quella del *Dom Juan* di Molière.
[34] Sono le ultime parole di Leporello nel *Don Giovanni* di Da Ponte/Mozart.
[35] Laurilyn J. Harris, "Aspiration and Futility in Grabbe's *Don Juan und Faust*", *The Theatre Annual* XXXVIII (1983):9.
[36] Grabbe 49.
[37] Grabbe 37
[38] Grabbe 37.
[39] Grabbe 86.

Grabbe si contrappone quasi contemporaneamente in Spagna l'ancora famosissimo *Don Juan Tenorio* di José Zorrilla. Nell'evoluzione del mito, il dramma di Zorrilla occupa ancora una posizione di preminenza paragonabile soltanto al *Dom Juan* di Molière o all'opera di Mozart. Il *Tenorio* è di gran lunga l'opera più rappresentativa del teatro romantico spagnolo, anche se consiste di una *refundición* o rifacimento del dramma originale di Tirso de Molina. Come abbiamo già ricordato, le *refundiciones* del teatro del *Siglo de Oro* erano molto comuni nel teatro spagnolo dell'Ottocento, nell'impeto nazionalista dello spirito romantico. Sono ritorni che non imitano passivamente ma presentano anzi mutamenti fondamentali, sprigionati nell'humus letterario dell'epoca [40].

Nel *Don Juan Tenorio* di Zorrilla, gli atteggiamenti eroici del protagonista e la trama essenziale dell'intrigo ricevono nuovo vigore dalla presenza parallela e simmetrica dell'antagonista, Luis Mejía, che scambia con Don Juan tutta una serie di sfide e controsfide, in un ritmo serrato di simmetria quasi musicale. È questa una figura assai più delineata dell'antico Marqués de la Mota, uno degli amanti beffati del Burlador. E se quasi tutti i personaggi della *refundición* di Zorrilla hanno antecedenti nel dramma tirsiano, siamo adesso chiaramente in pieno Romanticismo, dal mistero iniziale dell'eroe nascosto dietro una maschera, agli incontri segreti in oscure stradicciuole sivigliane, con assalti a conventi per rapirne le novizie, il tutto circondato dallo scorrere profondo ed enigmatico del Guadalquivir che accompagna gli incontri notturni tra vivi e fantasmi, in solitari ed abbandonati cimiteri.

È un dramma scritto in soli venti giorni dal giovane poeta spagnolo appena ventisettenne, il quale lo dotò, come è già stato notato da moltissimi critici, di un esagerato teatralismo [41]. Abbondano scene intertea-

---

[40] Vedi l'introduzione di Aniano Peña al *Don Juan Tenorio* di José Zorrilla, a cura di Aniano Peña (Madrid: Cátedra, 1980) 30

[41] Vedi, tra gli altri, Carlos Feal, *El Nombre de Don Juan* (Amsterdam/Philadelphia: John Benjamins, 1984) 35. Vedi anche George P. Mansour, "Parallelism in *Don Juan Tenorio*", *Hispania* 61. 2 (Marzo 1978): 245-253. Nella stessa rivista vedi anche James Mandrell, "Don Juan Tenorio as Refundición: The Question of Repetition and Doubling", 70. 1 (Marzo 1987): 22-30.

tratali, ritmate dalla continua cadenza ripetitiva della poesia di Zorrilla che, intensificando gli aspetti grotteschi, conferisce un ritmo di balletto a tutti gli scambi linguistici del dramma.

Il *Don Juan Tenorio* è un dramma *religioso e fantástico* che viene rappresentato ormai da quasi due secoli tutti gli anni per Ognissanti, in Spagna e in tutti i paesi dell'America latina. Venne venduto da Zorrilla all'editore Delgado, insieme a tutti i diritti d'autore, soltanto per 4.200 reales, ma questo dramma dette al suo autore una fama enorme fin dalle prime rappresentazioni, come ci dice egli stesso nei suoi *Recuerdos del tiempo viejo*, permettendogli di divenire "su fénix que renace todos los años" [12]. Zorrilla introdusse nella sua *refundición* un elemento sentimentale e romantico totalmente alieno dalle altre versioni anteriori del mito. Non è più l'atto spontaneo del pentimento che può (forse) salvare il peccatore: adesso ci vuole l'intervento della donna. È la donna che convertirà il libertino in nome della virtù onnipotente dell'*Amore*, riuscendo ad ottenere per lui il perdono divino. Così, pefino nella cattolicissima Spagna del diciannovesimo secolo, la salvezza di Don Juan sarà ottenuta meno coll'aiuto della fede religiosa che dell'amore umano, e questo nonostante le precauzioni prese dal drammaturgo per accordare le azioni d'Inés con la liturgia. Zorrilla era estremamente fiero della creazione del personaggio di Inés, e con ragione, e nei suoi *Recuerdos*, nonostante le tante critiche per quest'opera giovanile che gli aveva portato tanta fama e tanti pochi soldi, non si perita di esaltare quel genio tutelare che gli aveva ispirato la creazione di un personaggio che aveva elevato la sua opera al di sopra di tutti gli altri drammi dedicati al mito di Don Giovanni:

> "La creación de mi doña Inés cristiana: los demás don Juanes son obras paganas; sus mujeres son hijas de Venus y de Baco... van desnudas, coronadas del flores y ebrias de lujuria, y mi doña

---

[12] José Zorrilla, "Cuatro palabras sobre mi *Don Juan Tenorio*" in *Recuerdos del tiempo viejo* (in Appendice di José Zorrilla, *Don Juan Tenorio* a cura di José Luis Gomez, (Barcellona: Planeta, 1984) 263-278.

[13] Zorrilla, *Recuerdos* 267.

Inés, flor y emblema del amor casto, viste un hábito y lleva al pe-
cho la cruz de una Orden de caballeria." [43]

Il poeta spagnolo è quindi riuscito a comporre un dramma umano e
religioso, la cui seconda parte si snoda in modo parallelo agli antichi
misteri della Vergine, in un originale *mélange* di mistero e realtà, di violenza brutale e grazia poetica. Col *Don Juan Tenorio* di Zorrilla arrivia-
mo all'apice della redenzione che, abbiamo visto, era stata accennata fin
dal racconto fantastico di Hoffmann. Come ben nota Lavaud, Zorrilla
nella sua finzione drammatica riesce a proporre temi filosofici e religiosi
come la predestinazione e la grazia, personalizzandone l'astrazione nel
conflitto umano dei suoi personaggi [44]. È la drammatizzazione di un
conflitto di valori umani esternata in particolare nella vita e nella morte
dell'eroe protagonista. Mentre la prima parte del dramma mostra gli
sforzi dell'eroe per ottenere quel tipo di amore che gli permetterebbe di
mutare il proprio *modus vivendi*, la seconda rappresenta invece la con-
trizione e la resurrezione della sua anima, in nome dell'Amore.

Se la salvezza del Don Juan innamorato è stata ben riconosciuta dal
pubblico e dalla critica fin dalla prima rappresentazione del *Tenorio* nel
1844, come un contributo estremamente significativo all'evoluzione del
mito, meno attenzione è stata prestata agli elementi strutturali di tale
conversione. Da libertino leggendario Don Juan si trasforma in un penitente che si umilia di fronte a Don Gonzalo, il padre d'Inés, ed a Dio.
Zorrilla, come aveva notato anche Mansour, indica con molta chiarezza
che in Don Juan non abbiamo soltanto un personaggio individuale, ma
piuttosto un simbolo della natura umana nell'evoluzione esistenziale da
colpa, a pentimento, a redenzione [45]. Vedi per esempio elementi esteriori come il titolo di ognuno dei sette atti, che schematizza l'azione in una
succinta metafora religiosa, come pure il simbolismo stesso della divisione in sette atti e il fatto che essi siano anche divisi in due parti: In vita

---

[44] Jean-Marie Lavaud, "L'Organisation fonctionnelle du *Don Juan Tenorio* de
Zorrilla", *Cahiers d'Etudes Romanes* (Aix-en-Provence: U. of Provence, 1986) Vol.
11, 49-74.
[45] Mansour 249.

(I - IV), ed in morte di Inés (V - VII), non diversamente dalla *Vita Nova* o dalle *Rime* petrarchesche.

L'unità tematica è sostenuta dal continuo parallelismo che governa tutte le fasi del dramma: dalle scene ai personaggi stessi (due padri, due libertini, due donne); alle doppie sfide ed ai duplici racconti di avventura. Dalle espressioni di vanagloria orgogliosa a quelle di umiltà, tutto il dramma procede secondo un ritmo binario. Anche se il *Tenorio* è una *refundición* del seminale dramma di Tirso, come ammette apertamente il suo autore, è chiaro che egli ne ha estratto solamente pochi elementi esteriori, in un subtesto analogico, mentre le influenze tematiche gli vengono soprattutto dal teatro francese del periodo, in particolare Mérimée e Dumas [46].

Il *Tenorio* è composizione molto originale ed i consueti paragoni e riferimenti col *Burlador*, comunissimi soprattutto nella critica spagnola, come ci fa notare anche Mandrell [47], spesso si limitano a classificazioni meccaniche, senza esaminare il processo della ripetizione del testo scritto di Tirso nel testo di Zorrilla, il che è, dopo tutto, il vero proposito di ogni *refundición*. La fretta del Burlador tirsiano: "Esta noche he de gozalla" (questa notte devo averla), la sua criptica lingua, vengono subliminalmente sentite in Zorrilla e tradotte in un continuo incalzare di sfide perimetrate entro chiari limiti cronologici (un anno, una notte), e in continui accenni al periodo in cui si svolge l'azione: dalle maschere di Carnevale, alle Ceneri, alla Quaresima [48].

La vigorosa teatralità del dramma si enuclea nel tono enfatico del dialogo, in un susseguirsi di bei versi musicali, rimati e ritmati, come anche nell'illusoria e irreale natura degli eventi, in un continuo teatro in-

---

[46] Vedi in particolare *Les âmes du Purgatoire* di Mérimée, in cui si avverte la duplicazione dei personaggi; vedi anche il *Don Juan de Maraña ou la chute d'un ange* di Dumas, in cui il Tenorio diventa una sorta di riferimento culturale (in Maria Teresa Cattaneo, "Don Giovanni nel teatro spagnolo", *Studi di letteratura francese* (Firenze: Olschki, 1980) Vol VI, 97.

[47] Mandrell 24.

[48] Vedi, per proseguire su queste linee di ricerca, Robert Horst, "Ritual Time Regained in Zorrilla's *Don Juan Tenorio*", *Romanic Review* 70. 1 (1979): 80-94.

terno, a volte addirittura superimposto. Ogni scena ha sempre spettatori visibili e spettatori segreti, in una moltitudine narrataria che aumenta e diversifica il dramma. Tali sfaccettature vengono poi riunificate nel parallelismo di linguaggio e di azione, sempre accompagnato dalla metafora della natura umana, in cui viene chiaramente tradotto il personaggio dell'eroe Don Juan. Anche i discorsi dei padri sono in rima, e come se i due personaggi fossero colonne bifide di una medesima costruzione, vengono identificati dall'oste fin dall'inizio della *refundición* come di pietra, mentre, seduti nell'ombra, in silenzio e mascherati, ascoltano senza esser visti le sfide di Don Juan e del suo antagonista Don Luis:

> "¡Vaya un par de hombres de piedra!
> Para éstos sobra mi abasto;
> mas, ¡pardiez! pagan el gasto
> que no hacen, y así se medra." [49]

Zorrilla enfatizza continuamente questo parallelismo metaforico e linguistico. Nel *Tenorio* abbondano passi identici come rima ma opposti come concetto, in un richiamo ritmico e subliminale che aiuta tra l'altro la memoria, e non c'è alunno spagnolo che non sappia a memoria lunghi passi di questa *refundición*. Perfino le due donne, Ana ed Inés, si alternano continuamente in un ritmo parallelo, raffigurando l'una il passato e le sue avventure, l'altra il futuro, cioè la redenzione e il vero amore. Le loro apparizioni sulla scena si intrecciano e si scambiano, e lo stesso avviene dei sentimenti dell'eroe per entrambe.

La prima parte del dramma di Zorrilla presenta quindi una situazione drammatica peccaminosa che verrà riprodotta e ripetuta nella metrica e nelle parole della seconda parte, pur presentando la frattura referenziale paradigmatica della redenzione: dalla vita alla morte sì, ma dalla perdizione alla redenzione, mentre la natura ambivalente del personaggio Don Juan alterna le proprie emissioni linguistiche tra l'egocentrismo e la sottomissione.

---

[49] Zorrilla, *Don Juan* (ed. Peña) 91.

Che tipo di eroe è questo Don Juan di Zorrilla? Un vero *caballero*, un nobiluomo che contrariamente al suo modello Tirsiano, "un hombre sin nombre" riafferma continuamente, come ci fa notare anche Feal, il proprio nome in una ripetizione rimata e ritmata che ne riafferma l'identità [50]. Se ne parla con grande ammirazione da parte degli altri personaggi, mentre l'eroe alterna lo stile libertino adottato in compagnia degli amici con il tentativo di liberarsi da tale ruolo, nell'enfasi sentimentale con Inés. Si rinnova quindi col *Tenorio* di Zorrilla il mito "alla spagnola", ma in un contesto religioso totalmente cambiato che alterna machismo e sottomissione. L'ambivalenza di Don Juan si evidenzia fin dall'inizio, il che prepara gradualmente la finale conversione dell'eroe, pur nel continuo scambio di dubbi e risoluzione.

È un'ambivalenza che non permetterà però ad Inés di estricarsi dal suo ruolo verginale di bella addormentata: Inés non potrà svegliarsi mai. Ma non bisogna pensare che nel parallelismo teatrale ideato da Zorrilla, Ana ed Inés rappresentino soltanto poli opposti del medesimo asse, la prima come un insulto a Don Luis e al passato, e la conquista della seconda come un insulto al supernaturale ed a Dio. In realtà la nascita dell'amore tra Don Juan ed Inés conclude la prima parte (satanica) del dramma ed apre la seconda (divina), in una lotta tra bene e male, Dio e Satana che si potrà risolvere soltanto nella morte di tutti i protagonisti.

Se in vita Inés non era mai riuscita a capire se fosse Dio o Satana che l'aveva fatta innamorare di Don Juan:

"Tal vez Satán puso en vos
su vista fascinadora,
su palabra seductora,
y el amor que negó a Dios" [51]

tale conflitto non sarà risolto neanche nella morte. Inés infatti considera Don Juan come Satana propro mentre egli sta liberandosi del proprio

---

[50] Carlos Feal, "Conflicting Names, Conflicting Laws: Zorrilla's *Don Juan Tenorio*", *PMLA* 96. 3 (1981): 375- 387.
[51] Zorrilla, *Don Juan* (ed. Peña) 165. 387.

satanismo. Essa crede che l'amore le porti il chaos, mentre questo sentimento sta dando pace a Don Juan. In realtà Inés è imprigionata da un
personaggio satanico assai più ambiguo di Don Juan, il padre di lei,
l'emissario di Dio, il quale da morto si trasformerà egli stesso in Satana,
cercando di dannare l'ormai purificato e redento Don Juan.

L'ambiguità tra Dio e Satana non è soltanto illusione romantica di
azione e personaggi, ma è strutturale e insita nelle fibre di ogni scambio
poetico e linguistico del dramma. Solo nella conclusione e nella morte,
il mito potrà trovare la propria risoluzione coll'invertire il satanismo
dall'eroe libertino ormai convertito, trasferendolo nella statua dell'emissario di Dio che, in questo recupero romantico, si rifiuta satanicamente
di perdonare al penitente e preferisce dannarlo.

Ma l'intercessione della Vergine, qui traslata nella novizia/vergine/a-
mante, morta prima del risveglio erotico, ristabilirà e riordinerà il divino
ed il satanico colla semplice azione del tendere la mano a Don Juan dalla
tomba. Strappandolo alle grinfie di Don Gonzalo, Inés riuscirà a trascinare Don Juan con sé in Paradiso. L'elemento blasfemo dell'ambivalenza sa-
tanico/divina, fa sì che Zorrilla riporti il mito alla sua origine antropologica primordiale, nell'abbinamento divino ed animale dell'archetipo del
Burlatore, dando nuovo impeto al mito ed assicurandogli il suo rinnovamento esistenziale.

CAPITOLO VIII

IL FILOSOFO

I letterati del XX secolo che ispirati dal mito di Don Giovanni, ne ripropongono la vicenda sulla scena, vedono nella leggenda spagnola soprattutto un argomento per esternare quel malaise generale che è una delle principali eredità del nostro tempo. Don Juan continua a ricevere la proiezione psicologica e culturale degli autori e del loro pubblico, in un teatro che si fa sempre più ansioso ed assurdo. Il personaggio appare ormai come l'ideale portavoce dell'angst antieroica che caratterizza gli ultimi anni del dopoguerra, in un clima assurdo che lo vuole ormai vecchio, soprattutto in Francia, semi impotente nella propria ricerca astratta e colpevolizzata dell'assoluto, nelle intepretazioni tedesche, ed estremamente nevrotico e succube della propria madre, nell'infantilismo edipico e decadente proposto dal femminismo italiano.

Abbiamo critici spagnoli come Marañon che nell'eroe vedono un carattere "indifferenziato come un adolescente... effemminato nelle fattezze e nei movimenti e... quasi un omosessuale" [1], mentre Mandariaga intitola addirittura uno dei capitoli del suo studio sul mito, *Don Juan mascolino o feminoide*" [2]. Freudiani come Otto Rank enucleano soprattutto l'indifferenziato complesso di colpa che, unito alle preponderanti fantasie sessuali, ne fanno un classico caso di complesso di Edipo [3].

---

[1] Gregorio Marañon, "Notas para la biología de Don Juan", *Cinco ensayos sobre Don Juan* (Santiago de Chile: Editorial Cultura, 1937) 27-51.

[2] Salvador de Mandariaga, *Don Juan y la Don-Juanía* (Buenos Aires: Editorial Sudamericana, 1950) 11-42.

[3] Otto Rank, *The Don Juan Legend* (1924), tr. e a cura di David Winter (Princeton: Princeton University Press, 1975).

Nel nostro secolo il fulcro proiettivo del mito, pur restando nello scambio erotico tra i due sessi, si rinnova invertendo il pendolo oscillatore tra di essi. Nasce quindi il Don Giovanni *effemminato* in quanto perennemente inseguito dalla donna che viene, a sua volta, *mascolinizzata* da questo suo inseguimento, a partire dalla versione di Shaw dell'inizio del secolo. Non che questo inseguimento femminile sia poi una grande novità, fin dalle Elvire offese e abbandonate di un Molière o di un Mozart, ma nel clima europeo vittoriano e post vittoriano, che aveva relegato la donna in un ruolo totalmente passivo di moglie bambina, colei che accetta invece le proprie emozioni *appassionatamente* ed insegue, viene ora interpretata come mascolina. Il Novecento vuole quindi un Don Giovanni indebolito, dalle amanti energiche, in una interpretazione teatrale del mito che cerca di rinnovarsi e di separarsi dai secoli precedenti presentando un rovesciamento dei ruoli, in realtà più apparente che sostanziale [4].

L'*Anima* di Don Giovanni prende quindi il sopravvento, mentre per la prima volta nella storia del mito appare la *MADRE* dell'eroe, sempre inesistente o ignorata nel passato. È una svolta che si è spiralizzata dal paternalismo imperialistico della Spagna secentesca colonialista e preindustriale, per arrivare fino al mammismo colpevolizzato e nevrotico del Don Giovanni contemporaneo. È la vittima quindi, il personaggio femminile, che appare soprattutto diversa nelle versioni teatrali del mito del '900. Ann Whitefield, l'eroina di *Man and Superman*, tratteggiata da Shaw come una ragazza indipendente e moderna, si mostrerà quasi aggressiva nel suo audace inseguimento automobilistico di John Tanner, tra gli aspri pendii della Sierra. Ma è indipendenza femminile più apparente che altro, visto che per il suo autore Ann rappresenta soprattutto l'espressione istintiva naturale della *Life Force*, la forza vitale contrapposta all'intelletto maschile, personificato in Jack. È una forza vitale d'istinto e non di pensiero dunque, ovviamente inferiore e secondaria rispetto al principio maschile filosofico raffigurato in John Tanner.

---

[4] Carl G. Jung, "The Syzygy: Anima and Animus", *Aion: Researches into the Phenomenology of the Self*, in *Collected Works* (New York: Bollingen Foundation/Pantheon Books, 1959) Vol. IX, Parte II.

Nel 1953/60 un altro grande drammaturgo come lo svizzero Max Frisch fratturerà i personaggi femminili del suo *Don Giovanni o l'amore per la geometria* in una scissione dicotomica completa tra vergine e prostituta, ricongiungendoli (parzialmente) soltanto alla fine della commedia, nel personaggio della moglie di Don Juan, la prostituta Miranda, ormai diventata duchessa di Ronda. Circa vent'anni dopo, il *Don Juan* di Dacia Maraini presenterà una frammentazione ancora più completa dei personaggi femminili, che però, come l'araba fenice, riusciranno a fondersi e a ricostituirsi in Elvira, nella creazione cioè della rivoluzionaria militante.

Se Don Giovanni nel '900 sia vivo o morto quindi, dal titolo del ben noto lavoro di Giovanni Macchia [5] in una questione riproposta anche da Jean Rousset [6], è argomento da intendersi soprattutto in chiave retorica. Si continua a scrivere del e sul mito; se ne scrive e se ne riscrive in drammi, commedie, romanzi e saggi. Rousset e Macchia si accordano nell'affermare che il mito stia morendo sia perché le mitologie contemporanee non possono più esprimersi archetipicamente per mezzo dell'amore, che per l'eliminazione dell'incontro drammatico soprannaturale tra il vivo e il morto, che gli autori contemporanei, nell'esigenza ansiosa del loro razionalismo, rifiutano o al massimo parodizzano [7].

Studiosi americani come Mandel si sentono poi particolarmente scoraggiati dalla qualità stessa delle versioni teatrali del mito in questo secolo, e ne attribuiscono la debolezza alla tendenza eccessivamente intellettuale dei testi che produce quella tortuosità psicologica dell'eroe, sintomatica di un teatro troppo statico e filosofico [8]. Ma a nostro parere, il mito nel '900 continua a godere di una vitalità non meno robusta dei secoli passati, non solo per la quantità di interpretazioni letterarie, criti-

[5] Giovanni Macchia, *Vita, Avventure e Morte di Don Giovanni* (Torino: Einaudi, 1978).

[6] Jean Rousset, *Le Mythe de Don Juan* (Parigi: Armand Colin, 1978).

[7] Rousset 176-179.

[8] Oscar Mandel, *The Theater of Don Juan* (Lincoln: Univ. of Nebraska Press, 1963) 695.

che e psicologiche che continuano ad apparire, ma anche, e soprattutto, per il fatto che esso continua ad accogliere, digerire e riproiettare l'essenza del pensiero contemporaneo. A partire dal rinnovamento filosofico della ribellione di uno Shaw agli inizi del secolo, il mito di Don Giovanni si sviluppa secondo linee sempre più affievolite ed antieroiche, rispecchiando l'ansia colpevole di una società sconvolta e traumatizzata da distruzioni e genocidi inumani ed impensabili, a cui ha fatto seguito il materialismo crasso e pesante di un mondo confuso e senza ideali. Non è che il mito stia morendo dunque, quanto la società stessa che sta attraversando un periodo di crisi, caratterizzato dal conflitto tra conquiste tecnologiche sempre più audaci, sprigionate da un humus spirituale particolarmente incerto. Il mito di Don Giovanni non fa altro che riflettere questa società, ed in questo nostro XX secolo che si avvia ormai verso la fine, la fabula continua ad aiutarci a intuire le ramificazioni della traiettoria spirituale della psiche collettiva a noi contemporanea.

Il secolo s'inizia con *Man and Superman* di George Bernard Shaw (1903) che nel recupero del superuomo filosofico e misogino rappresenta, come abbiamo già notato, un affievolimento del *macho* tormentato ed epico, ereditato dall'era romantica:

"Nature is a pandar, Time is a wrecker, and Death a murderer" [9]

esclama John Tanner fattosi Don Juan nel terzo atto, nella spietata lucidità del suo sogno soprannaturale e filosofico. Qual è l'humus su cui si appoggiano i pensieri del *Revolutionist* fattosi Don Juan? L'umorismo e il pensiero di *Man and Superman* possono essere legati alle teorie filosofico/politiche del *Fabianism*. Nel 1892 Shaw aveva fatto una conferenza ad un convegno della Fabian Society, illuminandone la storia ed il suo particolare sviluppo in relazione agli altri gruppi socialisti inglesi come la Federazione socialdemocratica e la Lega socialista, che erano assai più militanti. L'interpretare tutta la commedia come semplice por-

---

[9] George Bernard Shaw, *Man and Superman* (New York: Penguin Books, 1988) 163.

tavoce dei principi del Fabianism sarebbe una supersemplificazione troppo drastica, ma non possiamo ignorare il fatto che il personaggio di Ramsden (diventato poi il Commendatore Ulloa nel III atto) rappresenta chiaramente il partito conservatore ed antiquato, opposto al simpatico *Revolutionist*, John Tanner. L'accoppiamento dei due tutori, Ramsden e Tanner, nel testamento del padre di Ann, rappresenta quindi una *mésailance* comicamente disastrosa, mentre Shaw sceglie il sogno di Don Juan del terzo atto per esplorare ed analizzare più compiutamente l'opposizione politica, filosofica e religiosa tra la nuova società e la vecchia [10].

Per il substrato filosofico del rapporto tra i due sessi Shaw si era invece rifatto al sociologo americano Lester Ward il quale, opponendosi alla visione androcentrica dell'evoluzione umana, proponeva fosse più logico definire come femminili gli organismi primitivi monosessuali come l'amoeba, visto che sono dotati di quella che viene considerata la facoltà femminile per eccellenza, cioè la capacità riproduttiva. Secondo questa teoria ginecentrica, il maschio non è che un'appendice sviluppatasi più tardi nello schema evolutivo anche se, Ward si affretta subito ad aggiungere, benché il maschio sia meno importante della femmina nelle specie animali, nel caso dell'*Homo Sapiens* esso si è sviluppato così rapidamente da riuscire a dominarla completamente per mezzo del maggior progresso delle proprie capacità mentali [11]. Per la creazione del suo superuomo Shaw si era comunque rifatto soprattutto al Kierkegaard di *Aut Aut* ed a una superficiale lettura dello *Zarathustra* di Nietzsche, anche se l'*Uebermensch* nietzschiano è un essere eccezionale al di là del

---

[10] Vedi in particolare, per proseguire su queste linee di ricerca, A. M. Gibbs, *The Art and Mind of Shaw: Essays in Criticism* (New York: St. Martin Press, 1983) 122-140.

[11] Per approfondire lo studio delle fonti antropologiche del pensiero di Shaw, vedi soprattutto Louis Crompton, "Don Juan in Hell", *George Bernard Shaw's Man and Superman: Modern Critical Interpretations*, a cura di Harold Bloom (New York: Chelsea House, 1987) 49-60. Di Crompton vedi anche *Shaw the Dramatist* (Lincoln: Univ. of Nebraska Press, 1969), dove vengono elencate più compiutamente le fonti sociologiche ed antropologiche del pensiero di Shaw. Il libro di Lester Ward, *Pure Sociology: A Treatise on the Origin and Spontaneous Development of Society* (Londra: Macmillan, 1903), contiene i concetti a cui si è rifatto il commediografo soprattutto in un capitolo intitolato "The Phylogenetic Forces".

bene e del male, mentre il simpatico e vulnerabile eroe John Tanner si mostra assai più umano e, soprattutto, utopisticamente democratico. Shaw ha quindi preso dalla metafora del superuomo nietzschiano soltanto ciò di cui aveva bisogno per la sua creazione teatrale: Un personaggio che deliberatamente coltiva l'arricchimento delle proprie virtù democratiche, senza considerazioni di moralità o di classe sociale[12].

I tanti paradossi di Man and Superman, che avevano così turbato le platee vittoriane dell'inizio del secolo, ci sembrano ormai più paradossali che altro. Nasce però in ogni caso un nuovo tipo di commedia, una commedia filosofica che, partendo dalla satira molièriana/mozartiana reinterpretata da un riformatore liberale irlandese, procede sviluppandosi in un lucido dialogo platonico che, nella radicale fusione di elementi contrari, ha talvolta finito per confondere ed esasperare molti critici. Man and Superman è stato definito perfino un "mostro amorfo" ed un "Frankenstein"[13] o almeno, con meno astio critico, una play più da leggere e meditare che creata per le scene[14].

Si tratta quindi di una commedia molto convenzionale e contemporaneamente originalissima, che giuoca dall'inizio alla fine con le convenzioni teatrali, rigirandole a suo modo. Perché scegliere Don Giovanni come portavoce delle sue teorie, se poi nella conclusione Shaw ha finito per neutralizzarlo? Nell'epistola introduttiva egli spiega di aver aderito, dopo molti ripensamenti, alla richiesta di Arthur Bingham Walkley (a cui ha dedicato la commedia), e anzi si preoccupa di poter forse deludere, con un lavoro teatrale su Don Giovanni in cui nessuna delle 1003 conquiste appare mai sulla scena.

Il vero problema del teatro inglese, secondo Shaw, è che tratta quasi esclusivamente di situazioni erotiche, che non possono mai essere rappresentate e neanche discusse sulla scena. Da questo lo stimolo e la dif-

---

[12] Introduzione in Bloom, Man and Superman 6. (Traduzione dell'autrice).
[13] Vedi in particolare James Huneker, Iconoclast (New York: Scribner, 1905) 258.
[14] Georges Gendarme de Bévotte, La Légende de Don Juan (Du Romantisme à l'époque contemporaine) (Parigi: Hachette, 1911) 209.

ficoltà nel riuscire a creare un nuovo Don Giovanni, in una tradizione teatrale pullulante di storie d'amore statiche ed inerti. Il commediografo, con le sue convinzioni di riformatore socialista, unisce le tecniche teatrali della *morality play* con una storia tradizionale, concludendo il circoscritto terzo atto ("Don Juan in Hell") con l'ascesa in paradiso dell'eroe, ormai praticamente divenuto San Juan [15]. Se la storia si rifà alle più note versioni del mito, teatrali e poetiche, da Tirso a Molière, Da Ponte, Byron, Dumas père etc., nell'epistola dedicatoria Shaw sottolinea anche con molta cura che a partire dal *Burlador* del monaco spagnolo secentesco, ciò che ha affascinato e continua ad affascinare il pubblico non è tanto l'urgenza immediata del pentimento quanto, e soprattutto, l'eroismo e l'ardire prometeico dell'eroe che ha il coraggio di sfidare Dio. Secondo Shaw l'ultimo, vero Don Juan è comunque quello di Da Ponte/Mozart, mentre l'unione con Faust effettuata dall'Ottocento romantico ha annacquato il mito, proiettandolo in troppe direzioni politiche, filosofiche e morali.

Nel Don Juan di Shaw che apre il nostro secolo abbiamo adesso un personaggio che, al contrario delle versioni che lo avevano preceduto, dice sempre la verità con ironia ed umorismo, anche se, come Cassandra, non viene mai creduto. In questa strana commedia evoluzionaria darwiniana, l'attrattiva sessuale dell'eroe non è associata né al sentimento e alla malinconia dell'eroe romantico, né alla superenergia avventurosa del beffatore spagnolo. Ci troviamo di fronte ad un affabile, spiritoso e vulnerabile *Revolutionist*, politicamente illuminato nel suo idealismo utopistico. Mentre in Don Juan si configura il libertino mitico, John Tanner non mostra particolare interesse per le donne, benché sia chiaramente predestinato al matrimonio fin dall'inizio. Tanner è, com'è stato già notato, l'uomo che Don Juan sarebbe forse diventato nel corso dell'evoluzione, in un'audace proiezione darwiniana che ha accomunato l'istinto femminile all'intelletto maschile [16]. Egli è quindi Don Juan sol-

15 Crompton in Bloom, *Man and Superman* 50.
16 Maurice Valency, "Man and Superman" in Bloom, *Man and Superman* 88.

tanto perché ha un'opinione personale e poco ortodossa del sesso, opinione assai diversa dalla moralità vittoriana corrente. È legato al suo antenato Don Juan dal fatto che anch'egli è un ribelle, avendo scoperto fin da ragazzo quel sentimento da lui definito *moral passion*, passione morale, che pone in secondo piano qualunque altro interesse, dall'arte alla religione convenzionale fino... all'amore. Sia Jack Tanner che Don Juan sono adesso ribelli consapevoli e, a lor modo, idealisti.

Come ogni eroe mitico anche Tanner supera una quantità di avventure, preludio necessario al suo matrimonio con Ann: avventure comiche e drammatiche, non diverse dagli eroici e misteriosi riti di iniziazione. Come spiega il commediografo nell'epistola dedicatoria, Tanner è anche un eroe, che è diventato proiezione teatrale tragi-comica dell'inseguito amoroso, invece di essere l'inseguitore: "My Don Juan is the quarry instead of the huntsman" [17], e se nel primo atto Jack si era rivelato un acuto e spiritoso intellettuale, completamente in comando di ogni situazione, a metà del secondo, in un completo voltafaccia, egli diviene un *amante* braccato ed inseguito.

Nell'inversione di Shaw, è la donna che corteggia questo Don Giovanni in un inseguimento ideato sia per scandalizzare il pubblico vittoriano che per implementare il mito evoluzionario ed antropologico ideato dall'autore. Come farà più tardi anche in *Pygmalion*, Shaw inverte protagonista ed antagonista. Tanner è colui che esalta la forza vitale, ma Ann *è* tale forza, in un trionfo completo di vita e azione sulla parola. Nel finale, Tanner viene quindi completamente conquistato da Ann, e se questa commedia ha, come tante altre commedie di Shaw, il conflitto tipico tra vita, meglio vitalità, e sistema, l'eroe Don Juan/Tanner rappresenta soltanto il sistema, mentre Ann è la vita. In un'audace trasposizione del pensiero cartesiano ("the foolish philosopher"), Don Juan/Tanner esclama nel terzo atto:

"'I think; therefore I am'. It was Woman who taught me to say 'I am; therefore I think'" [18]

---

[17] Dall'epistola dedicatoria a Arthur Bingham Walkley. In Shaw 18.
[18] Shaw 154.

L'eroe di Shaw diventa così un pensatore sgominato dall'istinto. Non è la passione fisica di Jack che viene sedotta da Ann, o almeno non è soltanto quella, perché è soprattutto la passione morale, quella *moral passion* che, scoperta da ragazzo, egli aveva sempre gelosamente nascosto e protetto [19]. Abbiamo quindi l'abbinamento del *filosofo* e dello *spostato* che si fondono ora in un eroe un po' comico ma soprattutto molto umano, mentre nei decenni futuri i due elementi si uniranno invece secondo linee di convergenza sempre più ansiose e pessimiste.

La catastrofe esterna dello sprofondamento infernale è diventata con *Man and Superman* capitolazione interiore e spirituale. Jack Tanner ha sempre ragione (in teoria) in tutte le sue disquisizioni filosofiche, ma ha sempre terribilmente torto nell'applicazione pratica e particolare dei suoi principi. Questo fino alla conclusione della commedia quando, abbinando teoria e pratica, egli esclama:

> "I solemnly say that I am not a happy man.
> Ann looks happy; but she is only triumphant... What we have both done this afternoon is to renounce happiness, renounce freedom, renounce tranquillity, above all, renounce the romantic possibilities of an unknown future, for the cares of a household and a family." [20]

Il duello tra i due sessi non era argomento particolarmente comune nelle commedie inglesi dell'Ottocento, prima di Wilde o di Shaw. Come ben spiega Martin Meisel, implicito nel duello sessuale della commedia inglese è sempre il desiderio della donna di far sì che l'uomo assecondi i suoi desideri [21]. Tale conflitto produce l'inseguimento amoroso *all'incontrario* nel teatro dell'Ottocento, con risultati convenzionalmente co-

[19] Margaret Ganz, "Humor's Devaluation in a Modern Idiom: The Don Juan Plays of Shaw, Frisch and Montherlant", in *New York Literary Forum* 1 (1978): 117-136.
[20] Shaw 208.
[21] Martin Meisel, "Man and Superman and the Duel of Sex", in Bloom, *Man and Superman* 29.

mici. Shaw ha intensificato ancor più questa direzione, alleggerendo la misoginia dell'eroe e rendendola sempre più comica, mentre la donna, almeno in apparenza, sembra diventare sempre più autonoma. "Il sesso debole diventa il sesso forte", continuano a ripetere gli studiosi del mito contemporanei a Shaw, come Gendarme de Bévotte [22], ed anche se tale commento non ci sembra particolarmente accurato, non possiamo fare a meno di notare che il commediografo irlandese, volendosi staccarsi completamente dalla tradizione teatrale romantica, riuscì a creare eroine da lui definite *unwomanly*, poco femminili e, almeno in apparenza, meno dipendenti e passive delle donne del teatro post-romantico vittoriano.

È l'eroina quindi che nel teatro darwiniano di matrice antropologica di Shaw mette in moto il processo biologico, generando una commedia biologica che può, a tratti, svilupparsi in tragedia biologica quando l'eroe/filosofo rifiuti di farsi conquistare. Questa non è però che l'intenzione sottesa di Shaw, perché ciò che troviamo in realtà in *Man and Superman* non è tanto il conflitto titanico tra due forze irresistibili, maschile e femminile, quanto la conquista di un simpatico e spiritoso idealista da parte di una graziosa fanciulla, molto volitiva ed astuta.

Se non rileviamo grandi novità in questo inseguimento, (ricordiamo anche come tutte le versioni del mito contengano una moltitudine di eroine inseguitrici), abbiamo però adesso per la prima volta un inseguimento femminile che raggiunge il proprio scopo, anche se solo in apparenza. Il risultato conclusivo, quel matrimonio che Shaw definisce una trappola (e tale giudizio s'intensificherà ancor più nei Don Giovanni futuri di Frisch e della Maraini), obbligherà infatti l'eroe filosofo a rinunciare completamente alla propria libertà di pensiero. L'inseguimento amoroso va visto o diciamo vuole essere visto, come la metafora del rapporto tra il principio maschile e quello femminile dell'universo, un rapporto molto ambivalente: asessuale ed anche sensuale, in un antagonismo e attrazione su base biologica che sfociano nello spirituale. Ci sono critici che affermano che sotto la superficiale struttura di questa commedia pseudoromantica, è sempre la donna che controlla l'azione, e

---

[22] Gendarme de Bévotte 210.

che sono soltanto i pensieri e le azioni da lei iniziati che producono ogni reazione sia di Tanner che di Don Juan[23].

"La vitalità in una donna non è che la furia cieca della procreazione," spiega Tanner ad Ottavio nel I atto: il personaggio femminile shaviano è quindi schiavo della natura come l'uomo è schiavo della trappola che la donna gli prepara. I lati irrazionali della forza vitale metaforizzati nella donna sono però più potenti di quelli razionali rappresentati dal filosofo/preda e ricordiamo come, parafrasando Cartesio, Shaw avesse fatto dire a Don Juan nel III atto che bisogna *essere* prima di pensare. Per arrivare a conquistare (sottomettersi) alla forza vitale è indispensabile quindi la fusione del magnetismo animale femminile col razionalismo maschile. Per Shaw i due elementi sono assolutamente necessari, da cui l'ineluttabilità della conquista di Tanner da parte di Ann. Benché il logico *dénouement* matrimoniale venga quindi definito una trappola, esso rappresenta anche il matrimonio mistico che unisce i due contrari: il cielo e la terra, il sole e la luna, il terrore di vita che caratterizza Tanner con la vita stessa, cioè Ann. L'eroina di *Man and Superman* è colei che sa usare le regole della società a suo vantaggio, colei che vuole e deve sposarsi per fare trionfare l'evoluzione biologica, e che insegue l'uomo soltanto perché " To her, Man is only a means to the end of getting children and rearing them"[24]. Shaw non è poi tanto lontano da Nietzsche che affermava che qualunque problema poteva trovare nella donna un'unica soluzione che si chiama gravidanza[25].

La terra, dice Don Juan nel III atto, non è quindi che un asilo dove uomini e donne recitano il ruolo di eroi ed eroine, con la donna che, creatura multiforme ed affascinante, divora tranquillamente il maschio filosofo. Tigre del Bengala, boa constrictor, ape regina, essa conquista e divora il suo amante/antagonista; seducendo il filosofo essa riesce però anche a trascinarlo fuori dall'idea astratta della vita e ad immergerlo nella vita stessa.

---

[23] Sally Peters Vogt, "Ann and Superman: Type and Archetype" in *George Bernard Shaw: Modern Critical Views* a cura e con un'introduzione di Harold Bloom (New York: Chelsea, 1987) 218.

[24] Shaw 147.

[25] Citato da Vogt, in Bloom, *Shaw* 222.

Nel momento conclusivo della commedia, Ann conquista Jack con un vocabolario preso in prestito non dalla lingua cortese tradizionale della seduzione, ma dalla mitologia eroica: una lingua titanica, copiata letteralmente dal dialogo drammatico tra la statua e Don Giovanni del libretto di Da Ponte per l'opera mozartiana:

> Tanner: "I will not marry you. I will not marry you."
> Ann: "O, you will, you will."
> Tanner: "I tell you no, no, no."
> Ann: "I tell you yes, yes, yes."
> Tanner: "No."
> Ann (coaxing - imploring - almost exhausted): "Yes, before it is too late for repentance, yes."
> Tanner (Struck by the echo from the past): "...When did all this happen to me before? Are we two dreaming?" [26]

L'audace trapasso dallo sprofondamento infernale allo sprofondamento titanico nella trappola matrimoniale è una geniale trovata dell'autore che riesce così a far quasi dimenticare al suo pubblico quanto in realtà siano astratti entrambi questi personaggi.

Il fascino teatrale di Ann deriva principalmente dall'unione bifida della sirena affascinante con l'eroina eternamente casta. Nella didascalia che accompagna la prima introduzione di questo personaggio sulla scena, Shaw aveva spiegato che "Ann può essere tutto per tutti... ma per sé è una giovane indipendente e moderna". Essa è quindi la femma archetipica il cui ruolo circoscrive tutti i ruoli. Biologicamente serve la specie, socialmente gli uomini, ma psicologicamente corteggia chi le pare e piace.

Secondo l'ordinamento, almeno teorico, del drammaturgo, la biologia con i suoi diritti rappresenta l'unico destino del mondo, non veramente comico, in cui si muovono tutti i personaggi femminili della commedia, da Ann a Violetta, a Mrs. Whitefield. La dominazione femminile del maschio si mantiene quindi sempre secondo linee molto superficia-

[26] Shaw 205.

li: la donna non ha alcuna autorità oltre quella strettamente e tradizionalmente definita dal suo ruolo sociale e biologico di moglie e di madre
vittoriana. L'unione dell'istinto femminile e dell'intelletto maschile im-
personati in Ann e Jack non solo daranno forma alla Forza Vitale ma, in
un certo senso, creeranno anche l'uomo nuovo, non ancora un figlio ma
bensì un esponente della nuova società, un simpatico ed impertinente
chauffeur che, unico tra tutti i personaggi, era riuscito a intuire fin
dall'inizio l'inevitabilità del loro amore. Straker è l'esponente della nuova moralità annunciata dal nostro *Revolutionist* il cui portavoce, questo
Leporello diventato chauffeur, fierissimo del proprio strato sociale, fa di
tutto per parlare Cockney, eliminando l'H dalla sua parlata con la cura
con cui suo padre si era invece un tempo sforzato di inserircela. Se Ann
è la *New Woman*, assai più che in Tanner, Shaw ha voluto creare in
Straker (meccanico oggi, ingegnere e inventore domani), il *New Man*,
in un'astrazione teorica che se può non persuadere completamente sulla scena, ha però effettuato una svolta decisiva e fondamentale nell'evoluzione teatrale del mito.

CAPITOLO IX

L'EROE ASSURDO DELL'ETÀ DELL'ANSIA

"I can't get no satisfaction, I can't
get no satisfaction... and I try, and
I try and I try..."

ripetono i Rolling Stones nel ritornello di una loro famosa canzone degli anni Settanta. Potrebbe essere il lamento del Don Giovanni dell'età dell'ansia. Nella ben nota interpretazione del mito presentata dal freudiano Otto Rank, la sete di avventure amorose dell'eroe nasce dalla fusione nevrotica di un fortissimo complesso di colpa con l'effetto paralizzante delle sue fantasie edipiche [1]. La necessità compulsiva della continua varietà di conquiste è costellata da una fissazione edipica che lo obbliga a ripetere perennemente la conquista della madre, mentre tutti gli avversari ingannati, traditi e a volte uccisi, rappresentano quell'invincibile nemico mortale che è il padre.

Tale interpretazione passa anche nel teatro, a partire dal poema drammatico di Edmond Rostand, *La dernière nuit de Don Juan* del 1921, dove Don Juan non è che un burattino programmato dal burattinaio, cioè il diavolo. Con Anouilh e Montherlant, Don Juan diventerà ancora più vecchio ed apatico, e si comincia a mettere sempre più in dubbio la potenza sessuale dell'eroe libertino.

La caduta di Don Giovanni dal sublime al ridicolo è ormai inevitabile. Ma non si tratta più del classico sprofondamento infernale, quella morte drammatica e grandiosa che nel '900, a partire da Shaw, viene ge-

---

[1] Otto Rank, *The Don Juan Legend* (1924), tr. e a cura di David G. Winter (Princeton: Princeton Univ. Press, 1975).

neralmente eliminata. Lo sprofondamento finale della fabula contemporanea è adesso nel matrimonio, una punizione ancora più tremenda dell'Inferno per il seduttore mitico che in particolare detesta la ripetizione dell'atto sessuale sempre con la medesima donna.

Ci sono critici per i quali la progressiva trasformazione dell'eroe ed il suo imborghesimento non funzionano sulla scena. "Il mito è troppo potente," affermano, "e prende il sopravvento" [2]. Ma come abbiamo notato nel capitolo precedente, non è tanto che la fabula ostacoli l'imborghesimento dell'eroe, quanto semplicemente che il mito, nel suo movimento archetipico a spirale, continua ad assecondare l'humus spirituale del nostro periodo antieroico, materialistico ed ansioso, generando un eroe sempre più astratto ed apatico. Il mito si snoda ed aderisce alla psiche collettiva di ogni era, e se prende il sopravvento, lo fa adesso in termini di ansietà borghese che non hanno niente a che fare né col *Burlador/Caballero* secentesco, né coll'eroe tormentato e romantico del secolo scorso. Don Juan, nella seconda metà del nostro secolo diventa particolarmente adatto per rappresentare, dopo gli orrori della seconda guerra mondiale, l'assurdità dell'eroismo.

Camus, nel suo saggio *Le Don Juanism*, una delle interpretazioni contemporanee più interessanti della leggenda, vede l'eroe come il perfetto portavoce dell'esistenzialismo del dopoguerra e dell'assurdità eroica di una civiltà che ha vissuto l'eroismo degenere del nazismo e del fascismo [3]. Se fosse sufficiente amare e basta, spiega Camus, tutto sarebbe troppo semplice, perché più si ama più si dà corpo all'assurdità dell'essere. Non è per mancanza d'amore che Don Juan va di donna in donna, ma soltanto perché le ama tutte appassionante in egual misura, il che lo obbliga a ripetere continuamente l'atto della seduzione.

[2] Rolf Kieser, "Wedding Bells for Don Juan: Frisch's Domestication of the Myth", *Perspectives on Max Frisch*, a cura e con un'introduzione di Gerald F. Probst (Lexington: Univ. of Kentucky Press, 1982) 122.
[3] Albert Camus, "Le Don Juanism", *Le Mythe de Sisyphe* (Parigi: Gallimard, 1942) 97-105.

"Séduire est son état... Il apporte avec
lui tous les visages du monde, et son
frémissement vien de ce qu'il se connaît
périssable. Don Juan a choisi d'être rien" [4].

Don Juan non è quindi che la negazione completa dell'essere, una
scienza assurda che si muove nel vuoto. L'interpretazione di Camus è
sostanzialmente molto vicina alla versione del mito presentata da una
delle più audaci ed interessanti pièces del dopoguerra, il *Don Giovanni
o l'amore per la geometria* di Max Frisch, dove l'eroe innamorato
dell'astrazione geometrica, che con l'agonismo e la pertinacia di un Faust vuole arrivare a comprendere quale sia la forza che tiene unito l'universo, nella conclusione capisce che non c'è nessuna forza coesiva perché l'esistenza stessa è completamente assurda.

Max Frisch giornalista, romanziere, architetto e drammaturgo, continua ancora a dedicare particolare attenzione all'elaborazione di uno dei
temi dominanti, se non il tema centrale, di tutta la sua opera: la ricerca
del proprio senso d'identità. Tale tema è strettamente legato alla questione dell'esistenza di un individuo nell'interdipendenza e reciprocità
del suo rapporto con la società in cui vive, nell'impossibilità pirandellia-
na di riuscire ad evitare il ruolo (la maschera) che gli uomini si assegna-
no a vicenda. Variazioni di questo soggetto appaiono in quasi tutte le
commedie e romanzi di Frisch, ed in particolare nella sua tragicommedia dedicata al mito di Don Juan. Di grande aiuto per decodificare il
pensiero frischiano è il suo diario, opera veramente seminale per tutti
gli altri scritti, perché contiene temi, motivi, trame e spunti che verranno
poi ripresi e sviluppati in altre opere letterarie. Giornalista e architetto,
estremamente conscio dell'importanza dell'armonia tra il rinnovamento
urbano e gli edifici antichi, come pure del bisogno di migliorare le condizioni di vita dei lavoratori stranieri in Svizzera, Frisch ha scritto moltis-
simo, anche se il drammaurgo ha forse avuto maggior successo di pubblico e di critica del romanziere e del saggista.

---

[4] Camus 100-102.

La ricerca della propria identità nel difficile rapporto tra uomo e società è un argomento che nell'opera frischiana viene affiancato all'altro, fondamentale problema, della difficoltà dei rapporti tra uomo e donna e, in particolare, del continuo senso di colpa dell'uomo nei riguardi della donna. Come Brecht, da cui è stato molto influenzato, anche Frisch ha dedicato il suo teatro allo studio dell'Io individuale nel suo rapporto con la società, ma sono a mio parere da evitare gli orientamenti psicanalitici di molte analisi critiche sul teatro frischiano [5]. Le sue opere sono infatti sempre orientate su linee sociali e politiche, non soltanto private ed individuali: si tratta sempre della ricerca individuale dell'uomo nel suo rapporto storico e sociologico con i suoi contemporanei.

Mentre nei lavori dei primi anni, la realizzazione del Sé veniva generalmente rappresentata in termini di viaggio, escursione o pellegrinaggio, nell'opera centrale di Frisch, che sono i drammi degli anni '50 e '60, a cui appartiene anche il suo *Don Juan*, tale tema si enuclea ormai senza lo stimolo esterno dell'eroe nomade. Il teatro del drammaturgo svizzero presenta quindi un continuo conflitto esistenziale: la rappresentazione dell'individuo contrapposta alla sua autenticità. Ogni personaggio è sempre assillato dal problema della recita di un ruolo, problema che si manifesta nella continua ricerca di un altro Io con cui condividere il proprio monologo, che sarebbe meglio definire autodialogo. Tale conflitto autodialogico si sviluppa con particolare frequenza nella forma narrativa del diario. L'alter Io frischiano si evolve sempre più in un fraterno Tu, così che l'Altro diventa soprattutto una manifestazione dell'Io sociale che parallela l'Io individuale. Non c'è conflitto tra i due, solo una continua ricerca dialogica interiore.

L'opera di Max Frisch è stata certamente influenzata dall'orrore della seconda guerra mondiale. Si comincia a parlare della guerra fin dal diario del '46, ma anche nelle opere dello stesso periodo vi è una stretta unione tra i due temi della guerra e dell'amore. Eros però, anche se sentito come fonte ed espressione della comunione umana, non può annul-

---

[5] Mi accordo su questo punto con Manfred Jurgsen, "The Drama of Frisch", in Probst 13.

lare la spietata inumanità con cui gli uomini trattano i loro simili. La caduta della Germania nazista ha marcato il punto più basso della cultura politica e sociale del paese, in una parabola che comincia a risollevarsi soltanto negli ultimissimi anni. Anche se questo fattore non si riferisce minimamente alla Svizzera, rimasta sempre neutrale, ciò non di meno molti intellettuali svizzeri, soprattutto nei cantoni di lingua tedesca, ne sono rimasti profondamente turbati. Carl G. Jung o Max Picard, per esempio, scrivono nel '46 opere in cui cercano di comprendere questo cataclisma europeo ed intepretano l'avvento del fascismo e del nazismo in termini non tanto economici quanto di malattia europea che aveva coinvolto tutti, anche se a volte soltanto a un livello inconscio[6].

Anche Max Frisch condivide i sensi di colpa di questi intellettuali che, giustamente o no, si sono sentiti troppo protetti dall'oasi pacifica della loro neutralità svizzera. Gli sembra che l'opportunismo svizzero del dopoguerra si manifesti soprattutto in una forma di amnesia, così che nella creazione dei suoi personaggi, compreso il suo Don Juan, egli proietta soprattutto l'intellettuale debole e dotato di una buona dose di vigliaccheria. Frisch spiega nel suo diario che è soprattutto la condiscendenza e la strettezza d'idee dei suoi connazionali che lo disturbano profondamente e che, nella sua parallela carriera di architetto, lo stimolano a criticare aspramente quella rigida ideologia che ha influenzato tutte le arti svizzere, producendo tra l'altro l'architettura poco originale e tradizionalista degli edifici urbani.

Con tutto che avrebbe ben potuto riposarsi sui tanti allori ottenuti nel corso della sua fortunata carriera, Frisch ha invece optato per il ruolo di specchio, la cui immagine, non particolarmente lusinghiera, egli continua a presentare di fronte agli occhi dei suoi connazionali. È questo il fine soprattutto del suo teatro, medium da lui sentito come particolarmente adatto per la propria critica della borghesia. È quindi impossi-

---

6 Michael Butler, *The Plays of Max Frisch* (New York: St. Martin Press, 1985) 1-2. Per ulteriori ricerche sul rapporto tra Frisch e la Svizzera, vedi anche Malcom Pender, *Max Frisch: His Work and its Swiss Background* (Stoccarda: Akademischer Verlag Hans-Dieter Heinz, 1979). Nota che Max Frisch è morto durante la stesura di questo capitolo.

bile analizzare il *Don Juan* di Frisch senza tenere continuamente a mente il sostrato politicamente e socialmente critico su cui si basa tutto il suo teatro. Dalla Svizzera compiaciuta e inerte nasce un Don Juan particolarmente passivo: da una civiltà rifugiatasi nell'amnesia ipocrita, Frisch genera un eroe debole, vigliacco e soprattutto in cerca di evasione dalla realtà. Il drammaturgo vuole rappresentare una Svizzera che egli giudica ipocrita e colpevole nell'amnesia infantile della maggior parte dei suoi personaggi teatrali, sia uomini che donne. Al centro delle opere di Max Frisch quindi, sia quelle teatrali come quelle narrative, c'è sempre un Individuo che è stato testimone della distruzione umana, un Individuo che deve riuscire a scoprire la propria identità individuale e sociale entro i perimetri del conflitto tra il Sé e la società che, per uscire dalla propria rovina, sta diventando sempre più macchinosa ed intrigante. Tale processo viene ripetuto, per esempio, anche dallo straniero nella repubblica ideale di Andorra, nell'omonimo dramma, come pure da Don Juan nella Siviglia ideale ed atemporale "di un periodo del buon costume", come spiega l'autore nel frontespizio.

In un'analisi delle opere frischiane è anche utile segnalare l'importanza internazionale del teatro Schauspielhaus di Zurigo, l'unico teatro tedesco rimasto aperto durante la seconda guerra mondiale. Nel '44 Goebbels aveva fatto chiudere tutti i teatri della Germania, così che nello Schauspielhaus sopravviveva l'unica scena dove si potessero ancora rappresentare le opere teatrali libere del periodo, da Claudel a Sartre, Giraudoux, O'Neill o Brecht. "Baluardo del realismo umanistico", come lo definivano gli autori del periodo, esso rimaneva l'unica opposizione al teatro propagandistico e bombastico del fascismo e del nazismo [7]. Molti autori teatrali si stabilirono a Zurigo in quegli anni proprio a causa dello Schauspielhaus, e tra questi ci fu anche Brecht, che vi andò a risiedere alla fine della guerra, proprio mentre si dedicava al suo rifacimento del *Dom Juan* di Molière. I due strinsero una profonda e duratura amicizia, caratterizzata non soltanto dall'acume inquisitore del loro intelletto,

---

[7] Per la storia del teatro di Max Frisch, vedi in particolare l'introduzione del libro già citato di Butler 1-10.

ma anche dal fatto che entrambi condividevano una raffinatissima abilità artigiana nella tecnica del medium teatrale stesso.

Il già famoso e maturo Brecht influenzò molto il suo giovane collega svizzero, anche se al contrario di Frisch, egli era marxista e quindi fondamentalmene ottimista. Il mondo, secondo Brecht, può e dovrebbe essere cambiato, mentre questa certezza manca completamente in Frisch che, anche nei suoi momenti di più illuminato umanesimo, appare sempre come fondamentalmente scettico, nel sottile umorismo della sua continua tensione ironica. Benché scettico, Frisch non si rassegna però mai al suo pessimismo, e nella creazione drammatica dei suoi personaggi, egli pone soprattutto in luce il loro terrore di essere definiti, arginati, *imbottigliati*, e quindi emotivamente e intellettualmente anestesizzati. "Lo scetticismo" ha detto recentemente in un'intervista, "è come la levatrice che aiuta nella nascita di un sobrio e cosciente illuminismo... Colui che è scettico nei propri confronti è sempre più umano" [8]. A Frisch non interessa quindi la teoria teatrale, e le sue poche opere teoretiche sono sempre nate da questioni spontaneamente pratiche di tecnica. Sono opere immediate, che a volte si contraddicono fra loro, il che non lo disurba minimamente.

Come Brecht, anche il drammaturgo svizzero non ama il teatro dell'evasione, che si contenta di imitare semplicemente la realtà esteriore, e Frisch pone particolare, ossessiva attenzione nel far sì che i suoi personaggi non diventino mai convenzionali. Anche se egli è convinto che il teatro non può mai cambiare la realtà per sé, nei capitoli del suo *Theater ohne Illusion* (1948) ed in *Ilusion zweiten Grades* (1967), il drammaturgo insiste che il teatro può almeno cambiare la nostra intuizione della realtà. Opta quindi per un teatro di coscienza, in cui sia possibile uno scambio dialettico tra dramma e pubblico. Nel *Don Juan oder Die Liebe zur Geometrie* (Don Giovanni o l'amore per la geometria), scritto nel '52 e revisionato nel '61, Frisch presenta di nuovo un te-

---

8 *Vis-à-vis*, intervista televisiva con Frank A. Meyer, 28 dicembre 1983. L'intervista è stata fatta in dialetto svizzero-tedesco, e la videocassette si trova nell'archivio di Max Frisch. (Nota citata in Butler 150).

ma che lo ha costantemente preoccupato fin dall'inizio della sua carriera: la ricerca della propria identità individuale. Ma il *Don Juan* è anche,
soprattutto, un dramma che tratta del matrimonio, e nell'assurdità
dell'unione del libertino mitico con il topos del matrimonio, il drammaturgo ha gettato le fondamenta strutturali della sua interpretazione della
leggenda, non diversamente, in fondo, da ciò che aveva fatto anche
Shaw all'inizio del secolo. Nel '900 Don Giovanni diventa veramente
sintomatico del dramma matrimoniale, e di questa nuova direzione tro-
veremo un'eco anche nel recentissimo *Don Juan* di Dacia Maraini.

L'ispirazione dell'argomento mitico può essere stata suggerita a Max
Frisch da un viaggio di quattro settimane in Spagna, nell'autunno del
1950, e nel diario egli spiega come sia stato particolarmente colpito da
"l'amore, quello erotico e quello umano" di questa civiltà latina [9]. La reazione della critica alla première della tragicommedia, rappresentata contemporaneamente allo Schauspielhaus di Zurigo e al Schiller Theater di
Berlino non fu sempre favorevole, in particolare con il commento che il
drammaturgo "aveva pensato troppo al suo tema e troppo poco ai suoi
personaggi" [10]. Per Frisch, come per gli altri autori del passato ispirati da
questo tema, Don Juan continua ad enuclearsi archetipicamente come
Icaro, Prometeo o Faust, ma il drammaturgo rinnova la tradizione ermeneutica dell'eroe libertino, sfasandone l'interpretazione in Narciso misogino, che nella donna vede soltanto un episodio secondario, assai meno
importante dello studio dell'astrazione geometrica. Nei suoi *Pensieri su
Don Juan*, Frisch spiega che sono state soprattutto le possibilità poetiche del mito che lo hanno ispirato a riproporre la leggenda, compresa
un'inversione completa del tema, che del resto anche Shaw, ricordiamo,
aveva introdotto cinquant'anni prima. Lo *Yuppie* dei nostri giorni, che
completamente immedesimato nella propria ascesa professionale dedi-

[9] Per il *background* storico del Don Juan di Frisch, vedi soprattutto Johannes
Hosle, "Don Giovanni o l'amore per la geometria di Max Frisch", *Studi di Letteratura Francese* (Firenze: Olschky, 1980) VI, 130-136.
[10] È questo un commento di Erich Kuby in "Don Juans Liebe zur Geometrie ist
zu Klein", *Frankfurter Hefte* (1953/8): 869-871. (Nota citata in Hosle 130).

ca tutta la sua energia all'informatica o alle scienze economiche, può ben riconoscersi in questo nuovo Don Juan che va in casa di tolleranza per giuocare a scacchi, e ama sopra ogni cosa le scienze astratte e la geometria in particolare. Don Giovanni è comunque un topos di grande fascino per Max Frisch, anche perché, nonostante la quantità di interpretazioni tedesche del mito fin dall'Ottocento romantico, l'immagine tradizionale del seduttore e del blasfemo è sempre rimasta fissata nella coscienza del pubblico borghese. Col rinnovare l'esame critico di questa popolare leggenda, Frisch sperava di ottenere un duplice risultato: castigare le defomazioni della società borghese svizzera a lui contemporanea e analizzare e rivelare l'effetto nefasto che tali deformazioni infliggono sullo sviluppo dell'individuo: due temi, come abbiamo visto, frischiani per eccellenza. Nelle sue note al Don Giovanni o l'amore per la geometria, il drammaturgo cita soprattutto il suo debito per Kierkegaard ("la migliore interpretazione del Don Giovanni"), ma ci sembra invece che egli intensifichi soprattutto la decostruzione della vecchia tradizione teatrale del mito, con l'inversione dei ruoli caratteristica del XX secolo. Il Don Juan di Frisch, è stato notato, più che carattere individuale è archetipo contemporaneo dell'incontro dell'uomo occidentale moderno con il mito di Don Giovanni [11].

Questo Don Juan dei nostri giorni mostra la sua umanità nella propria debolezza ed impotenza. Non riesce ad essere all'altezza del suo mito, e se indossa la maschera del libertino, non si tratta che di un ruolo che gli è stato imposto. Il problema centrale dell'eroe protagonista, nei primi tre atti della tragicommedia, è una questione di appellativo: gli altri personaggi della Siviglia teatrale frischiana devono assegnare a Don Juan un nome e quindi un ruolo [12]. Il dramma di questi tre atti converge quindi soprattutto sulla repulsione che egli prova nei confronti di questo (o qualunque) ruolo, impostogli dalla società. Don Juan rifiuta ogni

---

[11] Peter Ruppert, "Max Frisch's Don Juan: The Seduction of Geometry", *Monatshefte* 67. 1 (Spring 1975): 237-248.
[12] Robert J. Matthews, "Theatricality and Deconstruction in Max Frisch's Don Juan", *Modern Language Notes* 87. 5 (October 1972): 742-752.

definizione, così che lo sprofondamento infernale (in realtà una pseudo sparizione ordita dall'eroe stesso), creerà soltanto l'apparenza di mito, totalmente aliena dal protagonista, il quale è in realtà scisso dalla propria leggenda.

Molti critici hanno notato come il ruolo dell'intellettuale nelle commedie frischiane sia generalmente presentato in una luce molto negativa [13]. Tale ruolo è stato assegnato dal drammaturgo anche al suo Don Juan, per il quale l'astrazione della geometria presenta problemi molto minori delle imprevedibili complessità dei rapporti interpersonali. L'intellettuale, sempre incapace di armonizzare in sé pensiero ed azione a causa della sua impotenza spirituale, vive conscio di tale impotenza, in un mondo affettivo sterile e pieno di dubbi. Inadeguati ed impotenti anche di fronte al potere politico, gli intellettuali frischiani si mostrano ancora più incerti e dubbiosi nei loro rapporti personali; sono sempre antieroici, alienati e, principalmente sopraffatti dal loro senso di colpa. Temono che il mondo li diminuisca, sia per mezzo di un ruolo, che con la definizione stessa di tale ruolo: matrimonio debilitante, mito tirannico, prigionia della paternità, ecc. Il vero dilemma dell'intellettuale è quindi tra la propria libertà di coscienza e le costrizioni esistenziali. Nel caso di Don Juan, egli inventa addirittura il suo mito, sperando di riuscire a liberarsi dal suo ruolo, nascondendosi dietro tale invenzione. L'eroe è esemplare sia nel definire il problema tipico di tutti gli intellettuali frischiani che nell'illustrarne la soluzione: volendo rifiutare il ruolo del seduttore mitico, Don Juan si rifugia nell'astrazione. Il suo carattere, nel corso della commedia, procede da una totale ed alienata incomunicabilità, fino ad arrivare, come spiega Frisch stesso nel suo diario, a quella possibilità che, benché esistente, era stata nascosta dall'alienazione, cioè la ricerca della *propria* verità.

Abbiamo quindi un Don Juan la cui fama di seduttore non è che un ruolo impostogli dal suo mito, un malinteso da parte delle signore della buona società sivigliana. È un eroe a cui non interessano i rapporti con

---

[13] Peter Ruppert, "Max Frisch: The Paradigm of his Intellectual Anti-Hero", *Germanic Notes* 7. 1 (1976): 33-36.

l'altro sesso e che, come dice Frisch stesso, non ha niente a che fare con *El Burlador* perché "è un personaggio in evoluzione che ha soltanto acquistato il ruolo di Don Juan" [14]. Va nel bordello della Celestina per giuocare a scacchi ("quel figlio sarà la mia morte... mi darà un infarto" [15], dice Tenorio padre, quando viene a saperlo), e si nasconde alle donne che lo inseguono, per studiare la geometria. Invece di scegliere un ruolo, egli ha scelto "l'avventura della verità", ed ha ritrovato i grandi ideali dell'umanesimo, equilibrio, ordine e chiarezza, nel mondo delle scienze astratte.

Don Juan non può amare nessuna donna anche perché trova particolarmente spiacevole l'anonimo scambio dell'amplesso amoroso. Col canto del pavone in amore, che col suo spiacevole stridio accompagna tutta l'azione dei primi tre atti, Frisch vuole sottolineare la cecità dell'istinto sessuale. Tutte le donne sono uguali per Don Juan, fatta eccezione per Inez, la fidanzata del suo migliore amico, che egli deve compulsivamente sedurre. L'Io autentico dell'eroe può quindi esprimersi solo nel tradimento, attivo o passivo. Frisch introduce così un altro tema che diventerà centrale nella sua futura narrativa: l'individualismo spirituale di ognuno può esprimersi soltanto nel tradimento. È di nuovo un conflitto pensiero/azione che riflette il dramma senza soluzioni dell'antieroe contemporaneo. È proprio il pensiero intellettuale che corrode l'azione, ed in Don Juan, Frisch esemplifica l'apogeo dell'eroe dell'inazione: l'eroe senza tragedia e senza eroismo.

L'iniziale contrattacco di Don Juan nei confronti della società si era basato sull'evasione nell'assoluto e nell'astrazione, in particolare la geometria che non permette ambiguità. Il suo amore per la geometria rappresenta l'estrinsecazione del suo desiderio di oggettivarsi, il che, egli sente, lo libererà dai ruoli per lui repulsivi di *seduttore* e di *assassino* che gli sono stati imposti dalla società, in questo caso l'aristocrazia sivi-

---

[14] Nota citata in Kieser 119.

[15] Max Frisch, *Don Juan or the Love of Geometry*, in *Three Plays*, tr. in inglese da James L. Rosenberg (New York: A Mermaid Dramabook; 1967) 4 (Tutte le citazioni dal Don Juan di Max Frisch sono state tradotte in italiano dall'autrice).

gliana che cerca di coercirlo e di diminuirlo, come fa sempre qualunque società nei riguardi dell'intellettuale. Nelle note Frisch spiega che l'unico, vero medium per il Don Juan pensatore ed intellettuale contemporaneo sia sempre il teatro, la cui struttura consiste proprio nel fatto che maschera ed essere non sono mai la medesima cosa [16].

La metafora della maschera e la questione del *riconoscersi*, tanto fondamentale in tutte le versioni del mito fino dal *Burlador* di Tirso, assumono in questo lavoro di Frisch la funzione simbolica di scissione tra coscienza ed esistenza, a partire dal ballo mascherato per festeggiare il futuro matrimonio tra Juan ed Anna (durante la "notte del riconoscimento"), fino al matrimonio tra Juan e Miranda, mascherata e vestita come Anna. Questa è anche la ragione per cui Don Juan, ormai borghesemente sposato con Miranda e futuro padre, dice nell'ultimo atto di non andare mai a Siviglia, dove stanno trionfando le rappresentazioni del *Burlador* di Tirso. L'andare a Siviglia vorrebbe dire vivere il mito, e Don Juan non può mai *essere*, solo essere rappresentato, quindi egli vive nella sua prigione volontaria del castello di Ronda e a Siviglia... lo recitano sulla scena.

Don Juan è quindi un antieroe che, rifiutando il proprio ruolo mitico, rivela ancor più chiaramente la natura mascherata e ipocrita della società borghese, e la vanità dei suoi valori. La crisi esistenziale del Don Juan di Frisch va vista e capita nel contesto di una società prevaricatrice e coercitiva. Le didascalie iniziali, sotto l'elenco dei personaggi, spiegano semplicemene che la trama si svolge "a Siviglia, in un periodo del buon costume", ma, come ha notato anche Butler, Frisch ha evitato con molta cura di puntualizzare il periodo storico della storia, che potrebbe appartenere a qualunque età [17], mentre "il buon costume" contrasta ironicamente con l'amoralità rampante dei personaggi. Come abbiamo visto per un altro autore tedesco dell'Ottocento, Christian Grabbe, anche per Max Frisch tutti gli ideali, dall'onore, all'eroismo e al matrimonio, sono parole vuote e senza significato. Tenorio padre è particolarmente

---

[16] Ruppert, "Frisch's Don Juan" 240.
[17] Butler 48.

disperato quando Don Juan è sincero e dice la verità: le strutture sociali sono ormai diventate soltanto storture sociali.

Celestina, la madama del bordello dove Don Juan ha conosciuto Miranda (o meglio dove Miranda ha conosciuto Don Juan, perché egli era troppo occupato con gli scacchi per notare le ragazze), mostra particolarmente bene nei suoi due intermezzi la completa amoralità della società sivigliana: "Perché la verità è così difficile, in Spagna?" esclama Celestina, il cui bordello è frequentato da tutti gli esponenti della migliore società: vescovi, uomini politici, generali e commendatori. Da notare è anche l'analogia tra il bordello e gli intermezzi di Celestina: entrambi sono luoghi/momenti di riposo per la società come per la rappresentazione teatrale. Il bordello, secondo Frisch, è il centro della sincerità, dove le prostitute si mostrano molto più oneste delle mogli perché vendono soltanto il corpo, e non anche l'anima.

In conclusione, il Novecento è caratterizzato non soltanto da un Don Juan indebolito, in particolare indebolito dal matrimonio, ma anche dall'enfasi particolarmente misogina che il mito è venuto via via acquistando. Il rapporto tra uomo e donna in tutta l'opera di Frisch è caratterizzato dal senso di colpa dell'uomo nei riguardi della donna. Tutti i personaggi femminili frischiani sono sempre depressi e deprimenti, e con tutto che la madre del drammaturgo gli avesse detto senza troppi complimenti di lasciar perdere tali caratteri visto che egli non riusciva a capire le donne, Frisch non ha certo mai aderito agli ammonimenti materni, perché sia la sua narrativa che il teatro abbondano di eroine tragiche ed offese [18]. Sia che le donne da lui descritte siano svizzere, o almeno europee, o che siano di altre razze da lontane civiltà esotiche, esse si assomigliano sempre: maltrattate, sofferenti e, spesso, suicide. Nel rapporto uomo/donna presentato dal teatro di Max Frisch, prevalgono sempre illusione e malintesi. Don Juan abbandona Anna perché, anche se l'ha potuta amare al buio senza sapere chi fosse, non può continuare ad amarla quando, alla luce del mattino, la riconosce come la sua fidan-

[18] Marian E. Musgrave, "Frisch's 'Continuum' of Women, Domestic and Foreign", in Probst 109-118.

zata. Egli riesce però ad amare la prostituta Miranda quando essa, mascherata, fa finta di essere Anna. Si può quindi amare solo la prostituta, purché essa riesca anche a fare le veci della moglie. Uomo e donna possono amarsi soltanto se mascherati, perché non potendo conoscersi, si amano in un rapporto basato sulla proiezione e la mancanza di dialogo. "Non mi piacciono le donne" continua a ripetere Don Juan "sono innamorato della geometria" [19].

In Anna, vergine spaventata che non potrà mai diventare donna perché morirà suicida prima ancora di aprirsi alla vita, Frisch crea un personaggio particolarmente vulnerabile e patetico, anche perché il pubblico sa che la madre di lei, Elvira, passa insieme a Don Juan quella che avrebbe dovuto essere la prima notte di nozze tra i due. L'eterno tema frischiano del senso di colpa maschile nei riguardi della donna, sia che si tratti del figlio nei confronti della madre, del padre con la figlia o del marito con la moglie, assume dimensioni sempre più iperboliche. Don Giovanni stesso dice che le donne gli ricordano la morte: "Più belle sono e più mortali sono. Forse è per questo che non posso sopportarle" [20].

Perfino la finta discesa all'Inferno che, architettata interamente da Don Juan e messa in atto da Celestina, doveva salvarlo dalle donne e separarlo dalla sua leggenda, finisce in un insuccesso. Don Juan invece di liberarsi, sprofonda... nel matrimonio che se non è un Inferno, rappresenta almeno l'allegoria certa del Purgatorio. Il ritratto del matrimonio presentato da Frisch nel suo *Don Juan* è particolarmente sterile e spiacevole. La prigionia finale dell'eroe più che dal castello dove ormai vive con Miranda diventata duchessa di Ronda, viene simboleggiata dalla sua consapevolezza del rapporto d'obbligo che lo lega per sempre alla moglie. In conclusione, la sua famosa avventura della verità ha trascinato Don Juan in un vicolo cieco, senza vie d'uscita. Ultima assurdità della completa rinuncia alla libertà da parte dell'eroe è non solo il matrimonio, ma addirittura la paternità responsabile che per gli autori del nostro secolo rappresenta l'opposto della seduzione. È infatti solo il seme steri-

[19] Frisch 39 e altrove.
[20] Frisch 50.

le che conta per il seduttore, e nelle sue riflessioni sulla commedia, Frisch individua proprio nella mancanza di figli quell'elemento che caratterizza il ruolo del seduttore: "Quando diventa padre - quando accetta di diventare padre - non è più Don Giovanni. È questa la sua capitolazione!" [21].

Don Juan inveisce contro Dio che ha creato la drammatica scissione tra uomo e donna: "Il matrimonio non è altro che una lotta continua tra uomo e donna per vedere chi riuscirà a sconfiggere l'altro... non resta che un'ultima arma ai sessi per accalappiarsi e strangolarsi a vicenda... la paternità" [22]. Mentre il matrimonio, che implica la conoscenza sia affettiva che carnale, distrugge l'amore, la geometria si mostra come l'unico strumento analitico/maschile che possa spiegare a Don Juan la forza su cui si basa l'armonia della natura. Visto però che gli intellettuali frischiani sono sempre egoisti e amano solo se stessi, Don Juan invece di odiare le donne dovrebbe, almeno secondo Miranda, fidarsi di una moglie, chiunque essa sia. "La donna è l'unico sentiero per arrivare, o Juan, alla tua geometria di maschio" [23].

Solo in questa visione matrimoniale sterile e vuota che conclude la commedia frischiana, si può calmare il senso di colpa di Don Juan (e di tutti gli uomini). Sia la libertà che l'avventura della verità, che Frisch vede come prerogative unicamente maschili, annegano nel senso di colpa, proprio come Anna era annegata nello stagno del parco dove invano aveva atteso il ritorno di Don Juan, che là l'aveva amata una volta, nell'anonima oscurità notturna. L'unica salvezza del senso di colpa maschile resta quindi nella prigionia sterile di un matrimonio non voluto, dove regna il Purgatorio della correttezza e del galateo e dove, all'ora di cena, Miranda, ormai duchessa di Ronda, ogni sera arriva sempre... in ritardo.

[21] Citato in Hosle 135-136.
[22] Frisch 71.
[23] Frisch 51.

CAPITOLO X

DON GIOVANNI FEMMINISTA

È bene che una donna ami un libertino, quando c'è la possibilità che quest'amore possa ricondurlo sulla retta via? È questa una questione proposta da George Sand nel 1833, in un capitolo del suo romanzo *Lélia* dedicato dalla scrittrice francese al mito di Don Juan. Per la prima volta, la leggenda viene esaminata criticamente dal punto di vista femminile, in una nuova e rivoluzionaria visione del mito, apparsa in verità assai tardi, quando ricordiamo la grande varietà di antagoniste presenti nella fabula fin dal diciassettesimo secolo. Sténio, l'innamorato/avversario di Lélia, ha appena finito di raccontare alle giovani educande la sua interpretazione del mito di Don Juan:

> "Dieu l'avait condamné, il avait permis aux esprits de ténèbres de s'emparer de lui; mais don Juan avait aux cieux la protection ineffable de son ange gardien. Ce bel ange se prosterna devant le trône de l'Eternel, et lui demanda la grâce de changer son existence immuable et divine pour l'humble et douloureuse condition de la femme. Dieu le permit. Et savez-vous, mes soeurs, ce que fit l'ange quand il fut métamorphosé en femme? Il aima don Juan et s'en fit aimer, afin de le purifier et de le convertir" [1].

Questo fiorito e seducente panegirico viene però accolto, non possiamo esimerci dal dire finalmente, dal primo rifiuto femminile e femminista. All'accettazione passiva del ruolo di vittima impostole in tutte le

---

[1] George Sand, *Lélia* a cura di Béatrice Didier (Meylan: Editions de l'Aurore, 1987) Vol. II, 122.

versioni letterarie del mito, fin dal dramma seminale di Tirso de Molina, si oppone adesso per la prima volta una donna, in un diniego pienamente romantico, ma non per questo meno deciso ed energico. La donna *Angelo* non esiste, risponde enfaticamente Lélia (e con lei George Sand); colei che si sacrifica in realtà non fa che dannarsi insieme al suo Don Juan:

> "Maudit sois tu, don Juan... Fat insolent! où donc avais-tu pris les droits insensés auxquels tu as dévoué ta vie! A quelle heure, en quel lieu Dieu t'avait-il dit: Voici la terre, elle est à toi, tu seras le seigneur et le roi de toutes les familles. Toutes les femmes que tu auras préférées sont destinées à ta couche; tous les yeux à qui tu daigneras sourire fondront en larmes pour implorer ta merci" [2].

Dio ha punito Don Juan, spiega l'autrice, per vendicare le sue vittime, le quali invece di soffrire dovrebbero al contrario abbandonarsi completamente alla loro collera ed al loro desiderio di vendetta, per riuscire a provare al libertino che esse sono forti quanto e più di lui.

Leo Weinstein, in quella che in realtà non è altro che una parafrasi del vecchio testo di Gendarme de Bévotte, pur rilevando l'importanza di questa prima espressione di antipatia e di rifiuto femminile contro il romantico Don Juan, identifica però tale attacco come motivato unicamente dai problemi sentimentali dell'autrice, dopo la rottura con Jules Sandeau e la successiva inabilità di trovar consolazione tra le braccia di Prosper Mérimée [3]. L'unica studiosa del mito di Don Juan citata, viene quindi anch'essa relegata automaticamente nel ruolo di vittima da entrambi questi critici, con gioiosa dovizia pettegola di nomi e citazioni biografiche. Si sottintendono le ragioni personali dell'autrice, tralasciando completamene l'apporto sia letterario che psicologico e pedagogico di questo intelligentissimo corto saggio della Sand, estremamente avan-

---

[2] Sand 123.
[3] Leo Weinstein, *The Metamorphoses of Don Juan* (Stanford: Stanford Univ. Press, 1959) 133.

guardistico, soprattutto quando paragonato alle altre analisi di critici suoi contemporanei.

Non possiamo fare a meno di notare che l'interpretazione personale viene contemplata molto raramente sia da Gendarme de Bévotte che da Weinstein nell'esame delle decine e decine di autori citati nei loro testi. Nei riguardi della Sand abbiamo invece un approccio critico sia denigratore che condiscendente, il che dà particolarmente noia quando consideriamo che in questo saggio si riesce, per la prima volta, a scindere la reazione femminile dal mito. E non solo questo, perché l'autrice, e non dimentichiamo che siamo soltanto nel 1833, è riuscita anche ad individuare che la depressione passiva delle eroine del mito (vedi in particolare il dramma di Frisch discusso nel capitolo precedente) non è altro che ira repressa. George Sand, una geniale psicologa pre-Freud, vede nella depressione femminile la manifestazione della rabbia repressa, il che potrebbe identificare nel suicidio delle eroine frischiane, per esempio, l'autentico volto solo apparentemente in opposizione, dell'omicidio represso. L'eroina romantica del mito di Don Giovanni tende quindi a dirigere la propria rabbia verso/entro di sé, in un suicidio psicologico che per la Sand andrebbe invece proiettato fuori di sé, nell'omicidio psicologico dell'eroe libertino, così che nell'espressione autentica del proprio sentimento di indignazione, la donna possa finalmente cessare di essere e di sentirsi vittima.

Cento cinquant'anni dopo, un'altra voce femminile, quella di Julia Kristeva, si esprime in termini non molto lontani da quelli di George Sand [4]. In un suo saggio su Don Juan "séducteur, scélérat, ridicule, irrésistible", questa grande semiologa e psicanalista bulgara definisce l'eroe come la figura più perfettamente ambigua che ci abbia tramandato la leggenda occidentale, a proposito della sessualità maschile. La musica di Mozart, afferma la Kristeva, ha dato al seduttore mitico la lingua diretta dell'erotismo amorale, musica indispensabile, come del resto aveva già spiegato anche Kierkegaard, per comunicare la forma irrepressibile

---

[4] Julia Kristeva. "Don Juan ou aimer pouvoir" in *Histoires d'amour* (Parigi: Deoël, 1983) 187-201.

e particolare di erotismo, generata dalla repressione del cristianesimo. Dobbiamo però ricordare, e ci aiuta Carol Lazzaro-Weis in un suo articolo sul femminismo ed il mito di Don Giovanni, che la Kristeva stessa è di solito critica del femminismo, che essa considera un'altra forma di umanesimo logocentrico. La Lazzaro-Weis non fa però menzione di quest'articolo della Kristeva su Don Juan, articolo del resto di natura forse più psicanalitica che letteraria [5].

Come Otto Rank [6], anche Julia Kristeva accomuna atemporalmente la figura mitica dell'eroe con il Don Giovanni *tipo*, ed essa interpreta anche il silenzio di Freud e di Lacan nei confronti dell'eroe libertino, come basato unicamente sul loro poco amore per la musica. Don Juan, essa spiega, viene creato dal ritmo stesso delle sue fughe e del suo movimento. Partendo da una moltitudine di amanti e di spose, egli moltiplica il suo universo, configurandosi in polytopos. Don Juan si estrinseca in creazione musicale proprio perché l'eroe è privo di identità individuale (Moi), e nella sua inesistenza individuale, può sfasarsi in armonia del multiplo. La Kristeva vede una separazion dicotomica tra l'armonia molteplice e polifonica dell'eroe, e la sua negazione del proprio essere, separazione che essa individua particolarmente tra l'immagine del Don Juan riflessa dagli occhi ed i sentimenti delle sue vittime, e quella dell'eroe trionfante nella propria gioia vittoriosa di conquistatore erotico. Per capire il mito bisogna analizzarne prima di tutto la conclusione: la seduzione infatti non è che la sublimazione nella trascendenza musicale mozartiana.

Non è quindi la seduzione che esalta l'eroe quanto il *Seducere*, il condurre a sé, il forzare coercitivo e quindi infantile della propria vittima/donna. Julia Kristeva (che non sembra conoscere il *Don Juan* di Dacia Maraini), nota anche che mentre si parla sempre molto del padre di Don Juan, se ne ignora invece regolarmente la madre, la quale spiegherebbe invece molto bene l'infantilismo dell'eroe.

---

[5] Carol Lazzaro-Weis, "The Subject's Seduction: The Experience of Don Juan in Italian Feminist Fictions", *Annali d'Italianistica* VII (1989): 382-393.

[6] Otto Rank, *The Don Juan Legend* (1924), tr. e a cura di David G. Winter (Princeton: Princeton Univ. Press, 1975).

Don Juan, continua la critica in un'analisi freudiana del mito non lontana da quella di Otto Rank, deve compulsivamente rivaleggiare sempre con tutti i mariti/ fidanzati/amanti delle sue donne: dietro ogni donna conquistata c'è sempre un uomo beffato, il fantasma di un padre/fratello con cui competere per l'affetto perennemente irraggiungibile di questa madre... "cette fémininité qui fait courir". Le donne, nota la Kristeva, sono ancora più essenziali del cibo per Don Juan,("'più del pan che mangio' dice il libretto di Da Ponte"). Le donne sono cibo essenziale, pane quotidiano per questo Dionisio post-cristiano; esse non sono oggetti soltanto, ma preoggetti, indispensabili per dar vita alla gloria del seduttore ed offrirgli il pretesto del momento di trionfo erotico, quel momento effimero che gli sfuggirà quasi ancor prima di averlo raggiunto.

Come abbiamo però già ricordato, la Kristeva semiologa più ancora della psicanalista, non si considera femminista e viene anzi criticata dal movimento. Per quanto riguarda il femminismo italiano, disturba in particolare la teoria Kristeviana del potere di un *femminino represso* nel discorso poetico. Carol Lazzaro-Weis ricorda in particolare le critiche che Bianca Maria Frabotta muove sia ad Elisabetta Rasy (la più importante seguace della Kristeva in Italia) che alla Kristeva stessa. Anche se la Frabotta è essa stessa piuttosto scettica sul successo politico come completa soluzione per tutti i problemi delle donne, essa però si preoccupa che la politica semiotica della Kristeva non lasci al femminismo altre alternative che "la dissidenza individuale, un lavoro di teoria e di etica da elaborarsi nell'isolamento, nell'esilio"[7].

In un esame del mito di Don Giovanni nella prospettiva femminista, in particolare femminista italiana, è quindi indispensabile cominciare col delineare quelle caratteristiche fondamentali che differenziano il nostro femminismo da quello di altri paesi, soprattutto da quello francese,

---

[7] Biancamaria Frabotta, *Letteratura al femminile* (Bari: De Donato, 1981) 384. Vedi anche, a cura della stessa autrice, *Femminismo e lotta di classe (1970-1973)* (Roma: Savelli, 1973), che parallela molti temi del *Don Juan* di Dacia Maraini. Per chiare elucidazioni sul pensiero di Julia Kristeva, vedi Elisabetta Rasy, *Le donne e la letteratura* (Roma: Riuniti, 1984) 16, 80 e altrove.

che è stato per l'Italia grande fonte d'ispirazione. Per prima cosa segnaliamo che la scissione tra il femminismo politico e quello linguistico (cioè postmoderno e basato su una definizione della donna come spazio negativo, assente), è assai meno sentita in Italia che in Francia. Il femminismo italiano è infatti influenzato soprattutto dal marxismo, così che il movimento nel nostro paese si è identificato specialmente con la letteratura sociologica, atta a spiegare e ad eradicare l'oppressione[8].

Il femminismo italiano si oppone di solito al concetto di repressione femminile nel discorso poetico, essendo l'isolamento culturale una di quelle condizioni che fin dagli inizi del movimento si è fatto di tutto per eliminare. L'enfasi marxista del nostro femminismo lo aveva costretto infatti a dovere affrontare tutti quei problemi d'identità politica che motivarono la grande delusione negli anni 70, con la necessità di dover conciliare il proprio marxismo con i pregiudizi politici patriarcali che ancora dominavano la sinistra italiana. Il discorso femminista in Italia continua quindi a fungere soprattutto da veicolo per esprimere aspirazioni sociali ed intellettuali, e ci sono critici che per questa ragione lo associano al femminismo italiano rivoluzionario di fine secolo, rappresentato in particolare dalla narrativa di scrittrici come Neera e soprattutto l'Aleramo[9].

Purtroppo il femminismo nascente degli albori del Novecento venne quasi totalmente soverchiato dal potere oppressivo e coercitivo del fascismo, così che le letterate del primo dopoguerra si trovarono prima di tutto nella necessità di prendere coscienza delle difficoltà e opposizioni che ancora bloccavano le loro aspirazioni di uguaglianza, nella civiltà patriarcale di un mondo ancora eminentemente maschile. Ne deriva una narrativa fortemente psicologica, in un orientamento letterario prevalentemente politico e didattico.

---

[8] Per proseguire su queste linee di ricerca vedi Lucia Chiavola Birnbaum, *Liberazione della Donna* (Middletown: Wesleyan Univ. Press, 1986) 132-142 e altrove. Vedi anche il già citato Frabotta, in particolare la seconda parte, 177 e segg. Di particolare interesse è anche "Femministe e P.C.I., strano rapporto" in Rossana Rossanda, *Anche per me* (Milano: Feltrinelli, 1987) 55-60.

[9] Augustus Pallotta, "Dacia Maraini: From Alienation to Feminism", *World Literature Today* 58. 3 (Summer 1984): 359-362.

Nell'humus di questi conflitti ancora non risolti, si è progressivamente mossa l'opera di Dacia Maraini che partendo da una base di alienazione esistenziale, si è poi sviluppata in impegno sociale, in un'evoluzione che parallela piuttosto da vicino il cambiamento della posizione sociale femminile nel nostro paese. Elisabetta Rasy vede nella Maraini soprattutto l'esponente politica e teorica, militante impegnata all'interno del neofemminismo. Ne delinea in particolare l'utopia del corpo femminile che si fa, per mano della donna e non più dell'uomo, materia romanzesca e poetica [10]. Nel suo recente La Bionda, la bruna e l'asino, anche Dacia Maraini cerca con molta onestà ed intelligenza di autodefinirsi, soprattutto nel bel capitolo iniziale introduttivo, dove la scrittrice presenta una sincera ed aperta interpretazione degli innumerevoli fattori che fanno parte della scrittura femminile [11]. Si apre così una nuova fase nel discorso della Maraini, che si fa meno ideologicamente deciso ma più complesso e sensibile di Donne in Poesia, nella cui introduzione la scrittrice aveva invece affermato che "per ogni donna, il discorso letterario diventa immediatamente un discorso sociale e politico" [12].

Non stupisce che nella scia del lungo e coerente impegno sia politico che intersessuale, Dacia Maraini si sia interessata anche del mito di Don Giovanni e gli abbia dedicato una sua commedia, Don Juan, nel 1976. Come abbiamo già ricordato nel V capitolo dedicato al Don Juan di Molière, molte femministe, soprattutto francesi ed americane, si sono dedicate ad un'analisi del mito, interpretando di solito l'eroe come figura positiva, intenta a rompere le promesse linguisticamente ipocrite dell'amore [13]. Ma vi sono anche altre femministe contrarie, che s'identifica-

[10] Rasy 127.

[11] Dacia Maraini, La Bionda, la bruna e l'asino: Con gli occhi di oggi sugli anni Settanta e Ottanta (Milano: Rizzoli, 1987).

[12] Biancamaria Frabotta e Dacia Maraini, Introduzione a Donne in Poesia: Antologia della poesia femminile in Italia, dal dopoguerra a oggi (Roma: Savelli, 1976).

[13] Vedi in particolare Shoshana Feldman, Le Scandale du corps parlant: Don Juan avec Austin (Parigi: Seuil, 1980), come pure diversi lavori di Domna Stanton, soprattutto "Playing with Signs: The Discourse of Molière's Don Juan", French Forum V (1980): 106-121.

no con le vittime di Don Juan, le quali scelgono invece di farsi pagare linguisticamente il debito della verità dall'eroe [14]. Si teme infatti che giocando col nuovo giuoco seducente della lingua, il femminismo possa restare sconfitto nella sua ben necessaria rivoluzione, e spaventa in particolare il Don Juan pseudo spiritualizzato, introdotto da Kierkegaard [15]. Questa corrente femminista, a cui possiamo associare la Maraini, quando s'interessa del mito, usa la leggenda in un discorso letterario di tipo autobiografico, in una griglia tematica che mette soprattutto a fuoco l'evolversi dei personaggi femminili ed il loro diverso rapporto con il protagonista libertino.

Nel suo *Don Juan*, Dacia Maraini usa diverse tecniche teatrali per dare coesione alla leggenda tradizionale, come la musica di Mozart, i nomi spagnoleggianti dei personaggi e la distribuzione delle parti. In un audace alternarsi di tempo tra il presente rivoluzionario e attuale ed il '700 mitico, essa rinnova anche completamente la sostanza del mito, conferendogli la propria dimensione di militante e teorica. Come già avevamo notato nel *Man and Superman* di Shaw, anche il *Don Juan* della Maraini fa molto uso della musica di Mozart, che accompagna tutti i cambiamenti di scena, alternando la trama drammatica tra il presente politico e rivoluzionario, ed il passato settecentesco, ormai avvertito come tradizionale e mitico. La struttura del mito si mantiene e continua ad affermarsi nel periodico cambio dei tempi, pur mantenendo lo svolgimento degli episodi in una progressione narrativa che parallela il libretto Dapontiano.

"Lunare e caotico", viene definito questo Don Juan da sua madre, "acceso d'amore furioso e già pronto a spegnersi" [16]. È un Don Juan che nel passato era innamorato soprattutto della politica, ma che si è ormai allontanato anche da quest'amore. Ama le donne solo fino al momento in cui gli fanno capire di contraccambiarlo, sia che l'azione si svolga nel '700, che nel '900. Don Juan è ormai diventato un eroe completamente

---

[14] Vedine un'ottima sinopsi in Lazzaro-Weis 383.
[15] Rimandiamo al capitolo VI di questo volume.
[16] Dacia Maraini, *Don Juan* (Torino: Einaudi, 1976) 38-39.

apatico, senza né passione né *joie de vivre*. Ha perfino l'ulcera "avvertimento, allarme" della sua paura del nulla. La seduzione delle donne continua però ad essergli indispensabile per evitargli l'annientamento completo nel vuoto, quell'annientamento che lo ingoia sempre quando cessa la lotta politica. È un vuoto angoscioso che, egli spiega, accompagna sia la pace che la vita familiare. In realtà questo Don Juan preferisce masturbarsi al fare all'amore, anche se a questo punto della vita vorrebbe avere un figlio, da chiunque, per pacificare sua madre. Conquista le donne spesso con un'unica frase: "Ma che begli occhi che hai, Maria" le dice, dopo averla già conquistata ed abbandonata, e Maria continua a ripetere questa frase come un ritornello incantatore, mentre con occhi sognanti danza lentamente nella sua stanza.

Le donne *amate* da Don Juan vengono sempre da lui usate con supremo e sconsiderato egocentrismo: per avere un figlio, per la varietà dell'esperienza e, soprattutto, per le sue ambizioni politiche. Quest'ultimo è un tema particolarmente sentito dalla Maraini, che abbiamo già trovato nei suoi romanzi come nei saggi. L'uomo politicamente impegnato sfrutta l'aiuto della compagna soprattutto come spinta per la propria ascesa politica, in un'eco del paternalismo condiscendente ed egoista del partito, che aveva tanto deluso il movimento femminista italiano degli anni '70.

Le conquiste di Don Juan vengono sempre seguite dalla sua fuga immediata. "Scappi per farti amare o ti fai amare per scappare?" gli domanda molto a proposito Elvira. Ma come per i Don Giovanni dei secoli precedenti, anche questa fuga non è tanto ragionata quanto istintiva. È un nascondersi per evitare il vuoto della staticità e della permanenza, simbolo di morte. Staticità, vuoto, pace e famiglia sono elementi intercambiabili per questo Don Juan; l'unico comun denominatore è che l'eroe deve sempre sfuggirli al più presto. Continua a ripetere di desiderare soltanto vita e bellezza, non le amanti vulnerabili e suicide come la piccola Maria. Eros dovrebbe essere totalmente separato da Thanatos, ma è il destino di questo Don Juan, come di tutti gli altri eroi del passato, che questo non avvenga. Lo spazio erotico in cui si muove l'eroe libertino è sempre soffuso di morte: dall'iniziale amore per Elvira, che accompagnerà tutta la pièce e che si fa un tutt'uno con la preparazione dell'assassinio del padre di lei, dittatore/tiranno, fino al triangolo amoroso tra Anna, il marito morto e Don Juan, in una sensualità apertamente necrofiliaca. Il momento conclusivo dell'incontro drammatico e mortale coll'emissario di Dio, qui Manuel Calvario in un ricordo evangelico, nel mutamento di scena dal Settecento al Novecento verrà tradotto in un attacco di ulcera. È una morte quindi soltanto temporanea: una paralisi del *solar plexus*, il centro addominale affettivo. Una morte mitica e tradizionale nel '700, e una morte del sentimento nel '900.

L'alternarsi del tempo non ostacola la struttura del mito, la quale viene mantenuta anche nel rapporto simmetrico e costante tra l'eroe ed il suo servitore. Si tratta adesso di un Catalinón femminilizzato in Caterinone, compagno proletario di Don Juan fin dai tempi della rivoluzione, il quale condivide col suo padrone/amico un rapporto ambiguo e confuso. È un'amicizia resa ancor più equivoca dall'ambivalenza dell'amore/odio che Caterinone prova per Don Juan, suo rivale per l'amore di Elvira e contemporaneamente invidiato e disprezzato membro della classe governante. In un'originale variazione del *Mes gages* moleriano, è di nuovo il servitore che verbalizza il *dénouement* della commedia, in un lungo e sofferto monologo:

> "...Confessione di un povero innamorato della ricchezza, roso dall'incertezza e dalla paura: confessione di un servo innamorato del padrone: Ho amato Giovanni... Ho amato in lui la sicurezza, il denaro, la vittoria, la naturalezza, il successo... E ora sono un'ombra, un calco vuoto. Ho amato in lui il padrone, il nemico, per una profonda sfiducia in me stesso" [17].

Tutti i rapporti interpersonali della commedia si mostrano sempre confusi ed ambivalenti, in un'interpretazione stereotipata di lotta di classe (nel caso di Caterinone e Juan), o più spesso in un conflitto di ruolo. Il rapporto tra Maria e Felipe, i due *contadini* (qui fidanzati e membri del proletariato urbano), è tutto un susseguirsi di esempi tipici di sciovinismo matrimoniale: dalla scelta maschile del letto a due piazze, alla

---

[17] Maraini, *Don Juan* 80.

proibizione di Felipe che la moglie lavori fuori di casa, al volerla sempre chiusa in casa "donna, sposa e madre". È un maschilismo intensificato anche dall'eco dell'orrenda canzone nuziale dedicata alla donna che sposando "è caduta, senza il becco di un quattrino, nel luridissimo acquitrino del matrimonio". Né meno spiacevole è la figura patetica ed agghiacciante della madre di Don Juan, "sposata ad un imbecille morto, madre di un delinquente vivo", una donna che pur sentendosi fisicamente attratta dalla femminilità delle altre donne, vuole contemporaneamente umiliarle e distruggerle, come ha umiliato e distrutto la propria femminilità. Avrebbe voluto diventare scienziata, ma ciò le è stato impedito dall'eleganza dei suoi bei vesiti e dal terrore di sporcarli. È una madre che ha partorito solo femmine, meno Don Juan, uccidendole subito tutte perché tanto "le femmine non contano".

L'asse centrale della commedia s'impernia quindi esclusivamene sul personaggio di Elvira, in un'inversione Elvira/Juan che, iniziatasi nel *Man and Superman* di Shaw, si è adesso solidificata. È Elvira stessa che insieme a Don Juan uccide il proprio padre, in una ripetizione emblematica del rifiuto del padre a favore dell'amante, qui enucleato in azione conscia e politicizzata. Un padre tenero ed una madre violenta hanno generato Elvira, essa racconta; un padre amato, tenendo la cui mano Elvira si addormentava da bambina; un padre che ha tradito i suoi valori politici e spirituali e che Elvira sacrificherà alla politica e all'amore di Juan.

Unica tra tutte le altre vittime/amanti di Don Juan, Elvira riesce ad amarlo senza illusioni, pur conoscendone tutte le debolezze. Nell'Elvira del *Don Juan* di Dacia Maraini abbiamo la creazione di un personaggio estremamente umano, vulnerabile ma anche risoluto, che continua ad amare il suo debole, apatico ed edipico Juan, accettandolo così com'è, pur intuendo però che l'unico autentico rapporto di fiduciosa partecipazione possibile sia soltanto quello che può essere condiviso tra donne. Elvira è spiritualmente indipendente. Ha "gambe giovani e forti e...può camminare da sola". Non ha la necessità ossessiva di un corpo da amare, al contrario di Anna, perché ha imparato ad amare *senza* aver bisogno di essere ricambiata secondo un determinato canone erotico.

L'amore di Elvira si proietta dalla forza di lei, e non dalla sua debolezza, così che essa, senza rimprovero e senza lode, può accettare l'essenza intima dell'Altro, uomo o donna. Con Elvira abbiamo ormai il trionfo della ex vittima, in un'inversione di ruolo che ha infuso dignità e coraggio nella vulnerabile umanità di questo personaggio, posto a contrasto dell'apatia sempre più antieroica ed infantile di quel Don Juan che ormai non funge più da protagonista del mito, ma da antagonista.

CAPITOLO XI

CONCLUSIONE

Studiare Don Giovanni vuol dire seguire ed osservare il *curriculum* di un personaggio nella sua forza dialettica tra l'individuo e la società che lo reclama e lo trasforma. Se nel Seicento la moralità della Spagna cattolica sembrava punire il seduttore senza scrupoli, non era tanto il peccatore della carne che veniva gettato all'Inferno quanto l'offensore di Dio, il profanatore che aveva violato i confini impartiti ai viventi, insultando il mondo dei morti e rifiutando perfino in extremis il perdono di Dio. Si può quindi leggere *El Burlador* di Tirso de Molina in termini di allegoria politica e di allegoria spirituale: il duello riprodotto nel testo tra Don Giovanni/Burlador e il morto è una rappresentazione del conflitto tra immoralità e moralità, come anche tra metamorfosi e durata e quindi, in senso lato, tra disordine e ordine. È un conflitto che sottolinea il carattere tipicamente imperialistico del periodo preindustriale in Spagna, la cui crisi economica degli inizi del diciassettesimo secolo invece di risolversi in una radicale trasformazione della struttura sociale si orienterà invece verso forme immobilistiche di sfruttamento coloniale. I valori ideali tradizionalmente cristiano-cattolici offerti dal testo sono di matrice chiaramente aristocratica e si possono identificare, sotto un profilo storico-politico, con l'ethos della nobiltà latifondista spagnola del'600. Anche i rapporti sociali rappresentati nel testo (solo due classi: aristocratica e contadina) rimandano immediatamente alla struttura gerarchica della Spagna secentesca[1].

La rinascita dell'archetipo del Burlatore, nella creazione secentesca di Tirso de Molina, evidenzia soprattutto la necessità, sia letteraria che psico-

[1] Vedi Silvana De Vincentiis, "Metamorfosi di Don Giovanni: da Tirso a Shaw" *Lingua e Stile* XVII. 2 (1982): 299.

logica, di riequilibrare uno scompenso morale. *El Burlador* di Tirso, nonostante il suo connotato esemplificatore e predicatorio, riposa fermamente sul bisogno del pubblico, oberato dal rigorismo teologico del periodo, di poter comunicare con la propria *Ombra*[2], vederla recitare sul palcoscenico con le sue volubili ribellioni, per poi poterla sprofondare di nuovo nell'inconscio del sepolcro infernale, continuando ad aderire (dopo una serata eccitante e catartica) al rigore ed al dogmatismo della teologia spagnola secentesca.

Quando il mito si laicizza maggiormente nel suo passaggio dalla Spagna all'Italia e, in seguito, in Francia, allora viene la tentazione di indurire l'opposizione dell'eroe, che in Italia diventa un cattivaccio da fiera, un ateista fulminato e in Francia, addirittura un *fils criminel*. Con lo sfasamento còmico, effettuato dall'interpretazione italiana, si comincia ad evidenziare soprattutto lo spettacolare ed il fantastico, a scapito del rigorismo teologico. Ci troviamo quindi di fronte a un vero paradosso storico / letterario. Perché il mito si propagasse e continuasse a vivere, fu necessario che esso, traducendosi da una forma teatrale ad un'altra, da dramma in commedia, si deformasse diventando addirittura parodia di se stesso. Senza le maschere e i lazzi dell'Improvvisa, il Don Giovanni non si sarebbe mai trasmesso a Molière, Goldoni o Mozart. Ma questo viaggio attraverso i generi e le distorsioni che ne risultano è anche un viaggio diacronico della storia del mito nel tempo. Si tratta quindi di una vera e propria traduzione non solo da una lingua all'altra, ma da un sistema teatrale all'altro.

Mentre gli autori del Seicento si tengono tutti piuttosto distanti dal loro eroe, dopo la mediazione di Molière, che assai più che un criminale e un blasfemo ha fatto di Don Giovanni un peccatore filosofico e teologico, si arriva addirittura ad amare questo eroe. "On aime Don Juan" ammette Gautier, parlando di una delle rappresentazioni dell'opera di Mozart, e più apertamente ancora troviamo de Musset che in *Namouna* dice "et moi, je t'aime"[3].

---

[2] Carl G. Jung, *Aion: Researches into the Phenomenology of the Self* in *Collected Works* (New York: Bollingen Foundation/Pantheon Books, 1959) Vol. IX, Parte 2.

[3] Alfred de Musset, *Namouna* in *Oeuvres Complètes* a cura di Philippe Van Tieghem (Parigi: du Seuil, 1963) 136.

Per i moderni, Don Giovanni è assolto dal grande perdono romantico ed esaltato e purificato dalla musica di Mozart, attraverso il cui *medium* la maggior parte dei nostri contemporanei ha accolto il mito. L'evoluzione tematica del mito eroico, dal *Burlador* di Tirso, attraverso il recupero romantico di un Hoffmann, all'attualizzazione dei primi del secolo di *Man and Superman* di Shaw e alla successiva espansione dell'*Amore per la Geometria* di Max Frisch o del *Don Juan* di Dacia Maraini, che hanno dato via libera al reinserimento del mito nel contesto attuale, rappresenta una nuova rievocazione, reinterpretata diacronimamente, della metafora biblica della caduta. Nel *Burlador* la violazione della legge sociale, e quindi anche divina e rivelata, appariva irrimediabilmente maledetta; nell'ipotesi romantica, la trasgressione è contemporaneamente anche conquista responsabile d'auto-coscienza. Nel riscatto dell'inizio del nostro secolo, iniziato e introdotto da Shaw, la ribellione alle leggi sociali è ormai definitivamente normativizzata e l'individualismo etico diventa scelta moralmente cosciente.

Nella proiezione mitica contemporanea, infine, abbiamo un eroe che non solo ha rigettato i valori borghesi della società, ma che adesso può perfino obliterare l'universo reale e sensibile che lo circonda, in favore dell'astrazione geometrica o della nevrosi apertamente edipica. La prima enucleazione filosofica del mito, attuata da Molière, aveva trasposto la *burla* da azione in parola, creando nel Dom Juan molieriano un maestro del virtuosismo linguistico. È un trionfo della parola che non potrà che evolversi in canto. Fu infatti soltanto dopo l'abbinamento musicale dell'opera di Mozart che si poté attualizzare una nuova frantumazione del mito, che da teatrale si sfasò in nuovi generi (poema, racconto o sogno lirico) e nuove forme (balletto o poema sinfonico). Ai nostri giorni invece, il mito di Don Giovanni si è ormai soprattutto associato al campo metaletterario della psicologia analitica, accennando così a un iniziale riflusso ciclico del mito, con un ritorno potenziale all'originaria matrice spirituale ed antropologica dell'archetipo.

BIBLIOGRAFIA *

OPERE LETTERARIE

Anouilh, Jean. *Ornifle ou le courant d'air*. Parigi: La table ronde, 1956.

L'Ateista fulminato (Scenario anonimo), in Macchia, Giovanni. *Vita Avventure e Morte di Don Giovanni*. Torino: Einaudi, 1978. Anche in Spaziani, Marcello. *Don Giovanni dagli scenari alla "Foire"*. Roma: Edizioni di Storia e Letteratura, 1978.

Biancolelli, Domenico. *Le Festin de Pierre*. Tr. Thomas S. Gueullette, in Macchia, Giovanni. *Vita Avventure e Morte di Don Giovanni*. Torino: Einaudi, 1978. Anche in Gendarme de Bévotte, Georges. *Le Festin de Pierre avant Molière*. Ginevra: Slatkine, 1907/1978. Anche in Spaziani, Marcello. *Don Giovanni dagli scenari dell'arte alla "Foire"*. Roma: Edizioni di Storia e Letteratura, 1978.

Byron, George G. *Don Juan*. Ed. a cura di T.G. Steffan, E. Steffan & W.W. Pratt. New Haven: Yale Univ. Press, 1982.

Cailhava. Extrait de la pièce italienne, in Spaziani, Marcello. *Don Giovanni dagli scenari dell'arte alla "Foire"*. Roma: Edizioni di Storia e Letteratura, 1978.

Cicognini, Giacinto A. *Il Convitato di Pietra: Opera regia ed esemplare*, in Macchia, Giovanni. *Vita Avventure e Morte di Don Giovanni*. Torino: Einaudi, 1978.

Convitato di Pietra (Scenario anonimo - Napoli, Biblioteca nazionale), in Spaziani, Marcello. *Don Giovanni dagli scenari alla "Foire"*. Roma: Edizioni di Storia e Letteratura, 1978.

Convitato di Pietra (Scenario anonimo - Roma, Biblioteca casanatense), in Macchia, Giovanni. *Vita Avventure e Morte di Don Giovanni*. Torino: Einaudi, 1978. Anche in Spaziani, Marcello. *Don Giovanni dagli scenari dell'arte alla "Foire"*. Roma: Edizioni di Storia e Letteratura, 1978.

---

* Sono elencati esclusivamente i libri ed articoli consultati per questo studio. Per una bibliografia più completa sull'argomento, rimandiamo il lettore alla bibliografia di Armand E. Singer, elencata tra le opere critiche.

Dorimond. *Le festin de Pierre ou le fils criminel,* in Balmas, Enea. *Il mito di Don Giovanni nel Seicento francese.* Vol. I. Milano: Cisalpino-Goliardica, 1978. Anche in Gendarme de Bévotte, Georges. *Le Festin de Pierre avant Molière.* Ginevra: Slatkine, 1907/1978.

Dumas, Alexandre. *Don Juan de Maraña; ou la chute d'un ange; mistère en cinq actes.* Bruxelles: J.A. Lelong, 1836.

Frisch, Max. *Don Juan, or the Love of Geometry. Three Plays.* Tr. James L. Rosenberg. New York: A Mermaid Dramabook, 1967.

Gazzaniga, Giuseppe. *Don Giovanni, o sia Il Convitato di pietra: dramma giocoso in un atto di Giuseppe Bertati* (fotocopia dello spartito). Kassel: Barenreiter, 1974.

Goethe, J.W. *Faust.* Tr. & Ed. a cura di Franco Fortini. Vol. I & II. Milano: Mondadori, 1988.

Goldoni, Carlo. *Don Giovanni Tenorio o sia il Dissoluto,* in *Tutte le Opere.* Ed. a cura di Giuseppe Ortolani. Vol. IX. Milano: Mondadori, 1959.

Grabbe, Christian Dietrich. *Don Giovanni e Faust,* in *Teatro.* Tr. & Ed. a cura di Enrico Groppali. Genova: Costa e Nolan, 1986.

Hoffmann, E.T.A. *Don Juan,* in *Contes fantastiques complets.* Tr. Loève-Veimars. Vol. II. Parigi: Flammarion, 1964.

Lenau, Nikolaus. *Don Juan* in *Dichterischner Nachlass.* Stoccarda, 1851.

Maraini, Dacia. *Don Juan.* Torino: Einaudi, 1976.

Mérimée, Prosper. *Les âmes du purgatoire,* in *Colomba; La vénus d'Ille; Les âmes du purgatoire.* Parigi: Calmann- Lévy, 1880.

Molière, J. - B. P. *Dom Juan ou le festin de Pierre,* in *Oeuvres Complètes.* Ed. a cura di Georges Couton. Vol. II. Parigi: Gallimard, 1971.

Montherlant, Henry de. *Don Juan.* Parigi: Gallimard, 1958.

Mozart, Wolfgang A. *Don Giovanni: Opera en deux actes; Fac-simile in extenso du manuscript autographe conservé à la Bibliothèque Nationale.* Parigi: La Revue Musicale, 1970.

Musset, Alfred de. "Namouna", in *Poésies complètes.* Ed. a cura di Maurice Allem. Parigi: Pléiade/Gallimard, 1967.

Pushkin, Aleksanders. *The Stone Guest,* in *Little Tragedies.* Tr. Eugene. M. Kanden. Yellow Springs: Ohio State Univ. Press, 1965.

Rostand, Edmond. *La dernière nuit de Don Juan.* Parigi: Fasquelle, 1921.

Sand, George. *Lélia.* Ed. a cura di Béatrice Didier. Vol. I. & II. Meylan: Editions de l'Aurore, 1987.

Shaw, George Bernard. *Man and Superman.* New York: Penguin, 1988.

Téllez, Gabriel (Tirso de Molin). *El Burlador de Sevilla y convidado de piedra.* Ed. a cura di Xavier A. Fernandez. Madrid: Alhambra, 1982.

Tolstoy, Aleksey Konstantinovich. *Don Juan.* Tr. in francese B. de Berwick. Parigi: Arnaud & Charles, 1876.

Villiers. *Le festin de Pierre ou le fils criminel,* in Balmas, Enea. *Il mito di Don Giovanni nel Seicento francese.* Vol. I. Milano: Cisalpino-Goliardica, 1978.

Anche in Gendarme de Bévotte, Georges. *Le Festin de Pierre avant Molière.* Ginevra: Slatkine, 1907/1978.

Zorrilla, José. *Don Juan Tenorio.* Ed. a cura di Aniano Peña. Madrid: Cátedra, 1980.

BIBLIOGRAFIA *

OPERE CRITICHE

Abbiati, Franco. *Storia della Musica*. Milano: Garzanti, 1981.

Anderson, Emily, ed. e tr. *The Letters of Mozart and his Family, Chronologically Arranged*. Londra: Macmillen, 1985.

Ariès, Philippe. *Western Attitudes toward Death: From the Middle Ages to the Present*. Tr. P.M. Ranum. Baltimore: The Johns Hopkins Univ. Press, 1974.

Balmas, Enea. "Don Giovanni nel Seicento francese", in *Studi di Letteratura francese*. Vol. VI. Firenze: Olschki, 1980.

—. *Il mito di Don Giovanni nel Seicento francese*. Vol. I & II. Milano: Cisalpino-Goliardica, 1978.

Baquero, Arcadio. *Don Juan y su evolución dramática: el personaje teatral en seis comedias españolas*. Madrid: Editora Nacional, 1966.

Barthes, Roland. *Le Degré zéro de l'écriture, suivi de Nouveaux essais critiques*. Parigi: du Seuil, 1972.

—. *Le Plaisir du texte*. Parigi, du Seuil, 1973.

Bazzarelli, Eridano. "Don Giovanni in Russia", in *Studi di Letteratura francese*. Vol. VI. Firenze: Olschki, 1980.

Bec, Christian e Irène Mamczarz, ed. *Le Théâtre Italien et l'Europe*. Firenze: Olschki, 1985.

Bellet, Roger. "Le Dom Juan de Molière: Un Cavalier de l'entendement". *Europa: Revue Littéraire Mensuelle*. 523/524 (1972): 121-127.

Bénichou, Paul. *Morales du grand siècle*. Parigi: Gallimard, 1948.

Bentley, Eric. "The Theater" in Bloom, Harold, ed. *George Bernard Shaw's Man and Superman*. New York: Chelsea, 1987.

Berst, Charles A. "The Play of Ideas in Act III of Man and Superman", in Bloom, Harold, ed. *George Bernard Shaw's Man and Superman*. New York: Chelsea, 1987.

---

* Sono elencati esclusivamente i libri ed articoli consultati per questo studio. Per una bibliografia più completa sull'argomento, rimandiamo il lettore alla bibliografia di Armand E. Singer, qui elencata.

Berveiller, Michel. *L'Eternel Don Juan*. Parigi: Hachette, 1961.

Bevilacqua, Giuseppe. "Il rifacimento brechtiano del *Dom Juan* e il mito di Don Giovanni nella letteratura tedesca", in *Studi di Letteratura francese*. Vol. VI. Firenze: Olschki, 1980.

Birnbaum, Lucia Chiavola. *Liberazione della donna: Feminism in Italy*. Middletown: Wesleyan Univ. Press, 1986.

Blackall, Eric A. "Don Juan and Faust". *Seminar: A Journal of Germanic Studies* XIV (1978):, 71-83.

Bloom, Harold, ed. *George Bernard Shaw's Man and Superman*. New York: Chelsea, 1987.

—, ed. *Modern Critical Views: George Bernard Shaw*. New York: Chelsea, 1987.

Bosisio, Paolo. *Gozzi, Goldoni: Una polemica*. Firenze: Olschki, 1979.

Breydert, Frédéric. *Le Génie créateur de W.A. Mozart*. Parigi: Alsatia, 1971.

Brody, Jules. "*Dom Juan and Le Misanthrope*, or the Estetics of Individualism in Molière". *Publications of the Modern Language Association of America* LXXXIV (1969): 559-576.

Butler, Michael. *The Plays of Max Frisch*. New York: St. Martin's Press, 1985.

Caldarini, Ernesta. "La retorica di Don Giovanni". *Aevum* XLV. 1/2 (gennaio-aprile 1971): 409-422.

Cambria, Adele. *L'Italia segreta delle donne*. Roma: Newton Compton: 1984.

Campbell, Joseph. *The Hero with a Thousand Faces*. New York: Meridian Books, 1949/1984.

— *The Masks of God*. Vol. I-VI. New York: Penguin, 1964/ 1976.

— *The Mythic Image*. Princeton: Bollingen Series C.; Princeton Univ. Press, 1974.

Camus, Albert. "Le don juanisme", in *Le Mythe de Sisyphe*. Parigi: Gallimard, 1942.

Cantoni, Remo. *Don Giovanni: La musica di Mozart e l'eros*. Milano: Mondadori, 1976.

Caramaschi, Enzo. "A propos du don juanisme littéraire au dix-neuvième siècle", in *Studi di Letteratura francese*. Firenze: Olschki, 1980.

Carr, Francis. *Mozart and Constance*. New York: Watts, 1984.

Casalduero, Joaquín. *Contribución al estudio del tema de Don Juan en el teatro español*. Madrid: Ediciones J. Porrúa Turanzas, 1975.

Castoldi, Alberto. "Le Grimaces di Don Giovanni". *Belfagor* XXXI (1976): 515-542.

217

Cattaneo, Maria Teresa. "Don Giovanni nel teatro spagnolo", in *Studi di Letteratura francese*. Vol VI. Firenze: Olschki, 1980.

Cerlard, Jacques; Shoshana Feldman; Monique Schneider e altri. "Don Juan ou la promesse d'amour". *Tel Quel* LXXXVII (1981): 16-36.

Cinco ensayos sobre Don Juan. Santiago de Chile: Editorial Cultura, 1937.

Claudon, Francis; Georges Favier; Jacques Joly e Laurine Quétin. "Mozart et le genre serieux", in Berthier Philippe e Kurt Ringger, ed. *Littérature et Opéra*. Grenoble: Presses Universitaires de Grenoble, 1987.

Costa-Zalessow, Natalia. *Scrittrici italiane dal XIII al XX secolo: Testi e critica*. Ravenna: Longo, 1982.

Costanzo, Mario. *I segni del silenzio*. Roma: Bulzoni, 1983.

Cowen, Roy C. *Christian D. Grabbe*. New York: Twayne, 1972.

Crompton, Louis. "Don Juan in Hell", in Bloom, Harold ed. *George Bernard Shaw's Man and Superman*. New York: Chelsea, 1987.

——. *Shaw the Dramatist*. Lincoln: Univ. of Nebraska Press, 1969.

Da Ponte, Lorenzo. *Memorie e Libretti mozartiani*. Intro. Giuseppe Armani. Milano: Garzanti, 1976.

De' Paoli, Domenico. *L'Opera italiana: dalle origini all'opera verista*. Roma: Studium, 1955.

Desvignes, Lucette. "Les Italiens à Paris d'après le requeil de Gherardi (1682-1679), in *Mélanges à la mémoire de Franco Simone*. Vol. II. Ginevra: Slatkine, 1981.

Deutsch, Otto E. *Mozart: A Documentary Biography*. Tr. Eric Blom e altri. Stanford: Stanford Univ. Press, 1966.

De Vincentiis, Silvana. "Metamorfosi di Don Giovanni: da Tirso a Shaw". *Lingua e Stile* XVII. 2 (1982): 295-316.

Dictionnaire des mythes littéraires, a cura di Pierre Brunel. Parigi: Editions du Rocher, 1988.

Dominicis, María Canteli. *Don Juan en el teatro español del siglo XX*. Miami: Ediciones Universal, 1978.

Don Juan: Catalogue de l'Exposition organisée par la Bibliothèque Nationale (25 avril - 5 jullet 1991). Parigi: Bibliothèque Nationale, 1991.

Doty, William G. *Mythography: the Study of Myths and Rituals*. University, AL: Univ. of Alabama Press, 1986.

Duller, Eduard. *Grabbe*. Düsseldorf: Schreiner, 1838.

Einstein, Alfred. *Mozart: His Character, his Work*. Tr. Arthur Mendel & Nathan Broder. Londra: Oxford Univ. Press, 1941/1961.

Eliade, Mircea. *Aspects du mythe*. Parigi: Gallimard, 1962.

——. *Mythes, rêves et mistères*. Parigi: Gallimard, 1957.

——. *Myths, Rites, Symbols: A Mircea Eliade Reader.* Ed. a cura di Wendell C. Beane & William G. Doty. New York: Harper & Row, 1975

Ellinger, Georg. E.T.A. *Hoffmann: Sein Leben une seine Werke.* Amburgo: L. Voss, 1894.

Farinelli, Arturo. *Don Giovanni.* Milano: Fratelli Bocca, 1946.

——. "Don Giovanni, Note Critiche". *Giornale Storico della Letteratura Italiana* XXVII (1896): 1-77 & 254-326.

Feal, Carlos. "Conflicting Names, Conflicting Laws: Zorrilla's *Don Juan Tenorio*". *Publications of the Modern Language Association of America* XCVI. 3 (1981): 375-387.

——. Dios, el diablo y la mujer en el mito de Don Juan". *Torre* XXXIV (1986): 81-102.

——. *En nombre de don Juan: Estructura de un mito literario.* Amsterdam & Philadelphia: John Benjamins, 1984.

Feldman, Shoshana. *Le Scandale du corps parlant: Don Juan avec Austin, ou la séduction en deux langues.* Parigi: du Seuil, 1980.

Ferraro, Guido. *Il linguaggio del mito.* Milano: Feltrinelli, 1979.

Forestier, Georges. "Langage dramatique et langage symbolique dans le *Dom Juan* de Molière", in Jomaron, Jacqueline de, ed. *Langages dramatiques.* Parigi: Nizet, 1986.

Forti-Lewis, Angelica. "Don Giovanni ermetico: una interpretazione del mito" (Nota presentata da s.e. Vittore Branca nell'adunanza ordinaria del 27 maggio, 1989). *Atti dell'Istituto Veneto di Scienze, Lettere ed Arti.* CXLVII (1988-1989): 345-354.

——. "Il mito di Don Giovanni?". *Critica Letteraria* XVI. 3 (1988): 583-590.

——. *Italia Autobiografica.* Roma: Bulzoni, 1986.

——. "Parole o musica? Don Giovanni *illuminato* da Goldoni e Mozart". *Italian Quarterly* XXX. 117 (Summer 1989): 31-41.

Frabotta, Biancamaria. *Femminismo e lotta di classe in Italia* (1970-1973). Roma: Savelli, 1973.

——. *Letteratura al Femminile.* Bari: Di Donato, 1981.

Freud, Sigmund. *A Collection of Critical Essays.* Ed. a cura di Perry Meisel. Englewood Cliffs, N.J.: Prentice Hall, 1981.

——. *Sexuality and the Psychology of Love.* Intro. Philip Rieff. New York: Collier Books, 1972.

Gadamer, Hans Georg. *Truth and Method.* Tr. Garrett Bardon & John Cumming. New York: Seabury Press, 1975.

Ganz, Margareet. "Humor's Devaluation in a Modern Idiom: The Don Juan

Plays of Shaw, Frisch and Montherlant". *New York Literary Forum* I (1978): 117-136.

Garapon, Robert. "Molière pour ou contre Dom Juan?", in *Studi di Letteratura francese*. Vol VI. Firenze: Olschki, 1980.

Garboli, Cesare. "Come recita Don Giovanni, I: dal teatro al testo". *Paragone* CCCL (1979): 21-52.

—. *Molière. Saggi e traduzione*. Torino: Einaudi, 1974-1976.

Geist, Edward V. "Ann Whitefield and Hedda Gabler: Two Versions of Everywoman". *The Independent Shavian* XXIV. 2/3 (1986): 27-33.

Gendarme de Bévotte, Georges. *La Légende de Don Juan: Son évolution dans la littérature des Origines au Romantisme*. Ginevra: Slatkine, 1906/1970.

—. *La Légende de Don Juan: Son évolution dans la littérature du Romantisme a l'époque contemporaine*. Parigi: Hachette, 1911.

—. *Le Festin de Pierre avant Molière*. Ginevra: Slatkine, 1907/1978.

Gibbs, A.M. *The Art and Mind of Shaw: Essays in Criticism*. New York: St. Martin's Press, 1983.

Goldoni, Carlo. *Mémoires*, in *Tutte le opere*. Ed. a cura di Giuseppe Ortolani. Vol. I. Milano: Mondadori, 1959.

Gontrum, Peter. "Max Frisch's Don Juan: A New Look at a Traditional Hero". *Comparative Literature Studies* II. 1 (1965): 117-123.

Goodrich, Norma Lorre. *Ancient Myths*. New York: New American Library, 1960.

Grene, Nicholas. "Comedy and Dialect", in Bloom, Harold, ed. *George Bernard Shaw's Man and Superman*. New York: Chelsea, 1987.

Guicharnaud, Jacques. *Molière: Une aventure théatrale*. Parigi: Gallimard, 1963.

Guiducci, Armanda. *La donna non è gente*. Milano: Rizzoli, 1977.

Gutke, Karl S. *Geschichte und Poetik der deutschen tragikmodie*. Göttingen: Vandenhoech & Ruprecht, 1961.

Gutwirth, Marcel. "Don Juan et le tabou d'incest". *Romanic Review* LXX. 1 (1986): 25-32.

Hall, Gaston H. "Ce que Molière doit à Scaramouche", in *Mélanges à la mémoire de Franco Simone*. Vol. II. Ginevra: Slatkine, 1981.

—. *Comedy in Context: Essays on Molière*. Jackson: Univ. of Mississippi Press, 1984.

—. "La scène du pauvre", in Nurse, P., ed. *The Art of Criticism: Essays in French Literary Analysis*. Edimburgo: The Univ. Press, 1969.

Hamilton, Edith. *Mythology*. Boston: Little, Brown and Co., 1942.

Harris, Laurilyn J. "Aspiration and Futility in Grabbe's *Don Juan and Faust*". *The Theater Annual* XXXVIII (1983): 1-12.

Harrison, Jane Ellen. *Mythology*. New York: Harcourt, Brace & Ward, 1963.

Heckel, Hans. *Das Don Juan-Problem in der Dichtung*. Stoccarda: J.B. Metzlersche Buchandlung, 1915.

Helling, William. "Le Dénouement du *Don Juan* de Molière: Un problème de mise en scène". *Chimères* XVIII. 2 (1986): 23-50.

Herbert, Joseph. "Don Juan in the Enlightenment: The Twilight of the Erotic as Myth". *Degré Second: Studies in French Literature* VI (1982): 89-100.

Hewett-Thayer, Harvey. *Hoffmann: Author of the Tales*. Princeton: Princeton Univ. Press, 1948.

Hocquard, Jean-Victor. *Le Don Giovanni de Mozart*. Parigi: Aubier Montaigne, 1978.

Hornsey, A.W. *Idea, Reality in the Dramas of C.D. Grabbe*. New York: Pergamon, 1966.

Horst, Robert. "Ritual time Regained in Zorrilla's *Don Juan Tenorio*". *Romanic Review* LXX. 1 (gennaio, 1979): 81-93.

Hösle, Johannes. " Il mito straniato: la commedia *Don Giovanni o l'amore per la geometria di Max Frisch*", in *Studi di letteratura francese*. Vol VI. Firenze: Olschki, 1980.

Hubert, Judd. *Molière and the Comedy of Intellect*. Berkeley: Univ. of California Press, 1962.

Ingenieros, José. "Werther y Don Juan", in *Cinco ensayos sobre Don Juan*. Santiago de Chile: Editorial Cultura, 1937.

Isasi, Angulo, A.C. "Introduzione" a *Don Juan. Evolución dramática del mito*. Barcellona: Bruguera, 1972.

Jung, Carl. G. *Collected Works*. Tr. R.F.C. Hull, ed.; Sir Herbert Read e altri. Vol. I-XVII. New York: Bollingen Foundation/Pantheon Books, 1959.

Jurgensen, Manfred. "The Drama of Frisch", in Probst, Gerard & J. Bodine, ed. *Perspectives on Max Frisch*. Louisville: Univ. Press of Kentucky, 1982.

Kennedy, James. *Modern Poets and Poetry in Spain*. Londra: Longman, 1852.

Keys, Ivor. *Mozart*. New York: Holmes, 1980.

Kierkegaard, Soren. *Either/Or*. Tr. David F. Swenson & Lillian Marvin Swenson. Vol. I & II. Princeton: Princeton Univ. Press, 1971.

Kieser, Rolf. "Wedding Bells for Don Juan: Frisch's Domestication of a Myth", in Probst, Gerard & J. Bodine, ed. *Perspectives on Max Frisch*. Louisville: Univ. Press of Kentucky, 1982.

Kristeva, Julia. *Etrangers a nous-mêmes*. Parigi: Fayard, 1988.
—. *Histoires d'amours*. Parigi: Denoël, 1983.
—. *The Kristeva Reader*. Tr. Seán Hand. Ed. a cura di Toril Moi. New York: Columbia Univ. Press, 1986.
Kronenberger, Louis. "Shaw", in Bloom Harold, ed. *George Bernard Shaw's Man and Superman*. New York: Chelsea, 1987.
Lagrave, Henry. "Don Juan au siècle des lumières", in *Approches des Lumières: Mélanges offerts à Jean Fabre*. Parigi: Klincksieck, 1974.
Lavagetto, Mario. *Freud, la letteratura e altro*. Torino: Einaudi, 1985.
Lavaud, Jean-Marie. "L'organisation fonctionnelle du *Don Juan Tenorio* de Zorrilla". *Cahiers d'Etudes Romanes* XI (1986): 49-74.
Lawrence, Francis L. "The Ironic Commentator in Molière's *Dom Juan*". *Studi Francesi* XXIV (gennaio-aprile, 1968): 201-207.
Lawrenson, T.E. *The French Stage and Playhouse in the XVIIth Century: A Study in the Advent of the Italian Order*. New York: AMS, 1986.
Lazzaro-Weis, Carol. "Parody and Farce in the Don Juan Myth in the Eighteenth Century". *Eighteenth Century Life* VIII. 3 (maggio, 1983): 35-48.
—. "The Subject's Seduction: The Experience of Don Juan in Italian Feminist Fictions". *Annali d'Italianistica* VII (1989): 382-393.
Leary, Daniel J. "Don Juan, Freud and Shaw in Hell: A Freudian Reading of *Man and Superman*". *The Shaw Review* XXII. 2 (maggio, 1979): 58-78.
Lévi-Strauss, Claude. "Confrontation over Myths". *New Left Review* LXII (1970).
—. *Mythologiques I: The Raw and the Cooked*. Londra: Cape, 1969.
—. *Mythologiques II: From Honey to Ashes*. Londra: Cape, 1973.
—. *Mythologiques III: L'Origines des manières de table*. Parigi: Plon, 1968.
—. *Mythologiques IV: L'Homme nu*. Parigi: Plon, 1971.
—. *Le Regard Eloigné*. Parigi: Plon, 1983.
Leydi Roberto e Renata Leydi. *Marionette e burattini*. Milano: Collana del Gallo Grande, 1958.
Little, William. "Varios aspectos de don Juan y el donjuanismo". *Hispanofila* XXVII. 2 (1984): 9-15.
Macchia, Giovanni. *Tra Don Giovanni e Don Rodrigo*. Milano: Adelphi, 1989.
—. *Vita Avventure e Morte di Don Giovanni*. Torino: Einaudi, 1978.
Mac Kay, Dorothy Epplen. *The Double Invitation in the Legend of Don Juan*. Stanford: Stanford Univ. Press, 1943.
Maeztu, Ramiro de. "Don Juan o el poder", in *Cinco ensayos sobre Don Juan*. Santiago de Chile: Editorial Cultura, 1937.

—. *Don Quijote, Don Juan y la Celestina; ensayos de simpatía*. Madrid: Espasa Calpe, 1926.

Mafud Haye, Consuelo. "El mito de Don Juan Tenorio y su modernación". *Nueva Revista del Pacífico* XXVII-XXVIII (1985): 94-193.

Malkiel, María Rosa Lida de. "Sobre la prioridad de ¿Tan largo me lo fiáis? Notas al *Isidro* y a *El Burlador de Sevilla*". *Hispanic Review* XXX (1962): 275-295.

Mandariaga, Salvador de. *Don Juan y la Don-Juanía*. Buenos Aires: Editorial Sudamericana, 1950.

Mandel, Oscar. *The Theatre of Don Juan*. Lincoln: Univ. of Nebraska Press, 1963.

Mandrell, James. "*Don Juan Tenorio as Refundición*: The Question of Repetition and Doubling". *Hispania* LXX. 1 (marzo, 1987): 22-30.

Mansour, George P. "Parallelism in *Don Juan Tenorio*". *Hispania* LXI. 2 (maggio, 1978): 245-253.

Maraini, Dacia. *La bionda, la bruna e l'asino: Con gli occhi di oggi sugli anni Settanta e Ottanta*. Milano: Rizzoli, 1987.

Marañon, Gregorio. *Don Juan; ensayos sobre el orígen de su lejenda*. 10 ed. Buenos Aires: Espasa-Calpe, 1964.

—. "Notas para la biología de Don Juan", in *Cinco ensayos sobre Don Juan*. Santiago de Chile: Editorial Cultura, 1937.

Marin, Diego. "La versatilitad del mito de Don Juan". *Rivista Canadiense de Estudios Hispanicos* VI. 3 (1982): 389-403

Martínez Ruiz, José (Agorín). "Don Juan", in *Cinco ensayos sobre Don Juan*. Santiago de Chile: Editorial Cultura, 1937.

Mas-López, Edita. "El Don Juan del Romanticismo poético del siglo XIX y el Don Juan realista del siglo XX". *Letras de Deusto* XV. 33 (settembre-dicembre 1985): 155-164.

Massin, Jean. *Don Juan: Mythe littéraire et musical*. Parigi: Stock Musique, 1979.

Matthews, Robert J. "Theatricality and Deconstruction in Max Frisch's *Don Juan*". *Modern Language Notes* LXXXVII. 5 (ottobre, 1972): 742-753.

Mazzeo, Guido E. "*Don Juan Tenorio*: Salvation or Damnation?" *Romance Notes* V. 2 (1964): 151-155.

Mc Dowell, Frederick P.W. "Heaven, Hell, and Turn-of-the-Century London", in 'Bloom, Harold, ed. *George Bernard Shaw's Man and Superman*. New York: Chelsea, 1987.

Mc Glathery, James. *Mysticism and Sexuality: E.T.A. Hoffmann, Interpretation of the Tales*. New York: Lang, 1985.

Meisel, Martin. "*Man and Superman* and the Duel of Sex", in Bloom, Harold, ed. *George Bernard Shaw's Man and Superman.* New York: Chelsea, 1987.

Mélange à la mémoire de Franco Simone: France et Italie dans la culture europeenne. Vol. I & II. Ginevra: Slatkine, 1981.

Menarini, Piero. "Zorrilla contro Don Juan". *Cahiers d'Etudes Romanes* XI (1986): 75-92.

Menéndez Pidal, Ramón. "Sobre los orígines de *El convidado de piedra*", in *Estudios Literarios.* Madrid: Atenea, 1920.

Mila, Massimo. *Breve Storia della musica.* Torino: Einaudi, 1963.

Miles, Rosalind. *The Female Form.* Londra: Routledge & Kegan, 1987.

Minguet, Charles. *Don Juan.* Parigi: Editions Hispaniques, 1977.

Molho, Maurice. "Trois mythologiques sur Don Juan". *Les Cahiers de Fonteney* IX/X (1978): 9-75.

Montaigne, Michel de. *Essais.* Ed. a cura di Maurice Rat. Vol. I & II. Parigi: Garnier, 1962.

Musgrave, Marian E. "Frisch's 'Continuum' of Women, Domestic and Foreign", in Probst, Gerard & J. Bodine, ed. *Perspectives on Max Frisch.* Louisville: Univ. Press of Kentucky, 1982.

Nicholls, Roger. *The Drama of C.D. Grabbe.* Parigi: Mouton, 1969.

O'Flaherty, Wendy Doniger. *Other Peoples' Myths: The Cave of Echoes.* New York: Macmillan, 1988.

Pallotta, Augustus. "Dacia Maraini: From Alienation to Feminism". *World Literature Today* LVIII. 3 (1984): 359- 362.

Pavis, Patrice. *Dictionnaire du théâtre. Termes et concepts de l'analyse théâtrale.* Parigi: Editions Sociales, 1980.

Pelous, J.-M. "Les problèmes du temps dans le *Dom Juan* de Molière". *Revue des Sciences Humaines* CLII (ottobre- dicembre, 1973): 555-586.

Pender, Malcom. *Max Frisch: His Work and its Swiss Background.* Stoccarda: Akademischer Verlag Hans-Dieter Heinz, 1979.

Penna, Mario. *Don Giovanni e il mistero di Tirso.* Torino: Rosemberg & Sellier, 1958.

Pérez de Ayala, Ramón. "Don Juan", in *Cinco ensayos sobre Don Juan.* Santiago de Chile: Editorial Cultura, 1937.

Pérez Firmat, Gustavo. "Carnival in *Don Juan Tenorio*". *Hispanic Review* LI. 3 (1983): 269-281.

—. *Literature and Liminality: Festive Readings in the Hispanic Tradition.* Durham: Duke Univ. Press, 1986.

Perry, John W. *The Heart of History: Individuality in Evolution*. Albany: State Univ. of New York Univ. Press, 1987.

Pestelli, Giorgio. *The Age of Mozart and Beethoven*. Tr. Eric Cross. Cambridge: Cambridge Univ. Press, 1984.

Petersen, Carol. *Max Frisch*. Tr. Charlotte La Rue. New York: Ungar, 1972.

Petzoldt, L. *Der Tote als Gast. Volkssage und Exempel*. Helsinki: Artvert, 1968.

Pineau, Joseph. "Don Juan 'mauvais élève'". *Revue des Sciences Humaines* CLII (1973): 565-586.

Pizzari, Serafino. *Le mythe de Don Juan et la comédie de Molière*. Parigi: Nizet, 1986.

Pizzorusso, Arnaldo. "Remarques sur le *Dom Juan* de Molière" in *Studi di Letteratura francese*. Vol. VI. Firenze: Olschki, 1980.

Praz, Mario. *The Romantic Agony*. Tr. Angus Davidson. Londra: Oxford Univ. Press, 1933.

Probst, Gerard & J. Bodine, ed. *Perspectives on Max Frisch*. Louisville: Univ. of Kentucky Press, 1982.

Rank, Otto. *The Don Juan Legend* (1924). Tr. David G. Winter. Princeton: Princeton Univ. Press, 1975.

Rasy, Elisabetta. *Le donne e la letteratura*. Roma: Riuniti, 1984.

Le Récit Amoureux - Colloque de Cérisy. Ed. a cura di Didier Coste. Intro. Michel Zéraffa. Champ Vallon: L'Or d'Atalante, 1984.

Reynier, Gustave. "Les Origines de la légende de Don Juan". *Revue de Paris* XIII. 3 (maggio, 1906): 314-338.

Riccoboni, Luigi. *Histoire du théâtre Italien*. Vol. I & II. Parigi: André Cailleau, 1730. (Ristampa, Torino: Bottega d'Erasmo, 1968)

Rivara, Annie. "Don Juan ou la mort ou la difficulté d'être libertin", in *Etudes et Recherches sur le dix-huitième siècle*. Marsiglia: Université de Provence, 1980.

Rodriguez, Alfred. "Tirso's Don Juan as a Social Rebel". *Bulletin of the Comediantes* XXX (1978): 46-55.

Rogers, Daniel. *Tirso de Molina: El Burlador de Sevilla*. Londra: Grant & Cutler, 1977.

Rossanda, Rossana. *Anche per me : Donna, persona, memoria dal 1973 al 1986*. Milano: Feltrinelli, 1987.

Roszkowska, Wanda. "Les Comédiens italiens en Pologne et la *commedia moderna* dans la première moitié du XVIII siècle", in Klimowicz, Mieczyslaw ed. *Le Théâtre dans l'Europe des Lumières: Programmes, pratiques et changes*. Varsavia: Uniwersytetu Wroclawskiego, 1985.

Rousset, Jean. "Anna et Don Juan". *Saggi e Ricerche di Letteratura Francese* XIV (1975): 199-219.

—. *Le Mythe de Don Juan*. Parigi: Armand Colin, 1978.

—. "Les apparitions du mort. Tirso - Molière - Mozart", in *Studi di Letteratura francese*. Vol. VI. Firenze: Olschki, 1980.

Ruppert, Peter. "Max Frisch's Don Juan: The Paradigm of his Intellectual Hero". *Germanic Notes* VII. 1 (1976): 323- 326.

—. "Max Frisch's *Don Juan*: The Seductions of Geometry". *Monatshefte* LXVII. 1 (1975): 237-248.

Saad, Youssef. "The Don Juan of Classical Arabia". *Comparative Literature Studies* XIII. 1 (marzo, 1976): 304-314.

Said Armesto, Victor. *La lejenda de Don Juan*. Madrid: Espasa-Calpe, 1946/1968.

Samuels, Andrew, Bani Shorter and Fred Plaut. *A Critical Dictionary of Jungian Analysis*. Londra: Routledge & Kegan, 1986.

Schneider, Monique. "Le Spectre de Don Juan dans l'écriture de Freud", in Coste, Didier, ed. *Le Récit Amoureux*. Champ Vallon: L'Or d'Atalante, 1984.

La Séduction - Colloque de Bruxelles. Parigi: Aubier- Montaigne, 1981.

Sedwick, Frank. "*El Burlador, Don Giovanni* and the Popular Concept of Don Juan". *Hispania* XXXVIII (1955): 173-177.

Serres, M. "Apparition d'Hermès: Don Juan", in *Hermès I: La Communication*. Parigi: Editions de Minuit, 1968.

Shergold, N.D. *A History of the Spanish Stage from Medieval Times until the End of the Seventeenth Century*. Londra: Oxford Univ. Press, 1967.

Simone-Brouwer, F. de. "Ancora Don Giovanni (Osservazioni ed appunti). *Rassegna Critica della Letteratura Italiana* II (1897): 55-66 & 145-165.

—. *Don Giovanni nella poesia e nell'arte musicale: Storia di un dramma*. Napoli: Regia Università, 1894.

Singer, Armand Edwards. *The Don Juan Theme: Versions and Criticism; A Bibliography*. Morgantown: West Virginia Univ., 1965.

—. Supplementi a *The Don Juan Theme: Versions and Criticism; A Bibliography*. Morgantown: West Virginia University Philological Papers, 1970; 1973; 1975; 1981.

—. Ultimo supplemento: "The Present State of Studies on the Don Juan Theme" in Solà Solé, Josep & George E. Gingras, ed. *Tirso's Don Juan: The Metamorphosis of a Theme*. Washington, D.C.: Catholic University of America, 1988.

—. "Don Juan Women in El Burlador de Sevilla". *Bulletin of the Comediantes* XXXIII. 1 (1981): 67-71.

Solà-Solé, Josep M. & George E. Gingras, ed. *Tirso's Don Juan: The Metamorphosis of a Theme*. Washington, D.C.: Catholic Univ. of America, 1988.

Solerti, Angelo. *Gli albori del melodramma*. Palermo. 1902.

—. *Le origini del melodramma*. Torino: 1904.

Spaziani, Marcello. *Don Giovanni dagli scenari dell'arte alla "Foire"*. Roma: Edizioni di Storia e Letteratura, 1978.

—. "Un capitolo della storia di Don Giovanni: Molière parodiato da Biancolelli?", in *Mélanges à la mémoire de Franco Simone*. Vol. II. Ginevra: Slatkine, 1981.

Stanton, Domna, C. "Playing with Signs: The Discourse of Molière's *Dom Juan*". *French Forum* V. 1 (1980): 106-121.

Steele, Eugene. *Goldoni: Life, Work and Times*. Ravenna: Longo, 1981.

Steele, Robert S. *Freud and Jung: Conflicts of Interpretation*. Londra: Routledge & Kegan, 1982.

Studi di Letteratura francese. Vol. VI. Firenze: Olschki, 1980.

Tan, H.G. *La Matière de Don Juan*. Leyde: Presse Univ. de Leyde, 1976.

Taviani, F. *La Commedia dell'Arte e la società barocca: La fascinazione del teatro*. Roma: Bulzoni, 1969.

Thuel, Françoise. "*Dom Juan* de Molière: Des mots et objets *mis en texte*, à la mise en scène du sens". *Littérature* XII (1973): 74-85.

Tobin, Ronald W. "Don Juan ou le principe du plaisir", in *Littérature et Gastronomie*. Parigi: Papers on French Seventeenth Century Literature, 1985.

Tonelli, Franco. "Molière's *Don Juan* and the Space of the Commedia dell'Arte". *Theatre Journal* XXXVII. 4 (1985): 440-464.

Tours, Abbé de la. *Réflections morales, historiques et littéraires sur le théâtre*. Avignon: Chave, 1735.

Trousson, Raymond. *Thèmes et mythes: Questions de méthode*. Bruxelles: Edition de l'Université de Bruxelles, 1981.

Ubersfeld, Anne. *Lire le théâtre*. Parigi. Editions Sociales, 1982.

Valency, Maurice. "*Man and Superman*", in Bloom, Harold, ed. *George Bernard Shaw's Man and Superman*. New York: Chelsea, 1987.

Vanesoen, Constant. "*Dom Juan* ou la conversion manquée". *Revue Belge de Philologie et d'Histoire* LI (1973): 542-555.

Vattimo, Gianni. *Il pensiero debole*. Milano: Feltrinelli, 1984.

Vogt, Sally Peters. "Ann and Superman: Type and Archetype", in Bloom,

Harold ed. *George Bernard Shaw: Modern Critical Views*. New York: Chelsea, 1987.

Wade, Gerald E. The Character of Tirso's Don Juan of *El Burlador de Sevilla:* A Psychoanalitical Study". *Bulletin of the Comediantes* XXXI (1979): 33-42.

Wade, Gerald E. & Robert J. Mayberry. "Tan largo me lo fiáis and *El Burlador de Sevilla y convidado de piedra*". *Bulletin of the Comediantes* XIV. 1 (1962): 1-16.

Wadsworth, P.A. *Molière and the Italian Theatrical Tradition*. Cooper Square: French Literature Publication Co., 1977.

Ward, Lester. *Pure Sociology: A Treatise on the Origin and Spontaneous Development of Society*. Londra: Macmillan, 1903.

Watson, Barbara Bellow. *A Shavian Guide to the Intelligent Woman*. New York: W.W. Norton, 1964/1972.

Weinreb, Ruth Plaut. "In Defense of Don Juan: Deceit and Hypocrisy in Tirso de Molina, Molière, Mozart and G.B. Shaw". *Romanic Review* LXXIV. 4 (1983): 425-440.

Weinstein, Leo. *The Metamorphoses of Don Juan*. Stanford: Stanford Univ. Press, 1957.

Wellbery, David E. "E.T.A. Hoffmann and Romantic Hermeneutics: An Interpretation of Hoffmann's *Don Juan*". *Studies in Romanticism* XIX (1980): 455-473.

Wisenthal, J.L. *The Marriage of Contraries: Bernard Shaw's Middle Plays*. Cambridge: Harvard Univ. Press, 1974.

Zorrilla, José. "Cuatro palabras sobre mi *Don Juan Tenorio*". *Recuerdos del tiempo viejo*, in *Appendice* di Zorrilla, José. *Don Juan Tenorio*. Ed. a cura di José Luis Gomez. Barcellona: Planeta, 1984.

INDICE DEI NOMI E DEGLI ARGOMENTI

Hoffmann, E. T. A. 129, 135, 141-145, 147, 148, 151, 161, 211, 214.
Hornsey, A. W. 153, 221.
Horst, R. 162, 221.
Hosle, J. 188, 195, 221.
Hubert, J. D. 97, 221.
Huneker, J. 172.

Illuminismo/Lumières, 115, 116, 119, 132.
Ingenieros, J. 221.
Inquisizione, 65, 83.
Intermezzo napoletano, 123, 124.
Isasi-Angulo, A. C. 55, 221.

Joly, J. 126, 218.
Jouvet, L. 91.
Jung, C. G. 14, 34, 36, 42, 45-48, 66, 89, 185, 210, 221.
Jurgsen, M. 184, 221.

Kennedy, J. 221.
Keys, I. 126, 139, 221.
Kierkegaard, S. 33, 129, 132-134, 148, 149, 171, 189, 199, 204, 221.
Kieser, R. 182, 191, 221.
Kristeva, J. 11, 199. 200, 201, 221.
Kronenberger, L. 222.
Kuby, E. 188.

Lacan, J. 200.
Lagrave, H. 115, 222.
Lavaud, J. M. 161, 222.